馔

Walden
瓦尔登湖

Thoreau

[美] 梭罗 著

亦言 译

中国友谊出版公司

图书在版编目（CIP）数据

瓦尔登湖 /（美）梭罗著；亦言译. -- 北京：中国友谊出版公司，2018.1（2022.9重印）

书名原文：Walden

ISBN 978-7-5057-4270-3

Ⅰ.①瓦… Ⅱ.①梭… ②亦… Ⅲ.①散文集－美国－近代 Ⅳ.①I712.64

中国版本图书馆CIP数据核字(2017)第312203号

书名	瓦尔登湖
作者	[美]梭罗
译者	亦言
出版	中国友谊出版公司
发行	中国友谊出版公司
经销	新华书店
印刷	天津丰富彩艺印刷有限公司
规格	880×1230毫米　32开
	10.5印张　225千字
版次	2018年5月第1版
印次	2022年9月第4次印刷
书号	ISBN 978-7-5057-4270-3
定价	36.00元
地址	北京市朝阳区西坝河南里17号楼
邮编	100028
电话	（010）64668676

版权所有，翻版必究

如发现印装质量问题，可联系调换

电话　（010）59799930-601

Henry David Thoreau

梭罗在瓦尔登湖旁的小木屋

目录

01 / 译者序

001 / 生活之经济

075 / 补充诗篇

077 / 我生在何处,为何而生

095 / 阅 读

106 / 声 音

124 / 孤 独

134 / 访 客

148 / 种 豆

161 / 村 子

167 / 湖

194 / 贝克田庄

204 / 更高的法则

217 / 与野兽为邻

231 / 室内取暖

249 / 往昔居民,冬日访客

264 / 冬天的动物

275 / 冬天的湖

290 / 春 天

310 / 尾 声

译者序

亨利·戴维·梭罗是美国19世纪最有世界影响力的作家、自然主义者、改革家和哲学家。1817年,梭罗生于马萨诸塞州的康科德,1837年毕业于哈佛大学,在担任数年中学校长之后,毅然决定以作诗和论述自然为终生事业。

1845年,梭罗孤身一人跑进了无人居住的瓦尔登湖边的山林中,自己砍材在湖畔建了一座小木屋,开始了两年零两个月的林中幽居生活。在这两年多的时间里,他开荒种地、阅读、思考、写作,完全自食其力,过着非常简朴、原始的生活。这段时间的生活和思想产生了意义深远的《瓦尔登湖》。这本书于1854年出版,被美国国会图书馆评为"塑造读者人生的25部书"之首选经典,也是当代美国读者最多的散文经典,一直被后人奉为美国现代文学的经典之作,梭罗本人也被誉为美国环境运动的思想先驱。

《瓦尔登湖》是一本清新、健康、引人向上的书,作者通过自己的实践向世人证明,人们完全没有必要将时间花费在无休止的物质追求上,而应将尽可能多的时间用于精神探索,因为如果一个人能满足于基本的生活所需,已经能够从容、充实地享受人生了。他这种回归本心、亲近自然的思想为美国乃至整个世界都带来清新之风。书中有很多篇幅是关于动物和植物的观察记录，而且作者还赋予了它们通俗的哲学意义，这也正是梭罗的书真实可爱之处。

梭罗的文字语言生动、明白晓畅、简练准确，后来的海明威、亨利·米勒都继承了他的这一风格。与同时代的伟大作家们相比，《瓦尔登湖》的风格独特，甚至比霍桑、梅尔维尔和爱默生这些天才作家更具20世纪散文的风尚与气息。

1862年，梭罗因肺病医治无效，结束了他短短的一生。当时，他同时代的人认为他不过是个特立独行、行为怪异的人，一个爱默生的追随者，并没有真正地去了解他的内心。一直到世纪之交他的著作及他本人才得到了广泛和深刻的认识。

英国作家乔治·艾略特说："《瓦尔登湖》是一本超凡入圣的好书，严重的污染使人们丧失了田园的宁静，所以梭罗的著作便被整个世界阅读和怀念了。"现代生活几乎给人类提供了随心所欲的舒适，而人们在征服自然、向自然大肆攫取的时候，也看到了大自然给人类的惩罚。如果我们能少一些贪婪和索取，如果世上能多一处瓦尔登湖，人类也会多一条后路。

如今，尽管我们不能够像梭罗那样去体味山林生活，尽管那个时候的瓦尔登湖已经永远地消失，但这些都不能阻碍我们在自己的内心里拥有一泓清澈的瓦尔登湖，让心灵时刻得到荡涤和洗礼，进入那澄明、清新之地。

亦言

生活之经济

在写下列这些篇章，或者说是下面这一大堆文字的时候，我正孤独地生活在森林之中。在马萨诸塞州的康科德城，瓦尔登湖的湖畔，我住在亲手建造的木屋里，靠着双手劳动，养活我自己。在我的住处方圆一英里范围内，没有任何邻居。我在那里住了两年零两个月。如今，我又算是文明生活中的过客了。

如果不是人们曾特意打听我的生活方式，我本不会如此唐突，拿些私事来引起读者注意。有人说我这种生活方式荒诞怪僻，与人不敬，虽然我根本不这样认为，但考虑到我所处的境况，我只觉得它非常自然，而且还合情合理。有些人则问我吃什么，是否感到寂寞，是否会害怕，诸如此类的事情；另外一些人还好奇地想知道，我的哪一部分收入用于慈善事业；还有一些人，家庭成员众多，想了解我到底收养了多少个贫困儿童。所以，本书在答复此类问题时，请对我并无特殊兴趣的读者予以谅解。大多数书籍中，避而不用第一人称的"我"，本书则采用第一人称，而且本书的主要特点，便是"我"字的频繁使用。其实,任何一本书都是第一人称在叙述,而我们却常常忘记了这一点。如果我对他人的了解,比得上我的自我了解,我就不会如此畅谈自我了。深感遗憾的是,因我阅历浅薄,也只能局限于此类话题。在我看来,每一位作家,不仅要书写他所听到的有关他人生活的话题,也要或早或晚地能简单而诚恳地记录自己的生活,应写得如同他从远方寄给亲人的信件一般。因为我觉得,一个人若生活得严谨,他一定是生活在一个很遥远的地方。以下的这些文字,对于清贫的学生来说,或许特别适用。至于其余的读者,我想他们是会各取其用的。因为没有人会削足适履,只有合乎尺寸的衣履,才能对一个人有所用。

我想倾诉的事,与远方的中国人和桑威奇岛人没有多大关联,而是关于你们——这些文字的读者,你们这些生活在新英格兰的居民①。我的文字是关于诸位的境遇,特别是与诸位生处此世、生于此城的身外境况或环境有关。生于人世之间,你们正过着什么样的生活呢?若你们生活得糟糕透顶,是否有必要呢?这种生活又是否能得以改善呢?我曾去过康科德城的很多地区。无论是在商店、办公场所,还是在广袤的田野上,我看到这里的居民都仿佛在赎罪一样,从事着种种令人震撼吃惊的苦役。我曾经听说过,婆罗门教的教徒们,端坐于四面火焰之中,面朝太阳;或倒悬着身体,于烈火之上;或侧转着头凝望青天,"直到他们无法恢复原状,而在那种情景之下,由于脖子是扭转的,除了液体,别的食品都无法流入胃囊之中";或者,用一条铁链把自己锁在一棵树下,终其一生;又或者,像毛毛虫一样,匍匐着身体

---

① 指美国东北部的居民。

来丈量帝国的广袤无垠；抑或，独脚立于柱子之上。然而，纵是这些有意识的赎罪苦行，也不见得比我平日里看见的景象，更令人难以置信，更让人心惊肉跳。赫拉克勒斯所从事的12种苦行，跟我的邻居们所从事的苦役相比，简直不值一提。因为他一共也只有12种，做完便结束了。可是，我从没有看过我的邻居捕获或杀死过任何怪兽，也没有看到过他们完成任何劳役。他们也没有像依俄拉斯那样的忠仆，用一块火红的烙铁，来炮烙那被割去了一个头，还会长出两个头来的九头怪兽。

不幸的是，那些年轻人，我的市民同胞们，他们生下来就继承了田地、房舍、谷仓、牛羊，接手了农具。得到它们倒是容易，摆脱它们可就困难了。他们倒不如诞生于空旷的牧场，由群狼喂养，那样他们便能看清，现在自己正劳作于怎样的环境中。是谁让他们变成了土地的奴隶？为什么有人能享受60英亩田地的供养，而很多人却命中注定只能啄食尘土呢？为什么他们一出生，便忙于自掘坟墓呢？他们不得不过着常人的生活，不得不把这一切置于眼前，拼命地劳作，尽可能地把日子过得好些。我曾遇到过许多永生可怜可悲的灵魂，在生命的重担之下，遭受着无情碾压，近乎窒息。他们在生命的大道上匍匐蠕动，推动面前的一个75英尺长、40英尺宽的大谷仓，一个从未清扫过的奥吉亚斯的牛棚，还有那上百英亩土地。他们辛劳地锄地、割草，还要放牧和护林！另外一些并没有继承产业的人，固然不用经受这种祖上传下的、不必要的磨难，却也不得不为他们几立方英尺的血肉之躯，臣服于生活，拼命地劳作。

然而，人们却是在一个错误中劳作。人的美好年华，大多很快就被犁头耕了过去，化作泥土中的肥料。正如一本古书里所说的那样，一种似是而非的，通称为"必然"的命运支配着他们致力于积累财富。而这些财富却注定会被飞蛾和锈霉腐蚀掉，并且招来盗贼的觊觎。这是一段愚不可及的人生，因为他生前始终不明白，到临终才恍然明了。据说，杜卡利盎和彼尔奉神谕把石头扔到背后，创造了人类。古语云：

> 从此人类成为坚韧之物，
> 历尽千辛万苦，
> 我们的力量来自何处得以求证。①

正如，罗利吟咏的两句响亮的诗：

> 从此人心坚硬，
> 任劳任怨，
> 证明我们的身体源于岩石。

我们的祖先如此盲目地遵从错误的神示，把石头从头顶扔到背后，却不去看一看它们坠落到何处。

大多数人，即使是在这个相对自由的国度里，由于无知和错误，满载着虚构的忧虑，忙碌于不必要的粗活，却不能因此采摘到生命的硕果。由于辛劳过度，他们的手指变得粗笨而颤抖不止，不适用于采摘了。确实，辛勤劳作的人，一天又一天，得不

---
① 原文为拉丁文。

到空闲来真正地享受自我,他也无法保持人与人之间最坚固无隙的关系;在市场上,他的劳动却被贬值。他没时间充当别的角色,只能是一部机器。他怎能记得清他是无知的呢——他的成长需要这份无知——他不也经常绞尽脑汁,运用才智吗?在评论他们之前,首先我们应时不时地给予他们免费的食物和衣物,并用兴奋剂令他们恢复健康。我们天性中最优良的品格,好比果实上的粉霜一样,只有小心翼翼、轻手轻脚地对待,才能得以保全。然而,我们对自己、对他人都没能做到温柔相待。

如我们所知,你们之中,有些人是穷困的,觉得生活不容易。有时候,甚至可以说是穷困潦倒,生活异常艰难。我毫不怀疑,本书的读者之中,有些人支付不了那已经咽下的全部饭菜和迅速磨损或已经破损的衣服的费用。好不容易忙里偷闲,或者说是从债主那里偷来时间,才能阅读几页文字。这很明显,我已看出你们中的许多人过着何等卑微、藏来躲去的生活,因为我久经岁月的磨砺,阅历匪浅。你们时常捉襟见肘,努力做成一笔生意来偿清债务;你们深陷于一个十分古老的泥潭之中,拉丁文中所谓 aes alienum(即"别人的铜币")中,因为有些钱币正是用铜来铸的;就在别人的铜钱中,你们生存、死去,最后葬身其中;你们总是许诺明天偿清,或者明天的明天偿清,直到死在今日,而债务还未了清;你们奉承、乞怜、请求照顾、绞尽脑汁、用尽办法,就是为了免去牢狱之灾;你们撒谎、溜须拍马、投票,把自己缩进了一个规规矩矩的硬壳里,或者吹嘘夸耀,摆出一副稀薄如云的慷慨大度的模样,这才使你们的邻人信任你,允许你们为他们做鞋、制帽、裁衣,或制造车辆,或替他们代购食品；你们在一只破箱子里，或者在灰泥后面的一只袜子里，塞进一些钱币，又或者寄存在牢固的银行里，那样就更安全了。不管塞在哪里，塞多少，更不管那数目是如何的微少，为了预防患病而备钱，反而把你们自己弄出病来。

　　有时我就纳闷，不能自已地要说，为何我们如此轻率，竟然实行了罪恶昭彰、从外国带进黑奴的奴隶制度。有这么多刻薄而狡诈的奴隶主，奴役了南方和北方的奴隶。南方的监守人是毒辣的，而北方的监守人更加恶毒，可你们却做起自己奴隶的监守人，这是最不可饶恕的。还谈什么人的神圣呢？看公路上的那些赶马人吧，日夜兼程地向市场赶去，在他们的内心，难道有什么神圣的思想在激荡着吗？他们的最高职责就是给驴马喂草饮水，绝无其他！和运输的收益相比较，他们的命运又算得了什么呢？他们不就是在给一位繁忙的绅士赶驴马吗？他们有什么神圣可言，有什么可不朽呢？看看他们如何匍匐行走，如何整日战战兢兢，这并非神圣的，也绝非不朽的。他们把自己看成拥有"奴隶"或"囚徒"这种名称的人，而这名称正是源于他们的所作所为。和我们的个人观点相比，公众舆论这暴戾的君主也显得微弱无力。一个人如何看待自己，决定了此人的命运，指明了他的归宿。如果在西印度的州省中谈论喜好与想象的自我解放，那到哪里去找一个奴隶的解放者——威尔勃福司来促发呢？再想一想，这片土地上的妇人们，编织着梳妆用的软垫，只是为了勉强度日，丝毫没有表现出对自己命运的关心！仿佛惶惶终日还无损于永恒呢。

　　大多数人都在隐隐的绝望中生活。所谓的听天由命，便是绝望。你从绝望的城市走到绝望的村庄,以水貂和麝香鼠的勇敢来安慰自己。在人类所谓的游戏与娱乐之下,甚至都隐藏着一种根深蒂固的、不易察觉的绝望。两者都没有乐趣可言,因为工作之后才能娱乐。但是,不做绝望的事才是智慧的一种特征。

当我们用教理问答的方式,思考着何谓人生的宗旨、何谓生活真正的必需品与方式时,仿佛人们还曾谨慎地选择了这种共同的生活方式,而无意于其他生活方式。其实他们也知道,除此之外,别无其他方式可以选择。但清醒、健康的人都知道,太阳亘古常新。摒弃我们的偏见,永远都不会太迟。无论如何古老的思想与行为,没有确凿的证据,就不可轻信。在今天,人人附和或以为可以默认的真理,很可能在明天就被证明是谬论、浮云,但还会有人认为是乌云,可以将一阵甘霖洒落到土地上来。把长辈认为你办不到的事来试办一下,往往却能成功。长辈有旧的一套,晚辈有新的一套。古人不知道只要不断添上燃料便可使火焰不灭,新人却知道将一小把干柴置于水壶底下。现代人还能环绕地球,疾如飞鸟,这让长辈们汗颜。俗话说得好:老年人,虽然年纪一大把,也未必能胜任年轻人的导师。因为他们虽有所收获,却也大有损失。

我们也许会这样怀疑:即使最聪明的人,活了一世,他又能懂得多少生活的绝对价值呢?实际上,老年人没有什么特别重要的忠告可以给予年轻人。他们的经验是那样的主观,他们的生活已经历过那般惨痛的失败,他们必须得承认很多过错都是自己铸成的。也许,他们还保留着些许信心,而这与他们的经验是不相符合的,因为他们已经不再年轻。我在这星球上生活了三十多年,还没有从老长辈那里听到过一个可谓有价值的字眼,或堪称热忱的忠告呢。他们什么也没告诉过我,也许是不能告诉我什么中肯的意见吧。这就是生命,一个试验,而它的极大部分我都从未体验过。就算老年人已体验过,也于我无益。如果我得到了任何自认为有用的经验,我一定会这样想:这个经验,我的导师们可是从未提起过呢。

一个农夫对我说:"光吃蔬菜是活不了的,因为它不能供给你骨骼形成所需的养料。"因此,他每天虔诚地花费一部分时间,用以获得那种可以供给他骨骼生长所需的养料。他一边说话,一边跟在耕牛后面,让这头用蔬菜供养它的骨骼的耕牛拖动着他和他的木犁,不顾一切阻碍地前进。某些事物,在某些场合,例如在最无助的病人中间,确是生活的必需品;在另一些场合,却只变成了奢侈品;若再换成另一种场合,又可能是完全新鲜的东西。

有人以为,人类生活的全部,都已被先驱经历过,无论在高峰之巅或低凹之谷,一切都已被注意到了。依照伊芙琳所说:"智慧的所罗门曾下令规定了树木间应有的距离;罗马地方官员也曾规定,你可以多少次到邻家的土地上捡拾那落下来的橡子而不算乱闯,并曾规定有多少橡子属于邻居。"希波克拉底甚至传下了剪指甲的方法,也就是说,剪得要与手指头相齐,不要太短或太长。毫无疑问的,那种把生命的多彩和欢乐都销蚀殆尽的冗长和无聊的想法,与亚当一样古老。但人的力量还从未被衡量出来,我们也不能根据一个人已经完成的事来判定他的力量,因为人们尝试的事情太少了。不论你以前经历过何种失败,"不要感伤和哀痛,我的孩子,谁能命令你去做你未曾做完的事呢"?

或许，我们可以用上千种简单的测试来测定我们的生命。例如，是同一个太阳，使我种的豆子成熟，同时也照耀了类似我们地球的整个太阳系里的其他星球。如果我早记住了这一点，就能避免一些错误。可是，当我改正这些错误时，并没有这样去想。星星是由何等神奇的三角形尖顶组成的啊！在宇宙各处，有多少遥遥相隔的不同物种，在同一时间里思考着同一事实啊！正如我们的多样化体制一样，自然和人生也是变化多端的。谁能预知他人的生命前景如何？难道还有比一瞬间通过彼此的眼睛来观察对方更伟大的奇迹吗？我们本应在一小时之内就经历这人世的各种时代，甚至经历各种时代中的各种世界。历史、诗歌、神话——我不知道，还有什么关于他人经验的读物能像这些作品这般惊人而又详尽。

凡是我的邻人认为好的、有益的东西，我的内心里却认为其中的很大部分是坏的、无益的。至于我，如果有所忏悔，我悔恨的反而是我的善良品行。是什么魔鬼控制了我，使我品行如此善良、举止如此得体呢？老年人啊，你尽可能地说着最明智的话，你已经活了七十年了，而且活得很光荣，受人尊重，而我却听到一个不可抗拒的声音，要求我拒绝听你的话。新的时代抛弃前一代的业绩，仿若它们是些搁浅的船只。

我在想，我们可以泰然自若地相信很多事物，比我们实际上相信的更多。我们能放弃多少对自我的关心，便可以坦诚地给予他人多少关怀。大自然既能接受我们的长处，也能接受我们的弱点。有些人无穷无尽地忧患焦虑，成了一种几乎无法医治的疾病。关于我们所做工作的重要性，我们又生就喜爱夸耀，而更多的工作我们却没有做！如果我们病倒了，那该怎么办呢？我们多么警惕而又谨慎，决心不依照信仰而生活，并尽可能地避免它，整日心怀戒备，到夜晚违心地祈祷着，把自己托付给未定的运数。我们被迫生活得这般周到和真诚，崇奉自己的生活，而拒绝接受变革的可能性。我们说，只能如此生活着啊，可是正如从圆心可以画出无数条半径一样，生活方式也有无数种。一切变化都是值得思考的奇迹，任何刹那间发生的事都可称为奇迹。孔夫子曾说："知之为知之，不知为不知，是知也。"当一个人把他想象的事实归纳升华为个人理论时，我可预知，所有人最终都要在这样的基础上构建起他们的生活。

让我们思考一下，我前面所说的多数人的忧虑和烦恼又是些什么，其中有多少是值得忧虑的，至少是值得谨慎对待的呢？虽然生活在表层文明之中，若能过着远古的、原始的生活，于我们是有益的，即使仅仅为了弄懂生活必需品大致是些什么，以及如何才能得到这些必需品，甚至草草浏览商店里古老的流水账本，看看商店里经常出售些什么，又存储哪些货物，就是瞧瞧最繁杂的杂货究竟是些什么也好，这些对我们都是有益的。时代虽在变更、进步，但对人类生存的基本原则却没有发生多少影响；这好比我们的骨骼，跟我们祖先的骨骼是没有太大区别的。

所谓生活必需品，在我的意识里，是指一切人类靠自我努力获得的物品，也许它一开始就显得很重要，或是由于长久的使用而对人生具有了这样的重要性。即使有些人尝试着拒绝它，或是由于野蛮，或是出于穷困，或者只是因为个人的哲学信仰，才这么做，不过这样的人也只是极少数。对于许多生物来说，具有这般意义的生活必需品只有一种,即食物。原野上的牛只需要几英寸长的可咀嚼的青草和一些冷水,除非它们还需要寻求森林或山阴的遮蔽。野兽的生存,都只需要食物和隐蔽之处而已。但人类,在现实环境中,其生活之必需品可分为:食物、住宅、衣服和燃料;缺少了这些,我们是无法自由地考虑真正的人生问题的,更无法展望未来了。人不仅创造了房屋,还发明了衣服,煮熟了食物。或许,人们只是偶然发现了火的温暖,后来学会利用它;起先它还是奢侈品,而到如今,烤火取暖也是必需品了。

我们注意到,猫狗也同样获得了这个第二天性。住得合适,穿得适宜,就能合理地保持体内的热度。但若住得太热和穿得太暖的话,或烤火烤得太热时,体外的温度高于体内的温度,那岂不是如同在烘烤人肉了吗?提及火地岛的居民,自然科学家达尔文说,他们一伙人穿着衣服在烤火,尚且不觉得热。那时,赤裸着身体的野蛮人却站得远远的。令人吃惊的是,他们"被火焰烘烤得竟然汗流浃背了"。同样,据说新荷兰人赤裸身体却能泰然自若地跑来跑去,而欧洲人穿了衣服还颤抖不已。难道这些野蛮人的坚忍和文明人的睿智不能够相提并论吗?依照李比希的说法,人体是一只火炉,食物是维持肺部内燃的燃料。天冷时,我们吃得多;天暖和时,则吃得少。动物的体温是缓慢内燃的结果,而疾病和死亡则是在内燃得太旺盛的时候发生,或是因为缺乏燃料,或是由于通风装置出了毛病,导致火焰熄灭。当然,我们不能把生命体的体温与火混为一谈,我们的比喻就到此为止。因此,依照上面的陈述,似乎动物的生命这一个词语可以跟动物的体温近乎同义语:食物,被看作内燃的燃料,维持体内的燃烧——煮熟食物的也是燃料,煮熟的食物自外吞入体内,也是为增加我们体内的热量,此外,住所和衣物,也是为了保持能量以这种方式产生和吸收。

因此,对人体而言,最主要的必需品便是保暖,保持我们体内维系生命的热量。我们是如此辛劳,不仅是为了食物、衣着、住所,还为我们的床铺——夜晚的衣服而辛劳着,从飞鸟的巢穴里和胸脯上,我们掠夺羽毛,精心做成住所中的住所,如同鼹鼠住在地窖尽头草叶铺就的床上一般!可怜之人常常抱怨,说这是一个冰冷的世界。关于身体上的疾病和社会上的弊病,我们大都归罪于寒冷。在一些地区,夏天给人以乐园般的生活。除了用于煮饭,燃料便别无他用;太阳就是火焰,太阳的光线煮熟了果实。一般说来,食物既多种多样,又容易获得,而衣服和住宅是完全不必要的,或者说有一半是不必要的。在如今这个时代,根据我个人的经验,在我们国内,我认为只要有少数工具就足够生活了,一把刀、一把斧头、一把铲子、一辆手推车,仅此而已。对于好学的人,还需要灯光和文具,外加几本书,这些已是次要的必需品,不需要太多钱就能购得。然而,有些人就太不明智,跑到另一个半球上,到荒蛮的、不卫生的地区,做了十年二十年生意,只是为了勉强活着——就是说,为了使他们能舒适而温暖——最后回到新英格兰,还是死了。奢侈的富人不单舒适而温暖了,而且还追求自然的温暖;正如我在前面说的,他们是被烘烤的,当然这种烘烤很时尚。

大多数的奢侈品,大部分的所谓生活的安逸,非但没有必要,而且对人类进步大有阻碍。所以,有关奢侈与安逸,智者生活得甚至比穷人更加简单和朴素。中国、印度、波斯和希腊的古哲学家都是同一类型的人，物质生活再穷没有，而内心世界再富不过。我们对他们都理解得不透彻。然而令人吃惊的是，我们竟然对他们的生平知道得不少呢。近代那些改革家、各民族的救星，也都如此。唯有站在所谓的甘贫乐苦这一有利角度上，才能成为公正明智的观察者。无论在农业、商业、文学或艺术中，奢侈生活的果实都是奢侈的。如今这个社会，哲学教授遍地都是，哲学家却寥寥无几。然而教育他人是令人钦佩的，因为教授的生活是令人羡慕的。

　　但是，要做一个哲学家的话，不仅仅要具有敏锐的思想、建立起一个学派来，而且要热爱智慧，从而依照智慧的指示，过着一种简单、独立、大度、虔诚的生活。作为哲学家，要从理论和实践层面上，解决一些生命的问题。著名学问家和思想家的成功，通常不是帝王式的，也不是英豪式的，却恰是朝臣式的成功。他们往往只求过着与习俗相符合的生活，就像他们的父辈那样，并不想成为高贵种族的先祖。可是，为什么人类总在退化？是什么使得那些家族没落消亡的？促使国家衰败灭亡的奢侈是何等性质的呢？在我们的生活中，我们能否确信没有这等奢侈的存在？哲学家总是处在时代的前列，甚至在生活的表面上也是如此。他并不像他的同时代人那样吃喝、居住、穿着和取暖。倘若一个人是哲学家，他怎会没有比别人更好的保持生命体体温的方法呢？

　　当一个人已在我所描写的几种方式下暖和了，下一步他需要什么呢？当然不会是更多同样的温暖。他不会要求更多更丰富的食物、更大更华丽的房屋、更多更精美的衣服、更多更持久更火热的炉火以及诸如此类的东西。他在得到了这些生命所必需的事物之后，就不会再要多余的而是渴求另一些东西。那就是说，免于卑微劳作的假期开始了，现在他开始探讨人生了。看起来，泥土是适宜于种子生长的，因为在泥土中它的胚根能够向下延伸，然后它可以极富自信地把根茎向上生长。为什么人在泥土里牢牢扎了根之后，不能像种子那样向天空伸展呢？因为那些更高贵的植物的价值，是由远离地面的、最后在空气和日光中结成的果实来评定的，而不是像低贱、卑微的蔬菜那样。蔬菜就算是两年生的植物，也常常是在被培植到生好根、被摘去顶枝以后，可许多人在开花的季节却已认不出它们了。

　　我可不是要给一些性格坚强的人定些什么规章，因为他们不论在天堂还是地狱，都会专注于自己的事业，可能他们比最富有的人构建得更宏伟，挥霍得更厉害，却不会因此而贫困，我们不知道他们是如何生活的——如果像人们梦想的那样，确实有这种人存在的话。我也不给另一种人定出规章，从事物的现状中，他们精确地得到鼓励和灵感，像情人一样热烈地钟爱现实——在某种程度上，我认为自己也属于这种人；还有那些人，在任何情况下，都能安然而快乐，不管他们知不知道自己是否安居乐业，我的话也不是说给他们听的。我主要是对那些不知足的人说的，他们在可能改善生活的时候，却只是懒洋洋地抱怨他们的命苦和诉说他们那时代的悲惨。有些人对任何事情都会抱怨不止，热衷于诉说无尽的苦楚，因为据他们所说，他们是尽了职责的。但我心目之中还有一种人，这种人看起来阔绰富足，实际上却是所有阶层中最贫困的。虽然他们已积蓄了一些闲钱，却不懂得如何利用它，也不懂得如何摆脱它，因此他们给自己锻造了一副金银做的镣铐。

如果让我说说我曾期望如何度过往昔岁月中的生命，可能会使许多熟悉我实际情况的读者感到吃惊，也会使不熟悉我的人大为惊讶。以下，我只略述几件我记挂心头的事。

在任何天气、任何时刻，我都迫切希望及时改善我当前的状况，并要在手杖上刻下印记。过去和未来的交叉点正是现在，我就站在这个交叉点上。请原谅我说话晦涩难懂，因为我这种职业比大多数职业有更多的秘密。并不是我故意要保密，而是我这种职业本来就有这种特点。我很乐意把所知的全都说出来，在我的门口并没有"不准入内"的指示牌。

很久以前，我丢失了一条猎狗，一匹栗色马和一只斑鸠，至今我还在追寻它们。我跟许多游人描述它们的情况、足迹以及它们会回应怎样的叫唤。我曾遇到过一两个人，他们曾听到猎狗的叫声、奔马的蹄音，甚至还看到斑鸠没入云霄。他们也急于追寻它们回来，就像他们自己遗失的一样。

如若可能，我们不仅要观日出、赏黎明，还要瞻仰整个自然！多少个寒冬、酷暑的清晨，在其他邻居为他们自己的事务奔波之前，我就外出忙我的事了！无疑，很多市民都曾见到我干完事归来，包括清晨赶往波士顿的农夫，或是去干活的樵夫，都遇到过我。确实，我虽没有给予日出以实际的帮助或促进作用，但无可置疑的是，在那最重要的时刻我是在场的见证者。

多少个秋天，还有冬天的日子，我在城外度过，尝试分辨风声中的信息，希冀听出并把它传播开来！我在里面几乎投入了全部资金，为这笔生意而迎着寒风，几近窒息。如果风声中有关于两党政治的信息，一定是一些政党的机关报上抢先发表的情报。另一些时候，我守望在高岗或树梢上的观察台，用电报宣布有新客人的到来；或是在黄昏时守候在山巅，等待夜幕降临，以待捕捉到一些东西。虽然我抓到的从来就不多，这不多的信息却好像"天粮"一样，是会在太阳底下消散的。

有很长一段时间，我是一家销路不广的报纸的记者，而编辑却从来不认为我写的一大堆东西是可用的，其他记者也深有同感。我忍受了极大苦痛，换来的只是滞销的劳动成果。然而，在这件事上，苦痛就是它自身的报酬。

很多年来，我委任自己为暴风雪与暴风雨的督察员，我在这个岗位上兢兢业业；又兼测量员，若不测量公路，就去测量森林小道和所有捷径，并确保它们畅通可行；我还测量了一年四季都能通行的峡谷桥梁，大众从上经过，自会证实它们的效用。

我也曾守护过城区的野兽，以致忠于职守的牧人要跳过篱笆时，会遇到许多麻烦；对于人迹罕至的田庄的隐蔽角落，我也给以特别注意，虽然我并不大知道约那斯或所罗门今天在哪一块田地上工作，因为那已不是我分内的事了。我给红色越橘、沙地樱桃、荨麻、红松、黑荨、白葡萄藤和黄色紫罗兰都浇过水，因为在天气干燥的季节中，它们可能会枯萎。

简而言之，我这样做已经很久了（我一点也不夸耀），我尽心尽力地管理这些事，直到后来越来越明白，市民们是不愿意把我列在公职人员的名单之内的，也不愿意让我有个薪金平平的挂名职务。我可以发誓，我记的账目是很谨慎仔细的，实际上却从未被要求查对过，更不用说核准、付款或者结清账目了，好在我并不计较这些。

不久前，一个悠闲的印第安人到我的邻居——一位著名的律师家中兜卖篮子。"你们要买篮子吗？"他说。得到的回应是"不，我们不要"。"什么！"印第安人走出门，惊叫道，"你们想要饿死我们吗？"看到他勤劳的白人邻居生活得如此富裕——因为律师只要把辩论之词组织起来，财富和地位就如同魔法般随后而至——这印第安人曾自言自语："我也要做生意了，我编织篮子，这件事就是我所能做到的。"他以为编织好篮子，就完成了他的任务，接下来就应该是白种人向他购买了。可他却不知道，他必须使人感到购买他的篮子是值得的，至少要使别人相信，购买这一只篮子确实是值得的，要不然他应该做些别的值得叫人购买的东西。我也曾编织了一种精美的篮子，而我却没法使人感到值得购买它。不过，我倒一点儿也不觉得我没必要编织它们，我没有去研究如何编织得使人们觉得它们值得购买，倒是研究了如何可以避免进行此类买卖。得到赞美并且赢得肯定的生活，也就是那么多种生活中的一种而已。为什么我们要夸耀这一种而贬低其他的生活方式呢？

我明白我的市民同胞大约是不会在法院、教堂或任何别的地方给我一个职位的了，我必须为自己而改行。于是，我比以往更专心地把注意力转向森林，因为我更熟知那里的一切。我决定立刻投入工作，不必等候所谓的经费到账，就动用我手上已有的那点儿微薄的资金吧。我到瓦尔登湖去的目的，不是去节俭地生活，也不是去挥霍，而是在尽可能少些麻烦的前提下，处理一些私事。免得我因为缺乏小小的常识，事业规模太小，又不懂得生意经，做出愚蠢甚至凄惨的事情来。

  我常常期望能够养成严谨的商业习惯，而这些习惯是每一个人都不能缺少的。如果你与天朝帝国进行往来贸易的话，你只需在某个撒勒姆港口的海岸上，设个会计室，就足够了。你可以把本国出品的、纯粹的土产输出，许多冰、松木和一些花岗石，都是地地道道的本土产品。经营这些是个好生意。你可以亲自过问一切大小事务；兼任领航员与船长、业主与保险商；处理货物的买进、卖出并记账；阅读每封收到的信件，亲自撰写或审阅每封寄出的信件；日夜监督进口货物的卸载；几乎同一时间出现在海岸上的许多地方——那装货最多的船总是在泽西岸上卸落的；自兼电报员，不知疲倦地电讯到远方去，和所有驶向海岸的船只保持联络；稳定地出售货物，供给远方的一个不饱和的市场，既要熟悉行情，还要明了各处的战争与和平的情况，并预测贸易和文明的趋向；利用各种探险的成果，走最新的航道；利用一切航海技术上的进步，还要研究海图，确定珊瑚礁和新灯塔、浮标的位置，而航海图表永远是改而又改，因为计算上的微小错误，都会使船只冲撞在一块岩石上而粉身碎骨，不然它早该到达一个友好的码头了；还有法国航海家拉·贝鲁斯的未知的命运；还得跟上宇宙科学的步伐，要研究一切伟大的发现者、航海家、探险家和商人，从迦太基探险家法罗和腓尼基人开始直到现在，所有这些人的生平。最后，还要时刻记录仓房中的货物，这样你才知道自己处于什么位置。这真是一个辛苦的差事，考验着一个人的能力，这些有关赢利或损失、利息和扣除皮重的计算等问题，都需要精确的数字，必须得有全宇宙的知识才行。

我认为瓦尔登湖会是个做生意的好地方，不仅仅是因为那里有铁路线和贮冰行业——这为我们提供了许多的便利，或许把它泄露出来并不是件好事；瓦尔登湖还是一个优良港口，为我们提供一个好基础。你不必填没那些好像涅瓦河区的沼泽地，虽然你得到处打桩奠基。据说，要是涅瓦河涨了水，又恰逢西风，河里的冰块可以一下子把圣彼得堡从地面上冲走。

鉴于我没有通常所需的经费就开始我的工作，所以从何得到凡是这样的行业都不能缺少的东西，并不容易揣测出来吧。当务之急是我们应考虑这些实际问题，比如衣服。我们购买衣服，常常是因为爱好新奇的心理及关心别人对它的意见，而不大考虑这些衣服的实际用途。让那些有工作做的人记着穿衣服的目的吧：第一是保持生命所必需的体温，即保暖；第二是为了在目前的社会中遮盖身体，即遮羞。现在，他可以判断一下，在不必增添衣橱里衣服的前提下，有多少必需的重要工作可以完成。国王和王后的每一件衣服都只穿一次，虽然有专门的裁缝专司其事，可他们却无法体会穿上合身衣服的愉快。他们不过是挂着新衣服的木架而已。而我们的衣服，却一天天地与我们同化了，印上了穿衣人的性格，直到我们舍不得把它们丢掉。若要丢掉它们，便如抛弃我们的躯体那样，难免会感到恋恋不舍，带着十分沉重的心情，就像看病吃药一样。其实，在我的眼里，没有人会因为穿着有补丁的衣服而降低了身份。但我很明白，通常人们为了衣服，忧思甚多——衣服要穿得入时，至少也要干净，没有补丁吧？至于有无健全的良心，他们却从不在乎。其实，即使衣服破了未补，暴露出的最大缺点也不过是没有考虑到会有破洞。有时我用这样的方法来测试我的朋友——谁肯把膝盖以上打着补丁的，或者只是多了两道口子的衣服穿在身上？大多数人都认为，如果他们这样做了，从此就自毁了前程。他们宁可跛了一条腿进城，也不愿穿着破裤子去。一位绅士的腿受了伤，他会认为这是有办法补救的；如果只是裤脚管破了，他却觉得无法补救。因为他认为，人们关心的并不是真正值得尊重的东西，而是那些受人尊重的东西。

我们认识的人不多，而认识的上衣和裤子却不少。你给稻草人穿上你所有的衣服，而自己不穿衣服站在旁边，哪一个路人会不马上就向稻草人致敬呢？有一天，我经过一片玉米地，就在那戴着帽子、穿着大衣的木桩旁边，我认出了那个农庄主人。在风吹雨打之下，他比我上一回看见的时候显得更憔悴一些。我曾听说，有一条狗会对所有穿着衣服走到它主人的地方来的人尖声吠叫，却很容易被一个裸体的窃贼制伏，一声不吭。多么有趣的问题啊，没有衣服的话，人们能在多大程度上保持他们的身份？若是没有衣服，你能不能在任何一群文明人中间，肯定地指出谁最尊贵？菲菲夫人在她从东到西的周游世界的旅行中，曾非常接近俄罗斯的亚洲地区。当她要去拜见当地长官的时候，她说，她觉得不能再穿旅行服装了，因为她"现在是在一个文明国家里面，那里的人民根据衣服来评价人"。即使在我们这号称民主的新英格兰城中，只要有钱，穿得讲究，住得豪华，具有了这些偶然的因素，他就能受尽众人的尊重。可是，这些享受着尊重和敬仰的人，人数还真多，都是异教徒，因此应该派遣一个传教士前去。另外，衣服是需要有人来缝制的，缝纫可谓一种无穷无尽的工作，至少，一个女人的衣服是从没有完工的那一天的。

一个人，最后找到工作做了，才发现其实并不需要穿着新衣服去上工的；对他来说，旧衣服就行了，就是那些放在阁楼中很久了、积满了灰尘的旧衣服。一个英雄穿旧鞋的时间倒要比他的仆人长——如果说，英雄也有跟班的话——赤脚的历史可比穿鞋子更悠久了，而英雄是可以赤脚的。只有那些赴宴和去法院的人必须得穿上新衣服，他们换了一件又一件，正如那些地方换了一批又一批的人。可是，如果我把马甲和裤子穿上身，戴上帽子，穿着鞋子，便可以礼拜上帝的话，那有这些也就足够了，不是吗？谁曾注意到自己的旧衣服——真的已经穿得破烂不堪了，变成了当初原料的模样了，就是送给一个乞儿也算不上行善了，说不定那乞儿还会把它转送给一个比他更贫苦的人，而那人倒可以说是比较富有的，因为他可以什么都不要还能生存呢。所以要提防仅仅需要新衣服，而非穿着衣服的新人的事业。如果没有那些人，新衣服怎么能做得合身？如果你有什么事业要做，穿上旧衣服试试看。人之所需，并不是做事时的打扮，而是你要做的事，和你想成为的人。也许我们永远都不必添置新衣服，不论旧衣服已如何破旧和肮脏，直到我们已经这般行事了或行动了，或者说，已朝着某个目标航行了，我们便会感觉到，在古老的躯壳里已有新的生机了，那时虽依然故我，却大有旧瓶装新酒之感。我们的换羽季节，就如飞禽那般，必是生命之中的一大转折点。水鸟退到僻静的池塘边去脱毛，蛇类蜕皮，蛹虫的出茧，情形也是如此，都是内心里孜孜以求扩展着的结果。衣服只不过是我们最外层的表皮而已，或者说，是尘世的烦恼而已。否则，我们将发现自己在伪装下行进，到头来却不免被我们自己的意见及人类所唾弃。

我们套上一层又一层的衣服,好像我们是靠外加物来生长的寄生植物一样。穿在最外面的,常常是很薄很花哨的衣服,那只是我们的表皮,或者说,是假皮肤,它并不是我们生命的一部分,无论从哪里剥下来也不会带来致命伤;我们经常穿着的较厚实的衣服,是我们的细胞壁,或者说,是皮层;而我们的衬衣则是韧皮,或者说,是真正的树皮,剥下来的话,不得不连皮带肉,伤及身体甚至致命。我相信所有的物种,出于同样的原因,都会在某些季节里都穿着有类似衬衣的东西。一个人若能穿得这般简单,甚至在黑暗中都能摸到自己,在各方面都能生活得周密、未雨绸缪,那么,即使敌人占领了城市,他也能像古代的哲学家一样,沉着冷静地空手徒步走出城。一件厚衣服的用处,大致与三件薄衣服相当。便宜的衣服可用真正适合顾客财力的价格买到,而一件厚上衣5美元就可以买到了,它可以穿上好几年。厚长裤2美元,牛皮靴1.5美元,夏天的帽子不过0.25美元,冬天的帽子62.5美分,或许还可以花上很少的一笔钱,在家里制一顶更好的帽子。在家里,穿上这样一套自己辛勤劳动赚来的衣服,哪里还是贫穷呢?又怎么会没有聪明人来向他表示敬意呢?当我定做一件式样特别的衣服时,女裁缝郑重其事地告诉我,"现在他们不流行这个式样了",说话中一点儿也没有强调"他们"两字,好像她跟命运之神一样公正地行使着权威。我发现我很难得到我自己所需要的样式了,因为她不相信我说的话是认真的,她觉得我太粗鲁了。而我,一听到这神示似的话语,陷入了沉思。我把每一个字都单个强调了一下,以便弄清它们的意思,好让我找出它们和我有什么程度的血缘关系；在一件与我如此密切相关的事上，他们有什么权力。最后，我决定以同样神秘的方式答复她，所以也没有强调"他们"这两个字。

"真的，近来他们真的不流行这个式样，可是现在他们又时兴这个了。"如果她只是量了我的肩宽，却没有量我的性格，好像我是一个挂衣服的钉子，这样量法又有什么用处呢？我们并不崇拜美慧三女神，也不崇拜命运三女神，我们崇拜时髦。她纺织、剪裁，全权处理。巴黎的猴王戴上一顶旅行帽，然后全美国的猴子学起它的样子。有时我很失望，在这个世界上，并没有什么简单的事不需要人们的帮助而简单直率地办成的。必须先让人们穿过一个强有力的压榨机，把他们的旧观念压榨出来，以使他们无法马上用两条腿直立。到那时你再观看人群，有的人脑子里长着蛆虫，是从不知何时起就放在那里的卵里孵化出来的，连烈火也消灭不了这些东西；若不这样做，你的一切努力都徒劳无益。总之，我们不要忘记，某种埃及麦子是通过一个木乃伊传下来的，一直传到了我们手里。

总的来说，关于我们国家或其他国家的服装已达到了艺术性的尊贵地位的观点，是不能成立的。现在的人，有什么就穿什么。就像遭遇海难的水手，漂到海岸上，找到什么就穿什么，他们相互站开，越过空间或时间的距离，嘲笑着彼此的服装。每一代人都嘲笑上一代人的时尚，而又虔诚地追逐新式样。看到亨利八世或伊丽莎白女王的装束，我们就觉得滑稽，仿佛他们是食人岛上的岛王和王后那般。衣服如果没有人穿，就变得可怜和荒诞起来。只有抑制住忍俊不禁的哗笑，用严肃的眼睛透视穿衣人的真实人生，才能还穿衣人一个真面目。穿着五彩华服的丑角如果突发绞痛了，他的衣服也就表现出这痛楚的情绪；当士兵中了炮弹，破烂不堪的军装也宛如高贵的紫袍。

无论男女都喜好新鲜花样，这种幼稚、原始的趣味，使多少人转动眼珠、眯着眼睛把玩着万花筒，以便发现今天这一代需要哪种样式。制造商早就知道，他们的趣味是反复无常的。两种式样，其不同只在于几条丝线有所差别，而颜色多少还是相近的。结果，一件衣服立刻卖出，另一件却躺在货架上，无人问津，虽然常常在过了一个季节之后，后者又成了最时髦的款式。相比之下，文身还真算不上所谓骇人的习俗呢，也并不仅仅因为它需要深入皮肤且不能改变就变得野蛮。

我们现在的工业制度是使人们有衣可穿的最佳方法，这种观点我不敢苟同。操作工人的情形与英国工厂里的样子日益相似了，但这也不足为奇。因为据我所听或所察的，原来那主要的目标，并不是为了使人类可以穿得更好更真实，而无疑只是因为那样能为公司赚钱。从长远角度来看，人类总能达到他们的目标。因此，尽管他们可能会很快就失败，但目标还是不妨定得崇高些。

至于住所，我并不否认它现在是一种生活必需品了，虽然有很多例子可以说明，很久以来有些人在没有住所的情况下，在比这里更为寒冷的国土上照样能生活下去。塞缪尔·莱恩说："北欧的拉普兰人穿着皮衣，头上肩上套着皮囊，便可以夜复一夜地睡在雪地上——那寒冷的程度可以让穿羊毛衣服的人冻死。"他亲眼看到他们就这样地睡着。接着他说："可是他们并不比旁人更坚强。"大概是因为，人类在地球上生活不久之后，就发现了房屋的便利之处，以及家庭生活的安逸。这句话的原意是说，对于房屋的满足感，超过家庭的温暖；然而在有的地带，这样的说法就极其片面，而且只是偶尔适用罢了。因为在那些地方，一说到房屋就会让我们联想到冬天和雨季，一年里有三分之二的时间用不着房屋，只要一把遮阳伞便足够。在我们这一气候区，以前夏天晚上，几乎只要有个遮盖之物就行了。在印第安人的记录中，一座棚屋是一整天行程的标志，在树皮上刻着或画着的一排棚屋，代表着他们已经露营了多少次。人类没有健壮的肢体，身材也并不魁梧，所以他得设法缩小他的世界，用墙壁来圈出一个适宜于他的空间。最初他是赤身裸体、住在户外的，虽然在温暖宁静的天气中、在白天，还感觉非常愉快。可是，且不说那炎炎烈日，在雨季和冬天，要不是人类急中生智，用房屋来遮蔽自己，人类或许早在抽芽的时候就已被摧残了。传说中，亚当和夏娃在穿衣服之前，以枝叶来蔽体。人类需要一个家庭，一个温暖或舒服的地方，但是身体的温暖在先，其后才是感情的温暖啊。

　　我们可以想象，人类那个时候还在婴孩期，有些有胆识的人爬进岩穴寻求庇护。在一定程度上，每个婴孩都再次重复了这部世界史，不管雨天和冷天，他们都喜欢待在户外。他们出于本能地玩搭房屋、骑竹马的游戏。谁不记得儿时窥望一堆高高叠起的岩石，或走近一个洞穴时的那份盎然兴趣？那是我们的原始渴望，是最原始时代的祖先遗留在我们体内的。开始时是洞穴，然后我们慢慢地采用覆盖着棕榈树叶、树皮、树枝的屋顶，编织直挺的亚麻屋顶，青草和稻草搭建的屋顶，其后是木板和盖板屋顶，再然后是石头和砖瓦屋顶。最后我们就不知道露天生活是什么了,我们的家庭生活比我们自己所想的还要家庭化得多。从室外的田野到室内的地板有着很大的距离。如果在与天体中间没有东西隔开的前提下,我们度过更多的白昼和黑夜;如果诗人并不是在屋顶下,说那么多的话;如果圣人也不是在屋子内住得那么长久的话,也许事情就更好了。鸟雀不会在洞内唱歌,白鸽也不会在棚子里珍爱它们的纯真。

然而,如果有人要设计并建造一处住所,他应该像我们新英格兰人那样,稍微精明一些才好,以免将来发现自己身处一座工厂之中,或一座没有出路的迷宫,或一所博物院,或一个救济所,或一座监狱,或在一座华丽的陵墓之中。先想一想,住所并不见得是绝对必需的。我看见过潘诺勃斯各特河上的印第安人,他们就住在这镇上薄棉布的营帐中,而四周的积雪约有 1 英尺厚。我想,要是雪积得更厚一些,他们一定会更高兴的,因为那样可以替他们挡风。如何使我真实地生活,并能自由地从事我的正当追求这一问题,从前让我烦恼不已,而现在,多亏我已变得相当麻木,便不再那么烦忧了。过去我常常看到,在铁路旁边有一只 6 英尺长、3 英尺宽的大木箱,在夜晚,工人们把他们的工具锁在其中。我常常在想,每一个觉得日子艰难的人,都可以花一元钱买一只这样的箱子,钻几个孔,至少可以保持空气的流通,下雨天和晚上就可以住进去,合上箱盖,这样他就可以自由自在地爱他所爱了,他的灵魂也自由了。这看起来并不糟,也绝不是个不入流的办法。你可以随心所欲,一夜长坐不寐;起身出外时,也不会有什么地主或房东拦住你索要房租。多少人因为要为一只更大更华丽的箱子而支付租金烦恼得要死,而他却不会冻死在这样一只小箱子里。我并不是在说笑话。经济学这一门科学，曾受到种种轻视，但它是不可以被这样等闲视之的。那些粗壮结实，大部分生活都在户外的人，曾经在这里盖过一所舒适的房屋，取用的几乎全部是大自然的现成材料。马萨诸塞州辖区的印第安人总督戈金，在1674年曾这样写道："他们最好的棚屋用树皮做顶，干净、整洁、紧密且温暖。那些树皮，都是在干燥的季节从树身上撕下来的，并趁树皮还苍翠的时候，用沉重的木料压成平整的巨型薄片……较寒碜的棚屋是用灯芯草编成的席子盖顶，也很紧实而温暖，只是外观上没有前者那么精美……我所看到的，有的是60英尺或100英尺长，30英尺宽……我常常住在他们的棚屋中，发现它跟最好的英式屋子一样温暖。"他接着说，通常在室内，地上铺着的、墙上挂着的，都是制作精良的嵌花席子，各种器皿一应俱全。另外，印第安人已经进步到能够在屋顶上开洞，并放上一张席子，用绳子来开关，控制室内的通风。首先要注意的是，这样的棚屋至多一两天就可以盖成，只要几个小时就可以拆掉再重新搭好，每家每户都有一座这样的房子，或者占有这样的棚屋中的一个小间。

在原始状态下，家家都有一座完美的住所，用以满足他们朴素且简单的需求。可是我认为，虽然天空中的飞鸟都有鸟巢，狐狸都有洞穴，原始人都有棚屋，而在摩登的文明社会中，却只有半数家庭拥有房子，我想我说这些是有依据的。在文明的现代大城市中，拥有房屋的人，只占极小一部分。大多数人若要身有所蔽——在夏天和冬天，房屋是少不得的——就得每年付出一笔租金，可是这租金，却足以买下一个印第安人的棚屋。现在却害得他只要活着，就得忍受贫困。在此，我并不是坚持要对比租赁房屋和拥有房屋的优劣，然而显而易见的是，原始人类拥有房屋，是因为房屋价格低，而文明人通常租赁房子，却是因为财力不足以拥有房屋；而从长远角度来说，除了租房，毫无他法。有人就会疑惑，可怜的文明人只要付了租金，就有一个住所，一个和野蛮人的棚屋相比简直就是皇宫一样的住所？每年只要支付租金25至100美元（这是乡镇价格），他就可以得到经过几个世纪改良才发展成的宽敞房间，里面有洁净的油漆和墙纸、鲁姆福壁炉、内涂泥灰的墙壁、百叶窗、铜质的抽水机、弹簧锁、宽敞的地窖等许多别的东西。然而，这究竟是怎么一回事？享受着这一切的，通常却被称为"可怜"的文明人，而没有这般享受的原始人，却生活得如地主般富足。如果说，文明乃是人类生活条件的一种真正进步——我想这话是绝对正确的，虽然只有智者才能改进他们的生活条件——那么，它必然能证明，不提高成本也能把上乘的房屋建造起来。所谓物价，恰似用于交换物品的那一部分生命，要么立即支付，要么以后支付。这一地区的普通房屋，也许价值800美元。省吃俭用筹够这一笔钱，恐怕需要一个劳动者10年以至15年的生命，还必须是没有家庭拖累才行。这是以每人每天的劳动价值为一元来计算的，若有人收入多一些，别的人收入就会少一些。这样，他通常必须得耗费大半辈子的生命，才能赚得一幢"棚屋"。假定他依旧是租房居住，那他还只是在两件坏事中，作了一次模棱两可的选择。在这种情况下，原始人会不会明智地用他的棚屋来换得一座宫殿呢？

或许有人会认为，拥有这种多余的房屋，是为了未雨绸缪，防患于未然。我认为，对于个人而言，这样做的好处不过是足够他偿付自己的丧葬费罢了。但是，人也许是用不着自己安葬自己的。然而，此处就指出了文明人和野蛮人之间的一个重要区别。毫无疑问，为了我们的利益，有人给我们的生活设计了一套制度。这套制度是为了保存种族的生活，使人类的生活更加完美，然而却大大牺牲了个人的生活。可是，我想指出的是，为了得到这一好处，我们作出了何等的牺牲。而事实上，我们完全可以不作出任何牺牲就能得到这些好处。可怜的穷人经常和你在一起，抑或父亲吃了酸葡萄，孩子的牙齿也会发酸，你说这些话，又有什么意思呢？

> 我的神耶和华说："我指着我的永生起誓，你们在以色列中必不会再使用这一谚语。"
> 啊，世人都是属于我的，为父的灵魂属于我，为子的灵魂也属于我；犯罪之人，必定死亡。

当我想到我的邻居，那些至少与别的阶级一样富足的康科德农夫们，我发现他们中的大部分人都已工作了20、30或40年，为的就是能够真正成为他们农场的主人，通常这些农场是附带着抵押权而传下的遗产，也可能是借了钱买下来的——不妨把他们劳力中的三分之一，作为房屋的代价——通常他们还没有偿清那一笔借款。事实上，有时那抵押贷款甚至超过农场的原价，结果是，农场本身已变成一个大累赘，然而到最后，总是会有人继承它，正如他自己所说，因为他这个继承人和农场太亲近了。我与课税官谈过话,惊讶地发现,他们竟然不能立即说出 12 个拥有农场而又自由清白的市民。如果你想了解这些农场的背景,就得到银行去问一问抵押的情形。真正能够用劳力来偿付自己农场债务的人,少之又少;如果有的话,每一个邻人都能叫出他的名字。我猜测,康科德这一带找不出三个这样的人。谈及经商之人,绝大部分,甚至 97% 的商人注定会失败的,农夫亦是如此。然而,其中有一位商人曾恰当而准确地指出,他们的失败大都不是因为亏本,而是由于囊中羞涩才没有遵守诺言;也就是说,是不守信用造成的。这样一来,问题就要糟糕得多,而且不禁使人想到上述那三个人的灵魂,说不定在将来也无法得到拯救,也许与那些踏踏实实地经商仍然失败的人相比,他们会在更糟糕的情况下破产。破产和赖账是一块块的跳板,从那里,一大部分的文明翻了跟斗似的,纵跃而起,而原始人却站在饥饿这条毫无弹性的木板之上。这里每年举行的米德尔塞克斯耕牛比赛大会,总是风光无限,似乎比农业的状况还好。农夫们常常试图用比问题本身更为复杂的方式,解决生活问题。为了得到鞋带,他寄希望于畜牧之中。凭着熟练的技巧,他用细弹簧布置好一个陷阱,想捕捉安逸和独立,而正当他拔脚走开之时,自己的一只脚却落入陷阱之中。这就是他穷困的原因,而且出于类似的原因,我们都处于穷困之中,虽然我们身处奢侈品的包围之中,却不及野蛮人的千般安逸舒适。查普曼[①]歌唱道:

  这虚伪的人类社会——

---

① 查普曼(约 1559—1634),英国诗人,翻译家。

——为了追寻尘世的宏伟
至上的欢乐稀薄得像空气。

农夫并没有因为得到属于自己的房屋而富裕起来，相反地却变得更穷了，因为房屋让他负债累累。据我所知，莫墨斯曾经说过一句特别明确的话来批判密涅瓦建筑的一座房屋："没有把它造成可以移动的房屋，否则的话就能避开恶劣的邻居，迁到别处"；这里还可以添上这样一句，"房屋是这样不易利用，它把我们幽禁其中，而并不是我们居住在内"；至于那需要避开的恶劣邻居，往往倒是我们那可鄙的"自我"。我知道，在这个城里，至少有一两个这样的人家，期盼了一辈子，只为卖掉他们近郊的房屋，搬到乡村去。可这却一直无法成为现实，只能等到将来他们寿终正寝之后，才能获得解脱。

即使大多数人最后能够拥有或通过租赁来获得那些所谓的设备齐全的现代房屋，但当文明改变了房屋的时候，它却没有能力同时去改变居住在其中的人。这就是文明创造了宫殿，却不能轻易地造出贵族和国王。如果文明人的追求，并不比原始人的更加高贵，比如说他们耗费大部分的时间，只是为了获得低俗的必需品和舒适的生活，那么他们又何必拥有比原始人更舒适的住房呢？

可是，那少数贫穷的人又该怎么办呢？也许我们可以看出，若是一些人的外在环境优于原始人，那另一些人的外在环境就相应地低于他们。一个阶级的奢侈，完全靠另一个阶级的贫苦来维持。一面是高贵豪华的皇宫，另一面是简陋的济贫院和"默默无言的贫穷人"。筑造法老的金字塔的百万工人，只能吃些大蒜头，死后连被像样地埋葬都不可能。完成了皇宫上的金檐玉璧，暮夜而归的工匠，大约是回到一个还比不上棚屋的草棚里。

以下的这种想法是荒谬的：在一个文明普及的国家里，大多数居民的情形并没有降低到野蛮人那么恶劣。我说的还是一些生活贫困的穷人，还没有提及那些活得恶劣的富人呢。你要想弄明白，不必看得太远，只是看看铁路旁边到处都有的棚屋，这些是文明中还未改进的地方；每天散步，看到那里的人住在肮脏、冰冷如冬的棚子里，门总是开着，为的是借光取亮；也看不到什么火堆，那只存在于他们的想象中；老人和孩子，由于长久地受冷受苦而蜷缩着的身体，永久地变了形，而他们的四肢和官能的发展也已停止。去关注这个阶级的人们是理所应当的：这个世代里的所有卓越工程都是他们完成的。在英国这个世界大工场中，各种行业的技工，或多或少也是处于这等情形。或许，我可以把爱尔兰的情形向你提一提，在地图上，那地方是作为一个白种人的文明地区。把爱尔兰人的身体状况，跟北美洲的印第安人或南海的岛民，抑或是任何没有被文明人玷污过的原始人比一比吧。我一点儿都不怀疑，这些野蛮人的统治者跟一般文明人的统治者一样的睿智聪慧。他们的状况只能证明，文明中隐藏着何等的污浊秽臭！现在，根本不必提及南方诸州的劳工，虽然这个国家的主要出口产品是他们生产的，而他们自己也成为南方诸州的一种主要产品。可是，言归正传，让我们说说那些境遇中等的人吧。

大多数人其实并没有深刻地思考过，对于他们来说一座房屋到底意味着什么。虽然他们本不该贫困，而事实上却终身贫困，因为他们总想拥有一座与邻居的房屋相当的房屋。那种情况就好比，你只想穿上裁缝给你制成的衣服，而逐渐放弃棕榈叶的帽子或土拨鼠皮的软帽；你对这个时代生活的艰难大发感慨，因为你买不起一顶皇冠！建起一座比现存的房屋更便利、更华美的住宅，是能够实现的，但大家都知道，现有的房屋，我们都还买不起。难道我们一定得时刻研究着，如何才能得到更多的东西，而不能偶尔满足于现在所拥有的吗？难道一定得那些可敬的公民，严肃地举例子、摆规矩，用以教育年轻人，在老死以前，就早早置备好若干双多余的皮鞋和若干把雨伞以及空空的客房，来招待并不存在的客人吗？为什么我们的家具就不能像阿拉伯人或印第安人那样简便而实用呢？

我们把民族的救星，尊称为上帝的信使或为人类带来神之礼物的使者。当想到他们的时候，我思来想去也想不出他们的身后会有仆役相伴，会有满载着新式家具的车辆相随。有一种说法是：如果我们在道德和智慧上比阿拉伯人更为优越，那么我们的家具也应该比他们的更复杂！如果我赞同这种说法，那又会怎样呢——那不是一种莫名其妙的认同吗？现在，家具占据我们的房屋，玷污我们的地面；一位称职主妇宁愿把大部分家具扫入垃圾坑，也不愿放着早上的工作不管。在微红的曙光之中，身处曼妙的音乐里，世界上的人在清晨该做什么样的工作呢？我的桌上有块石灰石，让我郁闷的是，每天都得擦拭，而我头脑中的灰尘还来不及拂拭呢，于是，我立即厌恶地把它们扔出窗外。你想，我怎么能拥有一个配有家具的房子呢？我宁可坐在露天之中，因为那草叶之上没有灰尘，除非人类已经玷辱过了那地方。

骄奢淫逸的人创造了时尚和潮流后，便有成群的人殷勤地追随。一个投宿在那所谓的最豪华的房间里的旅行者,不久就会发现,店主把他当萨达拿帕鲁斯国王来招待了;若是接受了他们的盛情,很快他就会完全失去男性的品质。我想到在火车车厢里,我们宁愿花大笔的钱,用以布置和装饰,却不在乎行车的安全和快捷。于是乎,安全和便捷都被忽略,车厢成了一个摩登客厅,有铺着软褥的睡椅、土耳其式的厚榻、遮阳的窗帘,还有上百种东方风的物件——那些物件,原先是为天朝帝国的六宫粉黛、后宫中的妻妾而发明的,那些单听名字都难以启齿的东西,却被我们搬到了西方。我宁可坐在一只大南瓜上,任由我一人占有它,也不愿意与人同挤天鹅绒的坐垫;我宁可坐一辆牛车,来去自由,也不愿意一路呼吸着污浊的空气,坐着花里胡哨的游览车去天堂。

原始人生活得简简单单,身无遮掩,至少有这样一个好处——他从始至终都是大自然中的一个匆匆过客。当他吃饱睡足,神清气爽,便可起身四处游荡了。可不是吗,他以天为被,地为床,穿过山谷,跨过平原,或是攀登高山。可是,看啊!人类已经成为自己的工具的工具了。那个饿了就采野果吃的自由独立之人,已经变成一个农夫;而在树荫下歇脚纳凉的人,已经变成一个管家。我们不再夜间露营,安居于大地之上,忘记了天空;我们信奉基督教,却不过把它当作改良农业的一种方法;我们已在尘世造好府邸家宅,接下来,便是修建家冢墓地。

最卓越的艺术作品,都描述着人类如何从如此境遇中挣扎出来,如何解放自己,但我们的艺术只不过是把我们这屈辱的情景,渲染得更加舒适一些,而那更高的精神境界反倒已被遗忘。其实,在这片土地上,精美的艺术作品并没有立足之地,就算有些作品流传下来了,我们的生活、房屋或街道也不能为其提供一个合适的陈列位置。想挂一张画连钉子都没有,想盛放英雄或圣者的半身像却连架子也没有。

当我想到我们的房屋是怎样建筑的、是否偿清债务和家庭的内部经济又是怎样一回事等问题时,就不禁暗自嘘叹:为什么宾客赞赏壁炉架上的那些小玩意儿的时候,地板不会一下子坍塌,让它们坠落到地窖中去,一直落到坚固、结实的地基之上呢?我看到世人都向着那所谓的富有而优雅的生活追逐跳跃,而我一点也不欣赏那些粉饰生活的艺术品,我专注于人们的跳跃之上,思考着人类肌肉所能达到的最高跳跃纪录,那还是某些流浪的阿拉伯人所创造的——从平地上跳起 25 英尺之高。没有东西支撑的话,跳到这样的高度终究还是要跌落到地面上的。

因此,我要问问那些富足的资本家,第一个问题是:谁支持了你?你是 97 个失败者中的一员呢,还是 3 个成功者的其中一个?回答了这些问题之后,我也许会去瞧瞧你那些华而不实的小玩物,鉴赏鉴赏它们的风格和特点。车子套在马前,既不美观,也不实用。我们在使用美丽的饰物装饰房屋之前,必须得剥去一层墙壁,我们的生命也必定要被剥去一层,还得有良好的家务管理和美好的生活给打上一层底子。要知道,美好的趣味最好在户外培育,而在那里,既没有房屋,也没有管家。

老约翰逊在他的《神奇的造化》中,谈起这个城市的首批移民时,告诉我们说:"他们在小山坡上挖掘窑洞作为最早的住所,他们把泥土培在高高的木材堆上,并在最高的一边生起了火,浓烟滚滚,烘烤着泥土。"他们并没有"为自己建造房子"。他说,"直到上帝赐福，土地能够提供足够的面包，足以喂饱了他们"，然而第一年的收成却不好，在很长的一段时间里，他们不得不缩减口粮。1650年，新尼特兰州的总督用荷兰文写过一段话，更加详细地告知预备移居到这里的人："在新尼特兰的人，特别是居住在新英格兰的人，起初是无法依照自己的愿望来建造农舍的。他们在地上挖个四四方方的、地窖似的、深约六七英尺的大坑，长短则随便他们自己定，然后在墙壁的四面装上木板，以遮住泥土，再用树皮或其他材料来填补空隙，以免泥土落下，还用木板铺了地板，做了天花板，并架起一个倾斜的屋顶，上面铺上树皮或绿草皮，这样屋内很温暖也很干燥，够他们全家在里面住上两年、三年，或者四年的。可想而知，在这些地窖之中，还得隔出一个个小房间，至于房间的数目，就得看家里的人口多少了。那些所谓的新英格兰富庶的社会要人，在开始殖民统治的时候，也住在这样的住所里面。这主要有两个原因：第一，以免因筑造房屋而浪费时间，并且导致下一季粮食不够吃；第二，不希望从祖国招来的大批劳工感觉到没有指望。三四年之后，当荒野已成千亩良田时，他们才会花上几千元钱，给自己造座漂亮的房子。"

可以看出，我们的祖先在采取这个做法时，至少是非常谨慎的，他们所坚持的原则似乎是以满足迫在眉睫的需求为首。而现在，我们最紧迫的需求得到满足了吗？一想到要为自己建造一幢奢华的住所，我就觉得灰心丧气了。老实说，因为这一片土地还没有融入人类文化的氛围之中，至今，我们还不得不缩减精神食粮，减得比我们的祖先节省的面粉还要多。这倒不是说在最初的阶段，一切建筑的装饰都可以完全忽略不用；我的意思是说，我们可以把房屋里与生活有联系的部分装饰得华美一点,就像贝壳的内壁那样,但千万不能过分粉饰。我曾经走进一两座房屋,可是看到的房屋装饰是何等过分啊!

如今我们还没有退化到住窑洞、住棚屋或身披兽皮的程度,理所当然地,接受人类的发明和工业提供的便利会使生活境遇更好一些。在这一带,木板、屋面板、石灰、砖头总是要比可以住人的洞窟、整根的圆木、大量的树皮、黏土或平滑的石片更容易得到,也更便宜些。我说得相当内行吧,因为我既熟悉理论,又熟悉实际情况。倘若我们再明智一点儿,我们就可以用这些原材料,让我们比当今的首富更加富有,让我们的文明庇护我们。文明人不过就是一些更有经验、更为聪明的原始人而已。言归正传,赶紧让我来讲讲我的实验吧。

1845年3月底,我借来一把斧头,走进瓦尔登湖边的森林之中,来到我预备造房子的地点附近,然后就开始砍伐一些箭矢似的、高耸入云但还年幼的白松,作为我的材料。开始时,如果不东借西凑总是很难的,但也不失为一个最好的捷径,让你的朋友对你的事业产生兴趣的唯一妙法。在斧头的主人出手相借的时候,叮嘱我这是他的掌上明珠;可是我归还他时,斧头却更加锋利了。

我干活的地点是一个风景宜人的山坡,漫山遍布松树。穿过松林,我看见一汪湖水,还看到林中一块小小的空地。在那里,小松树和山核桃树丛生,展现勃勃的生机。湖水还没有完全解冻,仅有几处融化了,湖水全是黝黑的,而且冰和水相互交融。我在那里工作的几天里,还飘过几场小雪;但当我回家的途中,走在铁道上的时候，我发现路上的大部分地方，黄沙丘不断蔓延开去，在朦胧的雾气中熠熠闪烁；而铁轨也在春天的阳光下闪闪发光。我还听到云雀和别的鸟雀在林子里鸣唱欢聚，和我们一块儿迎接新年的到来。那是令人舒心的春日，心头的忧郁正如冰封的冬日一样，慢慢地消融，而那蛰伏的生命，也开始舒展手脚了。

一天，我的斧头柄掉了，我砍下一段青青的山核桃木，把它削成一个楔子，并用一块石头将它敲紧了，然后把整个斧头浸在湖水中，以便那木楔子涨大一些。就在这时，我看到一条赤链蛇迅速窜入水中，它躺在那湖底，显得那么悠闲自得。我在那里的时候，它一直待在那儿，远不止一刻钟；或许它还没有从蛰伏的状态中完全苏醒过来吧。由此我想到，目前的人类之所以还停留在低级的原始状态之中，或许也是出于同样的原因吧；然而，人类若是意识到，是万物之春的轻拂唤醒了他们，他们的生命必然会跃升到更高级、更精妙的境界中去。

在一个霜天的清晨，我曾在路边看到一些蛇，它们的身子仍旧麻木而僵硬，正等待着阳光来唤醒它们。4月1日那天下起了雨，冰雪融化了。这天的大半个早晨，都是雾蒙蒙的。我听到一只离群的孤雁，在湖上摸索着，哀鸣着，像迷了路，宛若雾里的精灵。

我就一连几天，用那窄小的斧头，伐倒白松，砍削横梁、门柱和椽木，并没有什么值得言说的思想，也没有什么学究式的思维，只是自言自唱：

　　人们总说自己博学多闻；
　　可定睛瞧瞧，他们生了翅膀——

艺术和科学啊,
还有千般技巧;
其实只有吹拂的风
才是他们的全部所知。

　　我把主料砍成6英寸见方,大部分的间柱只砍两边,橡木和地板只砍一边,余下的几边都留着树皮,所以它们和锯子锯出来的相比,同样笔直,甚至更加结实。我又借了另外一些工具,然后在每一根木料上都挖了榫眼,在顶上劈出榫头。在林中工作时往往感觉白天极其短暂;不过,我还是会常常带去面包和黄油当作午餐,在正午时还可以坐在我砍伐下来的青松枝上,读读用来包面包的报纸,松树的芳香也通过我的手指传到面包上了,因为我的手上粘有厚厚的一层松脂。在我完工以前,松树成了我最亲密的朋友,虽然我砍伐了它们,却并没有和它们结怨,反而和它们越来越亲近了。有时候,在林中闲游的人被我的斧声吸引过来,我们就面对着碎木片愉快地闲聊。

　　因我只是在尽自己最大的努力去工作,所以我一点儿也没有感觉到紧迫,到4月中旬,我的屋架就已经完工了。我已经买下了詹姆斯·柯林斯——一个在菲茨堡铁路上工作的爱尔兰人——的棚屋,只是为了利用它的现成的木板。詹姆斯·柯林斯的棚屋被认为是为数不多的不同一般的建筑。

　　我去找他的时候,他恰巧不在家。我在屋外闲逛,起初并没有引起里面人的注意,因为那窗子很大。屋子很小,屋顶是三角形的,别的没有什么值得一看的,屋子的四周积有5英尺高的、像肥料堆似的垃圾，屋顶是最完整的一部分，但也被太阳晒得变了形。没有门框，门板下有一条家禽进出的通道。柯林斯夫人来到门口，邀我到室内去看看。我一走近，母鸡也被我赶了进去。屋子里光线暗淡，大部分地板很脏，而且潮湿发黏，还在晃动，剩下的也是这里一块，那里一块一搬就裂的木板。她点亮了一盏灯，给我看屋顶的里边和墙，以及一直伸到床底下的地板。她提醒我不要踏入地窖中去，那不过是两英尺深的垃圾坑。用她自己的话来说，"头顶上，四周围，都是好木板，还有一扇好窗户"——那窗户是只有猫从那里进出的两个框子。屋子里有一只火炉、一张床、一个坐的地方、一个出生在那里的婴孩、一把丝质的遮阳伞，还有一面镀金的镜子，以及一只式样别致、钉在一块橡木上的新咖啡磨，这就是我看见的全部了。因为那时候，詹姆斯也正好回来了，我们的交易当即就谈妥了。当天晚上，我支付了 4.25 美元，前提他们得在明天早晨 5 点搬走，不能再把任何东西卖给别人了；6 点钟，我去签收那棚屋。他告诉我最好早点来，这样就可以趁别人还没来得及在地租和燃料上提出不公道的要求就可以交接了。他告诉我这是唯一的额外开支。到了 6 点钟，我在路上碰到他们一家。一个大包裹，全部家产都在内——床、咖啡磨、镜子、母鸡——只是除了猫，因为它已奔入树林，成为野猫，后来我知道它触上了一只捕捉土拨鼠的机关，最终成了一只死猫。

当天早晨，我就拆散了棚屋，拔下钉子，用小车把木板搬运到湖滨，放在草地上，让太阳再把它们晒得发白，直到恢复原来的形状。在我驾车经过林中小径时，一只早起的画眉送来了一两个轻快的乐音。年轻人派屈里克幸灾乐祸地告诉我，一个叫西莱的爱尔兰邻居，在我装车的间隙把还可以用的钉子——不管是U形钉或是大钉——都捡进了自己的口袋。等我干完活回到这小屋时，我看到那爱尔兰小子站在那里，一脸的满不在乎，昂着头得意扬扬地看着那一堆废墟。正如他所说的，已经没有多少东西可以再被利用了。他在那里代表着观众，让这不足挂齿的拆卸小事，看上去犹如特洛伊城众神撤离废墟一般。

我的地窖在一处向南倾斜的小山腰上，一只土拨鼠也曾经在那里挖过它的洞穴，我清除了漆树和黑莓的根以及植物在土壤深处残留的痕迹，一直挖到一片还算不错的沙土层，只不过两小时我就挖成了一个6英尺见方、7英尺深的地窖。我想有了这个地窖，冬天再怎么冷，土豆也不至于被冻坏了。地窖的周围是渐次倾斜的，也没有砌石块；但因为太阳从没有照到过它，因此沙粒还不至于滑落下来。我对于挖掘土地特别感兴趣，因为几乎在所有的纬度上，人们只要朝下挖去，都能得到相同的温度。在城市中，最豪华的宅院里也是可以找到地窖的，宅子的主人像古人那样在里面埋藏他们的块根植物，即使将来地上的建筑完全毁掉了，很久以后，后人还能发现它留在地上的遗迹。所谓房屋，只不过是地洞入口处的一些门面而已。

5月初，我的准备工作已做完，我请几位熟悉的朋友过来帮忙，帮我把屋架立了起来。请他们其实本无必要，我只是想借这个机会来跟邻居们好好联络联络。关于屋架的树立，最荣耀的人莫过于我了。我相信，有那么一天，大家还要一起来树立一个更高的屋架。7月4日，我住进了我的屋子，因为直到那时才将屋顶铺好，木板刚钉齐——这些木板都削薄了，镶合在一起，保证日后绝不漏雨，但在钉木板之前，我已经在屋子的一端砌好一个烟囱的基础，所用的石块约有两车之多。但直到秋天锄完了地以后，恰在必须生火取暖之前，我才把烟囱修好，而在这之前，我总是一大清早就在户外的地上做早饭；我认为这种方式比一般的方式更便利、更惬意一些。假如在面包烤好之前起风下雨了，我就在火上挡几块木板，自己躲在下面凝望着面包，就这样我度过了若干愉快的时光。那些日子我手上工作多，读书很少，但地上的破纸，甚至单据或台布，都能带给我无限的欢乐，实际上与阅读荷马史诗《伊利亚特》有殊途同归的乐趣。

要是大家在建房时比我那样建筑房屋还要谨慎小心，也是划得来的。比方说，先考虑好一门、一窗、一个地窖或一间阁楼在人的天性中间有着怎样的根基，除了目前急需的以外，在你找出更强有力的理由以前，也许你永远也不需要建立什么地上的建筑。一个人造他自己的房屋，跟飞鸟筑巢一样合情合理。如果世人都凭自己的双手去造他们自己住的房子，又简单平凡地用食物养活了自己家人，那么，也许诗歌会像那些飞禽鸣叫的歌声一样在全世界广为传唱。可是啊！我们就像八哥和布谷鸟一样，跑到别的鸟禽筑造的巢中去下蛋，叽叽喳喳的不和谐乐音怎能使行路人感到愉快？难道我们永远把建筑的快乐留给木匠师傅？在大多数人的经历中，建筑又算得了什么呢？我还没有碰到过一个正从事着建造自己住的房屋这样简单而自然的工作的人。我们同属于一个社会，不单裁缝与其他人发生着或多或少的关联，传教士、商人、农夫也同样。这种分工要分到什么程度为止？最后有什么结果？毫无疑问，别人可以来代替我们思想。可是如果他们这么做是为了不让我们自己思想,这就很不理想了。

在这个国家里有一种叫作建筑师的人,我至少听说过一个这样的建筑师:要使建筑上的装饰具有一种真理之核心的想法,一种必要性,因而有一种美感,好像这是神灵给他的启示。从他的观点来说,这是很好的,但实际上他只不过比普通爱好美术的外行人高明一点点。一个建筑学上感情用事的改革家,是舍本逐末的;仅在装饰中放一个真理之核心,就像糖拌梅子里面嵌进一粒杏仁或者一粒香菜籽——我觉得吃杏仁,不用糖更有益于健康——他不想想住在房屋里面的人,可以把房屋建筑得里里外外都很好,而不去管什么装饰。理性的人会认为装饰只是表面的,仅属于皮毛上的东西——认为乌龟生有斑纹的甲壳,贝类拥有珠母的光泽,这些就像百老汇的居民拥有三一教堂一样,用得着为它去签订什么合约吗?一个人跟他自己房屋的建筑风格无关,就像乌龟跟它的甲壳无关一样;当兵的不必那么无聊,把自己的勇气用精确的色彩标志在旗帜上,那样敌人会知道的,到了紧要关头上,他就要脸色发青了。在我看来,这位建筑师仿佛俯身在飞檐上,羞涩地向那粗鲁的住户私语着他那似是而非的真理,然而,实际上那住户似乎比他知道得更多。我现在所看到的建筑学的美,是从内部向外面渐次生长出来的,是从住在里面的人的需要和他的性格中生长出来的,住在里面的人是唯一的建筑师——美来自他那不知不觉的真实感和崇高心灵,至于外表他丝毫也没有在意;这样的美一旦产生,就已不知不觉地有了生命之美。在我们的国度,画家们都知道,最有趣味的住宅一般是穷困的平民们的那些朴实无华、卑微简陋的木屋和农舍;使房屋显得别致的，不只体现在外表上的哪种特性，更体现在居住在内部的居民的人生之中；同样富于趣味的，还有市民们那些在郊外搭建的箱形木屋，他们的生活肯定是简单的，恰如想象的一样，他们的住所没有因可以追求矫饰而让人觉得神经过敏。大多数建筑上的装饰确实是空洞的，一阵9月的风便可以把它们吹掉，仿佛吹落借来的羽毛一样，丝毫无损于实际。不需地窖来窖藏橄榄和美酒的人，没有建筑学也可以生活得美好。假若在文学作品中，也这样多事地追求装饰风，如果我们《圣经》的编撰者，也像教堂的建筑师这样把很多时间花费在对飞檐的粉饰上，结果会怎样呢？那些纯文学、艺术学和它们的教授就是如此矫揉造作的。当然，人们确实很关心这几根木棍子是斜放在上面呢，还是放在下面。他的箱子应该涂上什么颜色？这里头是有一点象征意义的。严格来说，他把它们斜放了，箱子涂上颜色了；可是在灵魂已经离开躯壳的情况下，就跟建造他自己的棺材属于同一性质了，而"木匠"只不过是"做棺材的人"的别称罢了。

有人曾说，在失望时，或者对人生麻木不仁时，抓起脚下的一把泥土来，把房子涂抹成土灰色的吧。他说这话时想到的大概是他那临终时狭长的房子吧？抛一个铜币来抉择一下好了。他一定有非常多的闲暇时光！为什么你要抓起一把泥土来呢？不如用你自己皮肤的颜色来粉刷房屋好了；让它颜色苍白或者绯红好了。这不失一个改进村屋建筑风格的创造！假如你已为我备好装饰，我一定会欣然采用它们的。

入冬以前，我造好了烟囱，并在屋子四面钉上一些薄木板，因为这些地方已经有点漏雨了，那些薄木板是木头上砍下来的，虽不完美却很苍翠,我还用刨子刨平它们的侧边。

  这样我就有了一个密不通风,钉好了木板,抹上了泥灰的房屋,10英尺宽,15英尺长,立柱高8英尺,还有一个阁楼和一间小厨房,房屋的四面各有一扇大窗,两个活动板门,房屋的末端有一个大门,正对大门有个砖砌的火炉。房子的全部支出,只有材料的支出,人工不算在内,因为都是我自己动手的,总数我写在下面;我抄写得这样详细,因为很少有人能够精确地说出来,他们的房子到底花了多少钱,而能够把建造房子的各式各样的材料和每一项的价格都说出来的人,即使有的话,也是凤毛麟角了:

木板	8.035 美元(多是旧板)
屋顶及墙板用的旧木板	4.00 美元
板条	1.25 美元
两扇旧窗及玻璃	2.43 美元
1000 块旧砖	4.00 美元
两箱石灰	2.40 美元(买贵了)
毛绳	0.31 美元(买多了)
壁炉用铁片	0.15 美元
钉子	3.90 美元
铰链及螺丝钉	0.14 美元
门闩	0.10 美元
粉笔	0.01 美元
搬运费	1.40 美元(大多自己背)
共计:28.125 美元	

以上就是我所用材料的费用了，至于木料、石头和沙子，我是用在公有土地上占地盖屋的人应该享受的特权争取来的。另外，我还用造房子留下来的材料搭了一间偏房。

我本打算给自己造一座宏伟与华丽程度超过康科德大街上任何一座房子的房屋，只要它能够像目前的这间这样使我愉快，而且花费也不会更多的话。

我也因此发现，希望能有个栖身之所的学生完全能够得到一座终身使用的房子，而且花的费用还比不上他现在每年付的住宿费多呢，如果说我有点夸大其词了，那么我的解释是我并非为自己，而是为人类夸大。我的短处和前后不一致并不影响我言论的真实性，尽管我有不少虚假和伪善的地方——那好像难于从麦子上打掉的糠秕，我也跟其他人一样为此感到内疚——我还是要自由畅快地呼吸，在这件事上挺起腰杆子来，这对于我的道德和肉体而言都是一个极大的宣泄；而且我已暗下决心，决不屈辱去做魔鬼的代言人，我要竭力为真理而奔走呼号。

在剑桥学院，一个学生租了一个比我的房子稍大一点儿的房间，光住宿费每年就是30美元，那家公司却在一个屋顶下造了相连的32个房间，可谓财源滚滚，房客还得忍受着诸多的不便和噪声，也许还不得不住在四层楼上，因而更会深感不便。我情不自禁地想到，如果我们在这些方面能考虑得更多一点，我们会发现许多人的教育工作早就完成了，人们对于教育的需要可以减少，这样为了受教育而必须交费的事情一定已经消灭掉了大部分。剑桥或别的学校的学生为了获得必须有的便利，耗费掉了自己和他人很大的生命代价，如果双方都合理地处置这一类事情，那只消花费原来的 1/10 就够了。

要收费的东西，绝不是学生最需要的东西。例如，学费在一个学期里是一笔大的支出，而他和同时代最有教养的人交往，并从中得到更有价值的教育，却是不需要付任何费用的。成立一个学院的方式，通常是弄到一批捐款的人，捐来美元和美分，然后盲目地按照分工的原则，分工分到不能分为止——于是招揽了一个承办大工程的总承包商来，而他又雇用了爱尔兰人或别的什么劳工，随后就真奠基开工了。然后，招进来的学生得适应在这里面的生活；最终，为了这一个错误的决策，一代代的学子就不得不付出学费。我想，对学生或那些想从学校中受益的人来说，如果能自己奠基动工，事情就会比现在好多了。学生得到了他们贪求的空闲与休息，而且根据制度，逃避了人类必需的任何劳动，得到的只是可耻的、无益的空闲，而能使这种空闲变为充实的那种经验，他们却完全没有学到。"但是，"有人说，"你总不会是主张学生不该用脑，而是应该用手去学习吧？"这实在是一种误解，我的本意并不完全是这样的，我的主张他应该多想一想。我认为他们不应该游戏人生，或仅仅以生活作纯粹的研究，还要人类社会花高代价供养他们，他们应该自始至终都热忱地生活。青年人若不能立刻投入生活的实践之中，又怎能更好地研究人生呢？我想只有这样的生活历练才可以像数学一样训练他们的心智。比如说，如果我希望一个孩子懂得一点科学和艺术，我就不愿意走老路子把他送到附近的教授那儿去，那里什么都教，什么都练习，却不教生活的艺术也不练习生活的艺术——只是从望远镜或显微镜中观察世界，却从不教授他用肉眼来观看；研究了化学，却不去学习面包如何做成；或者学会了某种工艺，却不知如何去操作机器；虽然发现了海王星的卫星，却没有发现自己眼睛里的微尘，更没有发现自己也成了一个流浪汉的卫星；他在一滴醋里观察怪物，却要被他四周那些怪物吞噬。假如有一个孩子自己开挖出铁矿石来，自己熔炼它们，把他从书本上所学的知识活学活用，然后他做成了一把折刀——另一个孩子在冶金学院里聆听冶炼的技术课，收到他父亲给他的一把罗杰斯牌子的折刀——试想一个月之后，哪一个孩子进步得更快？他俩中谁会被折刀割破手呢？……真是让人大吃一惊，我离开大学的时候，居然有人称我已经学过航海学了！——其实，只要我到港口去走马观花地转一圈，我就会学到更多这方面的知识。即便贫困的学生，也要去学习政治经济学，而生活的经济学，正是哲学的同义语，我们却没有在学院中认真地被教授过。结果就弄成了这个局面：因儿子研究亚当·斯密、李嘉图和萨伊，父亲却陷入了无法摆脱的债务中。

就像我们的学院，拥有一百种"现代化的进步设施"，很容易让人对它们产生幻想，却并不总是有正面的进步。魔鬼早就投了资，后来又不断地加股，为此他一直索取利息直到最后。我们的发明就像一些漂亮的玩具，只是吸引人类的注意力，使我们离开严肃的事物；它们只不过是对毫无改进的目标提供一些改进过的方法，其实这目标就像直达波士顿或直达纽约的铁路那样早就可以很容易地到达。我们急不可待地要从缅因州筑一条磁力电报线到得克萨斯州；可是从缅因州到得克萨斯州，也许并没有什么重要的消息需要靠电报拍发。这种情形，正像一个人，急切地想和一个耳聋的著名妇人谈谈，待他被介绍给她了，助听的听筒也已经戴好了,他却突然发现原来已没有话要对她说。仿佛交谈的主要问题只是要说得快,却不是要说得合情合理。我们急于在大西洋底下建造海底隧道,使旧世界的新闻,能缩短几个星期到达新世界,可是传入美国人耷拉着的大耳朵里的第一个消息,也许是阿德莱德公主害了百日咳之类的八卦新闻。总而言之,一个骑着马、一分钟跑一英里的人是绝不会携带什么重要的消息的,他不是一个福音教徒,他跑来跑去也不是为了贪吃蝗虫和野蜂蜜。我怀疑英国著名的赛马飞童有没有载过一粒谷子到磨坊去。

有人曾对我说:"我很奇怪你为什么不攒几个钱。你爱旅行,你应该坐上车,今天就上菲茨堡去,见见世面嘛。"可是我比他说的更聪明些。我明白最快的旅行是步行。我对朋友说,我们不妨比一比,看谁先到那里。距离是30英里,车票是90美分。这差不多是一天的工资,我还记得,在这条路上做工的人一天只拿60美分。好了,我现在步行出发,在黑夜来临之前我就到达了。一星期来,我的旅行都保持这样的速度。而那时,你在挣工资,明天的什么时候你也到了,假如工作找得巧,可能今晚上就到了。然而,你不是立即就去的菲茨堡,而是花了一天的大部分时间在这儿工作。由此可见,尽管铁路线在全世界通行,我想我还是赶在了你的前面;至于见见世面,多点阅历,我实在是不敢苟同的。

这便是一条普遍的规律,从没有人能逃避它。即使是这四通八达的铁路,也不能例外。使全人类得到一条绕全球一圈的铁路,好像将地球的表面铲去一层一样。人们糊里糊涂地认为,只要他们继续用合股经营的办法,铲子就这样铲下去,火车最后总会到达某个地方的,以后去那里几乎不用花多少时间,也不用花什么钱。可是，尽管成群的人奔往火车站，收票员喊着"请旅客们上车！"烟在空气中散去，蒸气喷发着，这时可以看到只有少数人上了车，而其余的人却被车压过去了，这就是所谓的"一个可悲的事故"。

毫无疑问，挣够了车费的人，最后还是赶得上火车的，也就是说，只要他还活着终会如愿以偿的，但是那时候他们可能已经失去了开朗的性情和旅行的愿望了。这种花了生命中最宝贵的一部分来赚钱，为了在最不宝贵的时间里享受一点可疑的自由的人，使我想起了那个英国人，为了能在英国过一种诗人般的生活，先跑到印度去挣钱。我想他真应该立即住进破旧的阁楼去才对。

"什么！"100万个爱尔兰人从土地上的所有的棚屋里发出呼声来了，"我们所造的这条铁路，难道不是个好东西吗？""是的，"我回答，"比较起来，是好的，但是你们很可能搞得更坏；可是，因为你们是我的兄弟，我希望你们能够找到比挖掘土方更好的打发自己光阴的人生。"

在我的房屋建成之前，我就想用简单而愉快的方式来赚它一二十元钱，以偿付我的额外支出，因此我在屋边两英亩半的沙地上种了点东西，大部分是蚕豆，也种了一点土豆、玉米、豌豆和萝卜。我总的占地面积有11英亩，这片地大部分长着松树和山核桃树，上一季的地价是8.08美分1英亩。有一个农夫对我说"这地毫无用处，只能养一些叽叽叫的松鼠"。我没有在这片地上施肥，因为我不是它的主人，我只不过是一个居住在无主之地上的人，我不希望种那么多地，就没有一下子把全部的地都锄好。锄地时，我挖出了许多树根，这让我很长时间里都不缺柴烧，因此就留下了几小圈未耕过的沃土，当蚕豆在夏天里长得异常茂盛的时候是很容易区分它们的。房屋后面那些枯死的卖不掉的树木和湖上漂来的木头，充当了我的另一部分燃料。

为了耕地，我不得不去租一组犁地的马，雇了一个短工。第一季度，我在工具、种子和工资等方面的支出总共是 14.725 美元。玉米种子是别人送的。种子其实花不了多少钱，除非你种的比需要量更多。我收获了 12 蒲式耳蚕豆，18 蒲式耳土豆，此外还有若干豌豆和玉米。黄玉米和萝卜种晚了，没有收成。农场的全部收入是：

23.44 美元

减去支出 14.725 美元

结余 8.715 美元

除了消费掉的，我手头还存着一些产品，估计约值 4.5 美元——手上的储存已超出了我自己不能生产的蔬菜的需要量了。从全面考虑，也就是说，我考虑到了人的灵魂和时间的重要性，虽然这个实验占去了我很短的一些时间，不，一部分也因为它的时间非常短暂，我就确信我今年的收成比康科德任何人的都有价值。

第二年，我干得更起劲了，把全部土地都耕种了，大约有 1/3 英亩，从这两年的经验中，我发现我没有被那些——包括亚瑟·扬的著作在内的农业巨著吓倒。我发现一个人如果要简单地生活，只吃他自己收获的粮食，而且不用耕种超过他需要的土地，也不为难填的欲壑去交换更奢侈、更昂贵的物品，那么他只要耕几平方的地就够了。用铲子比用牛耕代价要小得多；每次可更换一块新地，这省去了不断地施肥，而所有这些农场上的必要劳动，只要他夏天有空闲的时候略略做一做就够了；这样他就不会像现在的人们那样被一头牛，或马，或母牛，或猪猡，累得不能脱身。在这一点上，我希望能从一个对目前社会经济措施的成败都不关心的人的立场出发，不偏不倚地谈论这方面的问题，我比康科德任何一个农夫都更具独立性，因为我没有将自己固定在一座房屋或一个农场上，我能随心所欲地行事，那意向是每时每刻都在变化的。况且我的光景比他们要好许多，如果我的房子被烧毁了，或者我的庄稼歉收了，我还会跟以前一样过得很好。

我经常在想，不是人在放牛，简直是牛在牧人，而人放牛应该是更自由的，人与牛是在交换彼此的劳动，如果我们只是考虑必须劳动的话，那么看来牛要占更多的便宜了，它们的农场也大得多。人担任的一部分交换劳动便是割上6个星期的干草，这可不是儿戏呢。当然，没有一个在各方面的生活都很简朴的国度，换言之，没有一个哲学家的国度，愿意犯这种弥天大错来叫牲畜劳动。确实世上从未有过，将来也不见得会有这么个哲学家的国度，就是有了，我也不敢说它一定是美满的。但是我绝对不会去驯服一匹马或一头牛，强制它替我做任何它能做的工作，只因为我怕自己变成了马夫或牛倌。如果真这样做了，社会就受益匪浅了，那么我们能否确信一个人的盈利就是另一个人的损失呢？能否肯定马房里的马跟他的主人是同样满足呢？就算有些公共的工作没有牛马的帮助是不能完成的，因而就让人类来和牛马一起分享这种光荣，是否就能推断人类不可能用更加对得起自己的方式来完成这种工作呢？

当人们依靠牛马的帮助，开始做了许多不仅是不需要而且还是奢侈和无用的工作后，就不可避免地要有少数人得和牛马交换工作，换句话说，这些人便成了最强者的奴隶。所以，人不仅为他内心的兽性而工作，还为他身外的牲畜而劳动。尽管我们已经有了许多砖瓦或石头砌造的屋子，但一个农夫的殷实与否，还得看看他的马厩在什么程度上超过了他的住房。据说城市里最大的房屋，是专供给这儿的耕牛、奶牛和马匹居住的，公共大厦在这一方面也毫不逊色，可是在这个县里，却没有一处地方是供言论自由与信仰自由用的。国家不应该用高楼大厦来为自己竖立纪念碑，为什么不用抽象思维的威力来纪念呢？东方的全部废墟，也决比不上一卷《对话录》值得赞叹！高耸的塔楼与气派的寺院只是帝王的奢靡之物罢了。一颗单纯而独立的心绝不会听从帝王的驱使而去干苦力的。天才绝不是任何帝王的侍从，即使金银和大理石也无法使他们流芳百世，它们最多只能保留极微小的一部分。请神灵晓谕于我，锤打这么多的石头，终究是要达到什么目的呢？当我身在阿卡狄亚的时候，我没有看到任何人雕琢大理石。而许多国家却沉迷在疯狂的野心中，想靠留下的一块块雕琢过的石头来使他们自己永垂不朽。如果他们用同样的精力来塑造自己的风度，那又会怎样呢？一个理性的见解，要比建一个高得能碰到月亮的纪念碑更加值得后世怀念。

我更喜欢让石头待在它们原来的地方。底比斯城那样的宏伟是庸俗的。一座有100个城门的底比斯城早就远离了人生的真正目标，怎能比得上围绕着诚实人田园的一平方石墙那么合乎情理呢？野蛮、异教徒的宗教和文化倒建造了不少华丽的寺院，而基督教就没有这样做。一个国家敲下来的石头大都用在它的坟墓上——它活埋了自己。至于金字塔，本没有什么值得称奇的，令人惊奇的是竟然有那么多人，竟能屈辱到如此地步，耗尽他们一生的精力，替一个愚笨的野心家造坟墓。其实他要是跳尼罗河淹死，然后把身体喂野狗，倒不失为一个更聪明、更风光些的选择呢。我也想给他们编织一些掩饰之词，可是我实在是没有时间。至于那些建筑家所信仰的宗教和他们对于艺术的爱好，倒是全世界一致的，不管他们建的是埃及的神庙还是美利坚合众国的银行，终归是代价大于实用价值，而虚荣是其源泉。一个叫巴尔康的很有造诣的年轻建筑师，模仿他的偶像维特罗微乌斯的手法，用硬铅笔和直尺设计了一个图样，然后交到道勃苏父子采石公司手上。于是，被人类鄙视了 3 000 年之久的东西，现在却受到人类的万分敬仰。再看看你们的那些高塔和纪念碑吧！城里曾经有一个疯子要挖掘一条通往中国的隧道，他掘得已经很深很深了，据说他已经听到中国茶壶烧开了水的响声了。可是，我想我决不会违背自己的秉性，去赞美他的那个窟窿。许多人关心着东方和西方的那些纪念碑——想知道是谁造的。而我愿意知道的，是谁当时不肯造这些东西——谁能够超越这许多烦琐玩意儿之上。好了，还是让我继续统计下去吧。

我在经营自己的一方小天地之时，还在村中做测量、做木工和各种别的工种，我会的行业有我手指数那么多，我一共挣了 13.34 美元、8 个月的伙食费——就是说，从 7 月 4 日到 3 月 1 日这些列出下列账目的日子，虽然在那里我一共过了两年多——我没有把自己生产的土豆、一点儿玉米和若干豌豆计算在内，也没算结账日留在手上的存货市价，明细账如下：

米	1.735 美元
糖浆	1.73 美元（最便宜的糖精制成）
黑麦	1.0475 美元
印第安玉米粉	0.9975 美元（比黑麦便宜）
猪肉	0.22 美元

以下都是失败的试验品：

面粉	0.88 美元（价钱比印第安玉米粉贵，而且麻烦）
白糖	0.8 美元
猪油	0.65 美元
苹果	0.25 美元
苹果干	0.22 美元
甘薯	0.1 美元
南瓜一只	0.06 美元
西瓜一只	0.02 美元
盐	0.03 美元

如上所列，我总共的确吃掉了 8.74 美元，可是，如果我不知道我的大多数读者之中跟我有同样罪过的——他们的清单如果公开

印出来，恐怕还不如我的好呢——那我是不会这样恬不知耻地公开我的罪过的。第二年，我有时捕鱼吃，有一次我还杀了一只糟践我的蚕豆田的土拨鼠——颇像鞑靼人所说的，我在执行它的灵魂转世任务——我吃了它，一半也是试验性质的。土拨鼠有股近乎麝香的香味，给了我一番短暂的享受，不过我知道长期享受这口福是无益于健康的，即使你请村里的名厨给你烹调土拨鼠也不行。

在同一段时间内，衣服及其他零用，项目虽然不多，却也有 8.4075 美元；油及其他家庭用具 2.00 美元，除了洗衣和补衣——这些是在世界上这个地方必须花的全部的钱，或者超出了必须花的范围——全部的支出是：

房子	28.125 美元
农场一年的开支	14.725 美元
8 个月的伙食费	8.74 美元
8 个月的衣服等开支	8.4075 美元
8 个月的油及其他家庭用品	2.00 美元
共计：61.9975 美元	

我这是向那些要谋生的读者谈谈心里话的。为了支付这些开销，我卖出了农场的产品，计：

卖出的农产品	23.44 美元
做散工挣到的	13.34 美元
共计：36.78 美元	

从总开销上减去此数，差额是 25.215 美元——这恰好是我所有的启动资金，原先就预备支出的，这是一方面；而另一方面呢，除了得到闲暇、独立和健康，我还有一所安乐的房屋，我爱住多久就住多久。

这些统计资料，虽然很琐碎，也似乎没有什么指导性的作用，但因相当完备，也就有了某种价值。从上面列的表看来，仅仅是伙食一项，每星期就要花掉我 0.27 美元。在后来的将近两年时间，我一直是只吃黑麦和不发酵的印第安玉米粉、土豆、米、少量的腌肉、糖浆和盐；而我的饮料则是水。对我这样爱好印度哲学的人，用米作为主要粮食无疑是合适的。为了回应一些习惯于吹毛求疵的人的反驳，我还不如现在就说一说，如果我有时跑到外面去吃饭——我以前经常这样，相信将来还是有机会要到外面去吃饭的，但我这样做是有损于我家里的经济安排的。到外面吃饭是免不了的常事，对于这样来比较的说法，我想是不会影响我的声明的。

我从两年的经验中懂得了，即使在这个纬度上，要得到一个人所必需的粮食也不是什么麻烦的事；因为一个人可以像动物一样即使吃得简简单单，也仍然能够保持健康和体力。我曾经从玉米田里采了一些马齿苋（它的拉丁文学名是 *Portulaca oleracea*），加盐煮熟，吃了一顿，这一顿饭在许多方面都使我心满意足。我之所以把它的拉丁文学名写下是因为它的俗名特别难听。你可以试着想一想，在和平的年代，在一个平平常常的正午时分，除了吃一些甜的嫩玉米，或者用盐煮的玉米外，一个讲究理性的人还能希望得到什么更美好的食物呢？即使我偶尔稍稍变换点花样，也只是为了换换口味,并不是出于健康的缘故。然而,人们却依旧常常挨饿,这并不是因为他们缺少必需品,而是缺少了奢侈品。我还认识一个善良的女人,她总以为她的儿子是因为只喝清水丢掉性命的。

读者当然明白,对于这个问题我更多的是从经济学的角度,而不是从美食的角度来看待的。人们是不会冒险像我这样节食来做试验,除非他是一个脂肪太多的人。

最开始我用纯粹的印第安玉米粉和盐来焙制面包和纯正的糗糕。在户外,我把它们放在一片薄木板上或者放在建筑房屋时从木料上锯下来的木头上,然后生火来烤它们;木头没有冒出浓浓的黑烟,倒是时常被熏得有松树味儿。我也曾试过用面粉来做,可是最后却发现黑麦和印第安玉米粉的混合最方便、最可口。在寒冷的天气里,烘烤这些小面包是件很有趣的事,这就像埃及人孵小鸟一样。我烤熟的,正是真正的农作物的果实,在我的嗅觉中,它们有如其他鲜美的果实一样芳香,我用布将它们包好,尽量使这种芳香保持得越长久越好。

我研读了许多古代制造面包的工艺,向那些权威人士讨教,一直回溯到原始时代第一个不发酵面包的制成,从吃野果子,啖生肉,人类第一次进步到了吃这种热食物的文雅优美的程度,慢慢地我又在书中探索到面团偶然发酸——据说发酵技术就是这样被发明的,然后经过了各种发酵作用,直到我读到"美好的、甘美的、有益健康的面包"这生命的支柱。有人认为发酵剂是面包的灵魂,是填充细胞组织的精神,像圣灶上的火焰,被虔诚地保留下来。我猜想,一定有几瓶很珍贵的发酵剂最初是由"五月花"号带来的，为美国立了大功，而它的影响还在这片土地上升腾、膨胀、伸展，犹如翻腾的麦浪——这一点酵母是我从村中虔诚地端回来的，直到有一天早晨，我竟然用滚水烫了酵母；这件意外事件使我发现酵母也不是非用不可的——我发现这个事实不是用综合的方法，而是用了分析的方式——从此我索性快快活活地取消了它，虽然大多数的家庭主妇曾经热忱地劝告我，没有发酵粉，想做出美味而又有益健康的面包是不可能的，年老的人还预言我的体力会很快就衰退。然而，我发现这并不是必需的原料，没有酵母我仍旧快活地过了一年，我依旧生活在世人的土地上；我高兴的是我再也用不着在袋子里装一只小瓶子了，有时瓶子破碎，里面的东西都散落出来，弄得我心烦意乱。省去了这东西我感觉生活更方便，更优雅了。比起别的动物来，人这种动物更能够适应各种气候和环境。

我在做面包时也没有往里加什么盐、小苏打，或其他酸碱之类的东西。看来我是依照了基督诞生前两个世纪的马尔库斯·鲍尔修斯·卡托的方子做面包的。"Panem depsticium sic facito.Manus mortariumque bene lavato. Farinam in mortarium indito,aquae paulatim addito,subigitoque pulchre.Ubi bene subegeris,defingito,coquitoque sub testu."这段话我是这样理解的："面包是这样来揉制的。首先洗净你的手和长槽，把粗面粉放进长槽，然后慢慢加水，将面揉透彻，然后制成一定的形状，最后盖上盖开始烘烤。"这就是说只需一只烤面包的炉子即可。这里一个字也没有提到发酵。可是我还不是能够常常用这一类东西来维持生命的人。有一段时间，我囊中羞涩，有一个月之久，我都没有看到面包是什么样子。

　　每一个新英格兰人都可以很轻松地在这片盛产黑麦和印第安玉米的土地上，生产出他自己所需要的面包原料，而不用去依靠那遥远的而且变动剧烈的市场。然而在康科德城我们过得既不淳朴，又没有独立性，店里已经很难买到既新鲜又甘甜的玉米粉了，而玉米片和更粗糙的玉米简直已没有人吃了。农夫们把自己生产的一大部分谷物都喂了牛和猪，而花更大的代价到店铺里去买那些未必更有益健康的面粉回来。我自认为，我可以很容易地生产我所需要的一二蒲式耳的黑麦和印第安玉米粉，因为前者在最贫瘠的地上也能生长，后者也用不着什么最好的土地，我用手就可以把它们磨碎，这样即使没有米和猪肉我也能够过日子；如果我必须要用到一些糖精，我发现其实从南瓜或甜菜根里就可以得到一种很好的糖浆，只要我用上某些工具就可以很容易地做出糖来；假如那时这些都还在生长着，我也可以用各式各样的东西来代替它们。因为我们的祖先就曾歌唱：

　　　　我们可以用南瓜、胡桃木和防风草
　　　　来配制美酒，甜润我们的嘴唇。

　　最后，说到盐——杂货之中最杂者，找盐本可以成为一个到海边去的合适借口，或者，完全不用它，我想也许还可以少喝一点开水呢。我不知道印第安人有没有为了得到食盐，而让自己困扰不已过。

　　这样，至少在食物这一点上，我避免了一切的经营和以货易贷的交易，而且房子已经有了，剩下来的问题只是衣服和燃料的问题。我现在所穿的裤子是在一个农民的家里织成的——谢谢上天，人类还有这么多的美德；我认为一个农民降为技工，其伟大和值得纪念之处，正如一个人降为农民一样——新到一个陌生的乡村去，燃料可是一个大麻烦。至于栖息之地呢，如果不让我再居住在这个无人居住的地方，我可以用我耕耘过的土地价格——即 8.8 美元，来买下 1 英亩地。可是，事实是由于我居住在这里的缘故，这里的地价已经大大增加了。

有一些喜欢抬杠的人有时会问我这样的问题：我是否认为只吃蔬菜就可以生活。为了立刻说出事物的本质——因为本质就是信心——我往往这样回答，我说我吃木板上的钉子都可以生活下去。如果他们连这也不理解，那不管我怎么说抑或说什么，对于他们来说，依旧是对牛弹琴。就我自己而言，我是很愿意听到有人在做这样的实验的。好像有一个青年曾尝试过半个月只靠坚硬的带壳的玉米来生活的，而且他只用牙齿来做石臼——松鼠曾试过，而且很成功——人类对这样的试验是有兴趣的。虽然有一些老太太被剥夺了这种权利，或者在面粉厂里拥有 1/3 股份的人，他们听见了也许要惊慌了。

我的大部分家具都是自己做的——其余的没花多少钱，但我没有记账——这些东西包括 1 张床、1 张桌子、3 只凳子、1 面直径 3 英寸的镜子、1 组火钳和铁柴架组合、1 把壶、1 个长柄平底锅、1 个煎锅、1 只勺子、1 只洗脸盆、两副刀叉、3 只盘、1 只杯子、1 把调羹、1 只油罐和 1 只糖浆缸，还有 1 只上了日本油漆的灯。没有人会穷得只能坐在南瓜上，那是偷懒的表现。在村中的阁楼上,有很多我喜欢的椅子,而且只要我去拿,就属于我了。家具啊!谢谢上帝,我想坐就坐,想站就站,用不到家具公司来帮忙。如果一个人看到自己的家具装在车上,尤其是只是一些极不入眼的空箱子,被暴露在光天化日之下,众目睽睽之前,除了哲学家之外,谁不觉得羞愧难当呢?这是传教士斯波尔亭的家具。看了这些家具,我还无法断定它们是属于所谓富人的还是穷人的;它的主人似乎总是穷相十足的。确实,这样的东西越多,你越穷。每一车,都好像包括12座棚屋里的东西;一座棚屋如果很穷,这就是12倍的穷困。试问,为什么我们经常搬家,而不是丢掉我们的家具、我们的空壳,最后离开这个世界,到一个有新家具的世界去,把老家具烧掉呢?这正如一个人把所有陷阱机关的拉绳都缚在他的腰带上,当他经过我们放着绳子的荒野时,却不敢动弹,因为他一旦拖动了拉绳,就会掉进自设的陷阱里去。一只狐狸如果把它的断尾留在陷阱里,它是幸运的;麝香鼠宁肯咬断它的第三条腿,来换取自身的自由。人已失去了自己的灵活性,难怪有多少回都处于绝境!"先生,请宽恕我如此冒犯,你所谓的绝境指的是什么呢?"如果你是一个善于观察的人,无论何时,当你遇见一个人,你都能知道他拥有什么以及他假装没有的东西,你甚至能知道他厨房中的家具以及一切虚有其表的东西,他对这些东西情有独钟,而不愿意一把火烧掉,他本人好像被束缚在上面,尽自身所能拖着它们往前走。我认为,当一个人钻过一个绳结的圈,或穿过一道门,而他背后的一车子家具却过不去,那么这个人就处于绝境了。当我听说一个潇洒、外表强壮的人,看似自由,把一切安排得井井有条,却在谈及他的

"家具"时，让我不得不对他心生怜悯，也不知是否投了保险，因为他一直在说"但是我的家具怎么办呢"？他像一只鲜艳的蝴蝶，一下子扑进了一面蜘蛛网。甚至有这样的人，多年来看似没有任何东西牵累他，但是，倘若你仔细地盘问一下，就会发现他在别的什么人家的仓库里储藏着几件家具呢。在我看来，今天的英国就好像一个年迈的绅士，随身带着许多行李去旅行，而这些行李全是长期居家以来积累起来的华而不实的东西，他却没有勇气去烧掉它们，大箱子、小箱子、手提箱和包裹，样样齐全。我想他至少可以把前面的三种抛掉吧。现在，即使是一个健康的人也不能轻松地带着他的床铺上路。因此我要劝告那些生病的人，舍弃你们的床铺奔跑吧。当我碰到一个移民，背负着有他全部家产的大包裹蹒跚前行——那包裹就好像他脖子后长出的一个巨瘤——我很怜悯他，并不是因为他所拥有的东西是如此之少，而是他得背负着这一切前行。如果我也必须要带着我的随身家当，我会带一个比较轻便的，至少不会有损我最看重的东西。不过最聪明的办法还是绝不让自己陷于这种境地。

顺便说一下，我没有花一分钱去买窗帘，因为除了太阳、月亮，没有别的偷窥者需要关在外面，而且我很乐意它们能来看看我。月亮不会使我的牛奶发酸或使我的肉发臭，太阳也不会损害我的家具或使我的地毯褪色。如果太阳这位朋友有时太热情了，我觉得退避到那些大自然所提供的窗帘后面更加经济，又何必在我的家中添上窗帘呢。有一次，一位夫人要送我一张草席，可是在我的屋内我找不到空闲的地方来放它，也没有时间在屋里屋外打扫它，我婉言谢绝了她，我宁愿在门前的草地上擦我的脚底。

最好在罪恶开始前就避开它。

此后不久，我参加了一个教会执事的财产拍卖会，他的一生并不是毫无建树的，而

> 人作的恶，死后还流传。

像平常人一样，他的大部分家具都是华而不实的，而且不少还是他父亲在世时就收藏的。这其中还有一条干绦虫。现在，这些东西在他家的阁楼和其他落满灰尘的洞窟中已经躺了半世纪，还没有被烧掉呢；非但没一把火烧了它们或者说火化消毒，反而被展览拍卖得以延长它们的寿命。邻居急切地聚在一起参观，并仔细挑拣，最后把它们都买下来，然后小心翼翼地搬进他们的阁楼和落满灰尘的洞窟中定居，直到他们的财产需要清算，它们又得开始新的命运轮回。而一个人死后，他的脚只能踢到灰尘。

有些野蛮国家的风俗，或许更值得我们学习，因为他们每年至少要蜕一次皮。他们对做这些事情有很多想法，无论他们实际上做没做。如果我们也庆祝这样的圣礼——举行收获第一批果实的圣礼，像巴尔特拉姆描写摩克拉斯族印第安人的风俗一样，这难道不好吗？"当一个部落庆祝圣礼时，"他说，"他们为自己提前准备了新衣服、新坛子、新盘子和其他家居需要的新器具以及新家具，然后他们收集了所有穿破了的衣服和别的可以抛弃的旧东西，打扫房屋、广场和整个部落，把所有的垃圾和存下来的坏谷物以及别的陈旧粮食一起倒在一个公共的大堆上，用火烧掉它

们。在吃了魔药并绝食 3 天后，整个部落再熄火。绝食期间，他们放弃了食欲和其他欲念。大特赦宣布了，所有的罪人都可以返回部落来。"

在第四天的早晨，大祭司在公共广场上摩擦着干燥的木头，生起新的火焰。部落的每一户居民都得到了这新生的、纯洁的火焰。"

此后 3 天，他们吃着新的谷物、水果，跳舞唱歌。"而接下来的 4 天，他们接受邻近部落的朋友们的访问和庆贺，当然他们也用相似的方式净化自己并把一切准备妥当了。"

墨西哥人每 52 年也要举行一次相似的净化典礼，因为他们认为那时世界又开始一个轮回了。

我没听过比这更虔诚的圣礼了，就像字典上定义的一样，是"内在灵性雅致的，外在可见的仪式"，虽然他们并没有一部《圣经》来记录那一次的启示，我一点也不怀疑他们是直接由上天传授才这样做的。

我仅依靠双手劳动来养活自己已经不止 5 个年头了。而且我发现，每年我只工作 6 周，就能满足我一切生活开销。整个冬天和夏天的大部分时间，我能自由而愉快地学习。我曾全力办过学校，我发现得到的收益顶多和支出相抵，甚至还抵不上，因为我不得不穿衣、训练，更不用说还要思考和信仰，结果这一笔生意浪费了我不少时间。由于我教书只是为了生活，而不是为了我的同胞，这是个失败。我也试过做生意，可是我发现得花上 10 年时间才能精于此道，也许那时我正走在成为魔鬼的道路上。我倒是担心那时我真的做着所谓的成功生意。从前，我一直在寻找适合我的谋生之道，由于想迎合几个朋友的希望有过一些悲惨的经验，这些经验迫使我整天去想办法，所以我常常在想，倒不如去拾些浆果，这事我肯定能做到，那点微利对我来说足够了——因为我的最大技能是需求极少——这需要的资本极少，对我一贯的情绪又极少抵触。当我熟识的人毫不犹豫地做生意或就业时，我想我这个职业倒是最接近他们的了：整个夏天在山上游玩，一路上捡捡浆果，之后随意处置它们，好像在饲养阿德默特斯的羊群。我也梦想过我可以采集些闲花野草，用运干草的车辆给一些爱好树林的村民们送去些常青树，甚至运到城里也行。可是从那时起我明白了，商业诅咒它所经营的一切；尽管你经营天堂的事宜，商业对它的全部诅咒也和它紧紧相连。

因为我偏爱某些事物，尤其重视我的自由，又因为我能吃苦耐劳且能获得些许成功，所以我并不想浪费我的时间来购买华丽的地毯、讲究的家具、美味的食物、希腊式或哥特式风格的房屋。如果有人能毫无困难地得到这些东西，并在得到之后知道如何使用它们，我还是希望他们去追求。有些人非常"勤恳"，好像天生爱劳动，或者因为劳动可以使他们免于干更坏的事；对于这种人我目前没有什么要说的。至于那些如果有了比现在更多的闲暇而不知干什么的人，我要劝他们加倍勤恳地工作——工作到他们能养活自己，取得自由证明书。对我而言，任何职业中打短工都是最独立的，何况一年中只需三四十天就可以养活自己。短工的一天于太阳落山时结束，之后他可以自由地专注于自己所选择的跟他的工作毫不相干的某项事业；而他的雇主每天要投机取巧，一年到头都没法休息。

简而言之，我根据信仰和经验确信一个人倘若要在世间谋生并生活得简单聪慧，那并不是苦事，而是一种消遣；那些比较朴实的国家的人民，追求的仍是一些更人工化的国家的体育运动。除非他比我容易出汗，否则流汗赚钱来养活自己，并不必要。

　　我认识一个继承了几英亩田地的年轻人，他告诉我，如果他有办法的话，他愿意像我一样生活。而我却不希望任何人由于一些原因，来采用我的生活方式。因为我可能又找到了适合我的另一种生活方式，而他却还没学会之前这种，我希望世上的人，越不相同越好。同时我也希望每一个人都能谨慎地找出并追求他自己的生活方式，而不是采用他父亲的、母亲的或邻居的方式。只要不阻挠年轻人去做他告诉我他愿意做的事，他可以建筑，可以耕种，可以航海。因为人能计算，无疑人是聪明的；水手和逃亡的奴隶都知道用眼睛盯住北极星，这些经验足以指引我们一生了。也许我们没法在一个预定的时日达到目标，但我们总可以走在正确的航线上。

　　毫无疑问，凡是对一个人而言是真实的事，对于一千个人来说也是真实的，正像一栋大房子，按比例来说，并不比一座小房子更浪费钱财，因为一个屋顶能覆盖几个房间，一个地窖能建在几个房间之下，一道道墙壁能分隔出很多房间，而我更喜欢独居。何况，你拿共用一道墙的好处去说服邻居，比全部由你自己筑造房屋要便宜得多；如果你已经为了便宜跟邻居合用一道墙，那这道墙一定很薄，你隔壁住的如果是个坏邻居，他也不会修理自己的那面墙。一般能够做到合作的只是表面上很小的部分；倘若想有点儿真正的合作意愿，表面上反而看不出来，却有着一种听不见的和谐之音。如果一个人有信心，他可以在任何地方用同样的信心与人合作；如果他没有信心，无论跟何人做伴，他也会像世上其余的人一样，继续过自己的生活。合作的最高意义与最低意义一样，是让我们一起生活。最近我听说有两个年轻人打算一起环球旅行，一个是没有钱的，只能尽力在桅杆前或犁锄后挣钱，另一个则袋里揣着旅行支票。这很明显，他们不可能长久地做伴或合作，因为其中一人根本不用做什么。他们会在旅行中第一个有趣的危机发生时各奔东西。正如我已经强调的，一个单独旅行的人可以在今天就出发，而结伴游行的却得等同行的准备妥当，他们出发之前可能要浪费很长时间。

"可是，"我听一些市民说，"这一切是很自私的。"我承认，直到现在我很少从事慈善事业。我由于一种使命感牺牲了许多快乐，其中，慈善也使我牺牲了这种快乐。有人尽其所能，劝我去援助市里的一些穷苦人家；如果我无事可做——而魔鬼专找闲人——也许我要动手做做这一类的事消遣消遣。然而，当我想在这方面尝试一下，去维持一些穷人的生活，把他们过上天堂般生活作为一个义务，使他们各方面都能跟我一样舒服，甚至我已经提供了帮助时，这些穷人却一个个毫不犹豫地表示更愿意继续贫穷下去。我们市里的一些男女，正在想方设法致力于为同胞谋好处，我相信这至少可以使人不去做别的没人性的事业。但慈善和其他任何事业一样，必须有天赋的才能。"做好事"是一个很圆满的职业。何况，我也尝试过，而且如它所显现的，这不合我的胃口。也许我不应该刻意小心地逃避这种特殊的职责，即社会要求于我的使宇宙不至于毁灭的"做好事"。我相信，在一个不知名的地方，一定有一种类乎慈善却比其力量更坚定的事业，在维持我们的宇宙。可是我不会阻止任何人去发挥他的才能。对于做这种工作的人，做着我自己不做而他却全心全意地终身做着的人，我想说，即使全世界人都说这是"做恶事"，你们还是要坚持下去。

我一点都不是说我例外，毫无疑问，读者中的许多人要作同样的申辩。在做一些事时——我并不能保证邻居们会说它是好事——我可以毫不迟疑地说，我是一个很出色的雇员，不过只能让我的雇主来发现我干什么事情出色了。我做什么事情好呢？这个世上，凡属于一般意义上的所谓好，一定不在我的考虑范围之内，而且大多是我无意去做的。人们非常实际地说，从你站着的地方开始，不要把成为更有价值的人作为目标，而要怀着善良之心去做好事。要是我也这样说话，我更想说：去吧，去做好人吧。好似太阳在以它的火焰照耀了月亮或一颗六等星后停下来，像好人罗宾似的跑来跑去，在每座农舍的窗外偷看，使人发疯，使肉变质，使黑暗的地方清晰可见，而不是继续增强它柔和的热和恩惠，直到它变得如此光辉以至于没有几人能凝视它。同时，它在自己的轨道上绕着地球做好事，或者说，像一个真正的哲学家已发现的，地球会绕着太阳运转并享受它的恩惠。当法厄同想证明他是恩惠世人、驾驶日轮的神，但仅一天，他越出轨道，烧掉了天堂下面街上的几排房子，烧焦了地球表面，烘干了每年的春天，而且创造了撒哈拉大沙漠，最后朱庇特一道霹雳把他打到地上，太阳对他的丧命悲痛欲绝，一整年没有发光。

没有比善良变质更难闻的气味了，就像人或神的腐尸臭味一样。如果我知道有人要到我家来特意为我做好事，我会逃的，好似逃离非洲沙漠中的称作西蒙风的狂风，它会让你的嘴巴、耳朵、鼻子和眼睛塞满沙粒，直到把你闷死为止，因为我就怕他做好事做到我的身上——他的毒素混入我的血液。不——如果这样，我宁愿顺其自然地遭点罪。如果我饿了他喂饱我，如果我冷了他温暖我，如果我掉沟里了他拉起我，这个人并不算好人。我可以找一条纽芬兰的狗，因为这些事情它也能做到。慈善并不是那种爱同胞的泛泛的爱。从霍华德本人来说，他无疑是仁慈、值得尊敬的，且已善有善报；可是，比较而言，如果霍华德们的慈善事业，慈善不到已经拥有最好的产业的人身上，那么在我们最值得帮助时，100个霍华德于我们而言又有何用？我从未听过一个慈善大会曾诚恳提议要向我或向我这样的一些人，行善做好事。

印第安人曾难倒了耶稣会的传教士，他们在被绑住活活烧死时提出新奇的虐待方式给他们的施刑者。他们已超越了身体上的痛苦，有时甚至超越了传教士所能奉献的慰藉；你应该奉行的原则是杀害他们时少在他们的耳边絮叨些说服他们的话。于他们，根本就不关心如何被害，他们用一种新奇的方式来爱他们的仇敌，几乎已经宽恕了仇敌的所有罪恶。

所以，你要确定给予穷人他们最需要的帮助，虽然他们远远落在你的后面是你的过失。如果你施舍钱财给穷人，不要只是扔给他们，应该陪同他们花掉这笔钱。有时，我们会犯很奇怪的错误。往往那个穷人不冷也不饿，不过衣衫邋遢、褴褛又呆头呆脑。他并非不幸，或许他还乐此不疲呢。倘若你给了他钱，他也许会买更多褴褛的衣服。

我常怜悯那些在湖上挖冰的笨拙的爱尔兰劳工，如此贫贱，穿着褴褛的衣服，而我穿着干净的似乎是比较合时的衣服却还冷得发抖呢。直到一个严寒的冬日，一个掉进冰里的人来我的屋中取暖，我看他脱下3条裤子和两双袜子后才看到皮肤，虽然裤子、袜子又脏又破，可是他拒绝了我送他的多余的衣服，因为他有许多里面的衣服。这是真事。看来活该他落水了。于是我开始怜悯我自己，也许给我一件法兰绒衬衫要比给他一整个旧衣铺子慈善多了。1 000人在砍着罪恶的枝，只有1个人砍着罪恶的根，可能正是那个花费了大量时间和金钱在穷人身上的人，反而用他那种生活方式造就了更多的贫困与不幸，现在却徒然努力去补救。正是"虔诚的"奴隶主，拿出奴隶生产利息的1/10给其余的奴隶星期日的自由。有人为表示对穷人的仁慈而雇用他到自家厨房工作。为什么他们不自己下厨，这样岂不是更仁慈？你吹嘘说，你捐了收入的1/10给慈善机构；或许你应该捐出收入的9/10，这样才好。那时社会仅收回1/10的财富。这该归于财富占有者的慷慨呢，还是归于持正义者的疏忽呢？

慈善可以说是唯一值得人类去赞美的品德。然而，它是被夸大了的，是因为我们自私才吹嘘它。风和日丽的一天，一个粗壮的穷人在康科德向我赞扬一个市民，他说那个市民对像他这样的穷人很慈善。这种善良仁慈的伯父伯母，反而比真正的灵魂上的父母更受敬重。

有一次，我听一位博学多才的宗教演讲家讲英国，他列举了英国的科学家、文学家和政治家，如莎士比亚、培根、克伦威尔、密尔顿、牛顿等，紧接着就说起英国的基督教英雄来了，好像他的职业一定要求他这样说似的,他把这些英雄人物凌驾到其他所有人物之上,称之为伟大人物中最伟大的人。他们便是潘恩、霍华德、福莱夫人。大家一定都觉得他在胡说八道,因为后面3人并不是英国最好的人,或许他们只能算作最好的慈善家。

  我并不想从因慈善而得到的赞美中消减什么,我只要求公平,对一切有利于人类的生命与工作,都应该一视同仁。我认为一个人的正直和善良并不是他主要的价值,它们不过是他的枝叶罢了。那种褪去了叶绿素的枝叶,多数是被游走的郎中做成了药茶给病人喝,也算有了一些卑微的用处。我要的是人的花朵和果实,在我们交往中,让他的芳香沾染我,让他成熟的馨香熏陶我。他的善良不是局部的、暂时的行为,而是全面长久的富足有余,他的给予于他无损,而他自己也不知不觉。这是一种能遮盖万恶的慈善。那些所谓的慈善家经常记着要用自己散发出来的那种悲天悯人的气氛,围绕人们,还美其名曰同情心。我们应该传播给人们的不是我们的失望,不是我们的病容,而是我们的勇气、我们的健康与舒适,可得小心别把疾病传染给了别人。从南方的哪一个平原,传来了一片哀号声?在哪个纬度上,住着我们应该去播撒光明的异教徒?谁是我们应该去救赎的纵欲无度的残暴者?如果有人生病了,甚至不能自理,如果他肠胃痛了,这很值得同情,慈善家就要努力去改良这个世界了。因为他是大千世界里的一个缩影,他发现,而且是他自己真正发现的,世界在吃着青苹果。在他眼中,地球本身就是一个巨大的青苹果,想起来很可怕,如果人类的孩子在苹果还没成熟的时候就去啃食它是很危险的,可是他对慈善事业的狂热让他直接去找了因纽特人、巴塔哥尼亚人，还投奔了人多地广的印度和中国的村落。有权势者还利用这几年来的慈善活动来达到自己的目的，无疑，他的消化不良症痊愈了，地球的一边或两边脸颊也泛起了红晕，好像它开始变得成熟了，而生命也没了它的粗野，再一次变得又甜美又健康，更值得生活了。我从没有梦见过比我自己所犯的罪过更大的罪。我从来没有见过，将来也不会见到，一个比我更坏的人了。

我相信，使一个改革家如此悲伤的，不是他对苦难同胞的同情，而是作为上帝的最神圣的子孙，他心存内疚。让我们赶紧纠正他这错误的心理吧，让希望向他奔来，让黎明在他的床前升起，他就会抛弃他那些慷慨的同伴而不会再说一句抱歉的话了。我不反对抽烟是因为我自己从来不抽烟，抽烟的人会自食恶果的；虽然有许多我自己尝试过的事物，我也有能力去反对它们。如果你曾经受骗做过慈善家，那么别让你的左手知道你的右手做了什么，因为这不值得知道。救起溺水的人，系好自己的鞋带，轻轻松松地去从事一些自由的劳动吧。

我们的言谈举止，因为和圣徒交流而堕落了。我们的赞美诗中响起了诅咒上帝的旋律，还得永远容忍他。换句话说，即使先知和救主，也只能安慰人的恐惧而不能保证人的希望。哪儿也没有对人生表示简单、热烈而满意的记载，哪儿也找不到任何赞美上帝的使人难忘的记载。一切健康、成绩使我高兴，尽管它遥不可及；一切疾病、失败使我悲伤难受，尽管我们都很同情彼此。所以，如果我们要用真正的印第安人的、植物的、有吸引力的或自然的方式来恢复人类，首先让我们像大自然一样简单而安宁，除去心头的忧愁，在我们的精髓中注入一点儿小小的生命。请别傻傻地伫立在那儿去做个穷苦人的先知，而要努力去做值得生活在世界上的一个人。

我在希克·萨迪的《花园》中，读到这样一段话：

他们询问一个智者说，在至尊之神种植的庆祝树的高大华盖中，没有一棵被称为自由之树的，除了柏树，但柏树却不结果，这中间有什么秘密呢？智者回答道："任何事物都有它的生产规律，一定的季节，适时则茂盛，进而会开花结果，时令不当它们便会干枯而凋谢；柏树不属于这类，因为它永远苍翠，具有这种特性的得称为 Azad，即宗教的独立者——你的心不要放在变幻的事物上面，因为底格里斯河，在哈里发绝种以后，仍然是奔流经过巴格达的。如果你手上很富有，要像枣树一样慷慨。可是，如果你没有可给的呢，那么就做一个像柏树一样的自由者吧。"

补充诗篇

虚饰的穷困

T. 卡仑

穷鬼,不要太装腔作势,
在苍穹底下占着位置,
你那破烂的茅舍或你的木桶,
养成了一些懒惰或迂腐的德行;
在免费的阳光下、阴凉的泉水旁,
吃着菠菜和菜根,
在那里,你的右手,
从心灵上撕去人类的热情,
灿烂的美德都是从这些热情上怒放的,
你让大自然枯萎,使感官麻木,
像蛇似的女妖,活人见了会变为岩石。

我们并不需要沉闷压抑的社会，
这种属于你的强制的社会，
也不需要这种虚伪的愚蠢，
不知喜怒，不知哀乐，
也不知道被迫的装腔作势
和被动的超乎积极的勇敢。
这卑贱的人群，
永远把自己定位在平庸中，
成了你的奴性的心灵；
可是我们，
崇尚如此的美德：
勇敢威猛和大度的行为，
庄严宏丽的无所不见的谨慎，
无边无际的宏大气量，
还有那种英雄美德。
自古以来还没有一个名称，
只有些典型，
就好像赫拉克勒斯、阿喀琉斯、忒休斯。
退回你黑暗的蜗居吧！
等你看到全新的解放了的宇宙，
你该明白最优美的是什么。

我生在何处，为何而生

在我们生命的某些时期，我们习惯于一个个地去考察可以安家落户的地方。正是基于此，我把住所周围一二十英里内的庄园统统考察了一遍。在我的想象中已经陆陆续续买下了那儿所有的庄园，因为所有的庄园都要买下来，所以我已经摸清它们的价格了。我步行到各个农民的田地上，尝尝他们的野苹果，和他们谈谈农业劳作，然后让他们随便开个什么价钱，就照他们开的价钱把它买下来，心里却想再以别的价钱把它抵押给他们；甚至付给他们一个更高的价钱——把一切都买下来，但不立契约——把闲谈当作契约，我这个人原本就很爱闲谈——我耕耘了那片田地，而且在某种程度上也耕耘了他们的心田。在尝够了乐趣以后，我便扬长而去，好让他们继续耕耘下去。这些竟然让我的朋友们把我当成了一个房产经纪人。其实我是一个随遇而安的人，哪里的风景都能相应地为我大放异彩。房屋，不过是一个座位——如果这个座位是在乡间就更好了。我发现许多房屋的位置，似乎都是很难加以改进的，有人会觉得它离村镇太远，但我觉得倒是村镇离它太远了点。我总说，我可以在这里住下；我就在这里过一小时或一个夏天、一个冬天的生活；我看到岁月如何地奔驰，挨过了冬季，便迎来了新春。这一地区未来的居民，不管他们将要把房子造在哪里，都可以肯定过去就有人住过那儿了。只要一个下午的时间就足够把田地化为果园、树林和牧场，并且决定门前应该留着哪些树，甚至于砍伐了的树也都能物尽其用；然后，我就由它去啦，好比休耕了一样，一个人越是能放下许多事情，便越是富有。

我的想象甚至跑得更远些，我想到有几处庄园会拒绝我，不肯出售给我——被拒绝正合我的心愿——我从来不肯让实际的占有这类事情伤过我哪怕一根手指头。几乎已真正地占有庄园那一次，是我购置霍乐威尔那个地方的时候，我都已经选好种子，并且找出木料打算造一架手推车，来完成这事。可是在原来的主人正要给我一纸契约之前，他的妻子——每一个男人都有一个这样的妻子——变卦了，她要保留她的田产了，他就提出赔我 10 美元，解除约定。现在说句老实话，在这个世界上我只有 10 美分，但我究竟是只有 10 美分还是有一个庄园或 10 美元，亦或所有的这一切，那我这点数学知识可就无法计算清楚了。不管怎样，我退回了那 10 美元，而且退还了那庄园，因为这一次我已经做过头了。可以说，我是很慷慨的，我按照买进的价格，原价再卖给了他，更因为他并不见得富有，还送了他 10 美元，但我保留了自己的 10 美分和种子，以及没有使用过的手推车的木料。这样，我觉得我手上已很阔绰，而且这样做无损于我的贫困。至于那地方的风景，我也保留了。后来我每年都得到丰收，却不需手推车来载走。关于那田园的风景：

> 我像一个皇帝一样环视一切,
> 谁也不能否认我的权利。

我时常看到一个诗人,在欣赏了一片田园风景中最有价值的那部分之后,就扬长而去,那执拗的农夫还以为他劳累奔波,仅是拿走了几个野苹果。诗人将他的田园美景吟成了抑扬顿挫的诗句,而多少年之后,农夫还不知道这回事。一道无形的篱笆把这田园美景圈了起来,挤出了它的牛乳,撇清了油脂,拿走了所有的奶油,留给农夫的只是撇去奶油的奶水罢了。

在我看来,霍乐威尔田园的真正迷人之处在于它深邃中的幽静,它距离村子两英里,距最近的邻居半英里,并有一大片田野将它和公路隔开;它紧挨着河流,据田园的主人说,多亏了这条河上升起的雾,使田园在春天里免遭霜冻的危害,然而这些,却不是我所关心的;它的田舍和马厩的表面灰暗,一片惨败的景象,加上零落的篱笆,仿佛在我和它先前的主人之间隔绝了漫长的时光;还有那苹果树,树身已空,苔藓遍布,且有被兔子咬过的痕迹,由此可见我将与何人为邻。但最主要的,还是那一段曾经的记忆。早年间我曾逆流而上,那时节,这些房舍掩映在密密的红色枫叶丛中,林中不时传出家犬的吠声。我急于购买它,等不及主人搬走那些岩石,砍掉那些树身已空的苹果树,铲断牧场中那些刚刚冒出的小白桦树……总而言之,我等不及他的任何收拾了。为了享受这里的种种好处,我决定大干一场,像那阿特拉斯一样,把整个世界压在我肩膀上好啦——我从没听过他为此得了什么报酬——我愿意做一切事。没有任何别的动机和推托之词,只想等付清了钱，便入住这个庄园，再不受他人的侵犯；因为我知道只要我任由这片庄园自生自灭，它定会生产出我所企求的最丰美的收成。但结果却功亏一篑。

对于大规模地耕种农田（至今我仍在培育着一座花园），我有资格说的，就是我已备好了种子。许多人认为，种植的年头越久，种子越好。我毫不怀疑，时间能甄别好坏，等到我播种后，我想收成大约是不至于让我失望的。可我要叮嘱我的朋友们，仅此一次，以后永不再说了：你们要尽可能自由地生活，不要太执着才好。执迷于一座庄园和关在政府的监狱中，简直没有什么区别。

老卡托的《乡村篇》是我的"启蒙者"，曾经说过（我读的唯一的译本把下面这段话译得面目全非）："当你想要买下一个庄园的时候，一定要在脑中多考虑考虑，不要出于贪婪而买下它，更不要嫌麻烦而不去考察它，也别以为绕着它兜了一个圈子看一遍就够了。如果这是一个好庄园，你去的次数越多，你就越喜欢它。"我想我是不会出于贪婪而购买它的，但只要我活着，就会去它的周围转悠，死了之后，我还要葬在那个庄园里。这样我会更喜欢它。

接下来，我打算用更长的篇幅，来讲述我这类经历中的另一个，而为了方便起见，我将这两年的经验一并叙述。我已经说过，我不准备写一首抑郁的赞歌，可是我要像黎明时立在栖木上报晓的雄鸡一样，高声啼叫，即使这样做只是为了唤醒我的邻居。

我在森林里待的第一个昼夜，正好是1845年7月4日——美国独立日，我的房子还未盖好，不足以抵抗严寒，只能勉强避避风雨。房屋没有灰泥墙面，没有烟囱，墙壁是饱经风雨的粗糙木板搭建的，有很大的缝隙，所以晚上极为凉爽。那削得笔直的柱子、新近才做好的门框和窗框，使屋子看起来清洁、透气，特别是在早晨露水浸透木料时，我总是在幻想，到午间大概会有一些甜蜜的树胶从中渗出。在我的想象中，这房间一整天里将或多或少地保持着这个早晨的情调，因此，我想起了去年我曾游览过的一间山间小屋，它是一所通风性极好的房屋，适宜云游四海的神仙在此居住。吹过我屋脊的风，正如那席卷漫山遍野的风，唱出断断续续的调子来，也许这就是人间演奏的天堂仙乐。晨风永远在吹拂，创世纪的诗篇仍在吟唱；只可惜能听得到它的只有寥寥几人。灵山处处，遍存于大地之外。

除了一条小船之外，以前我曾拥有的唯一房屋，只是一顶帐篷。夏天里，我偶尔会带着它出去郊游，但现在这顶帐篷已被我卷起，放在阁楼里；而那条小船，辗转几人之手后，已经消隐于时间的溪流里了。现在我有了这更为坚固的躲避风雨的房屋，看来在这世间，我的生活已经大大改善了。这座房子虽然简单，却是我人生中的一点结晶，这一点让建筑者立即心生感触，让人联想到一幅淡淡的素描。每天，我不必跑出门呼吸空气，因为屋内的气息一点儿也没有失去新鲜。坐在一扇门背后，和坐在外面几乎一样，即使在下大雨的天气里，也是如此。哈利梵萨说过："没有鸟雀巢居的房屋，犹如没有加作料的烤肉。"我的寒舍却并不如此，因为我突然发现自己跟鸟雀做起了邻居；并不是说我捕到了一只鸟把它囚于笼中，而是我把自己关进它们邻近的一只笼子里。我不仅跟那些时常飞到花园和果园里来的鸟雀亲近，而且跟那些更野性、更易受惊吓的林中鸟雀亲近起来，它们是从来没有向村镇上的人唱过小夜曲的——它们是画眉、东部鸫鸟、红色的碛鸟、山麻雀、怪鸥和许多其他的飞禽。

我居住在湖岸边，在康科德村子南面约一英里半的地方，地势较康科德略高些，就在市镇与林肯乡之间那片浩瀚的森林中央，距离我们的唯一名胜之地——康科德战场之南两英里远；但因为我住的房屋低于森林，其余的地方都被茂密的森林掩盖了，所以半英里之外的湖对岸便成了我最遥远的地平线。第一个星期，无论我什么时候凝望着湖水，它给我的印象都好像山间的一泓龙潭，高高地泊在山坡上。它的湖底甚至比其他湖的水面高出许多，因此，日出之时，我看它褪去了夜色的雾衣，渐渐地，它柔缓的粼波、波平如镜的湖面，在我眼前呈现。此时的雾，像幽灵一样悄无声息地从每一个方向，隐没于森林中；又好像一个神秘宗教在夜间秘密集会，偷偷散会了一样。而露水一直悬挂在树梢，悬挂在山侧，到第二天还没消失。

8月是最为珍贵的时候。在轻柔的微风细雨停歇之际，水和空气都一片幽静，天空中密布着乌云。下午才过了一半，湖光山色已被黄昏的肃穆所浸透，画眉在四周唱歌，隔岸相闻。再没有比此时的湖更宁静的了，湖上的空气清新而稀薄，被乌云映得很黯淡，湖水却充盈着光辉，倒映出一个低垂的天际，美不胜收。从附近一个峰顶上向南俯瞰，穿过群山间的宽阔凹处，看得见湖岸边一片舒心的景色。那凹处正好形成湖岸，两岸的山坡错落有致，使人感觉宛如一条溪涧从山林间畅流而下，但是，却没有溪涧。我就是这样从近处的绿色山峰之间或之上,远望那蔚蓝的地平线上遥远的山峦或更高的山峰。踮起脚尖,我可以看见西北角上更遥远、更幽蓝的山脉,这种蓝色是天空的染料制造厂中最真实的产品,我还可以看见村镇的一角。但是倘若换一个方向看——虽然我站得很高,茂密的树木却挡住了我的视线——却什么也看不透,看不到了。在附近,有一些流水真让人舒心。水有浮力,地就浮在上面了。即使是最小的井也有这一点特征,当你窥望井底时,你会发现大地并非一片连绵的大陆,而是水中隔绝的孤岛。在发大水的季节里,当我的目光从这个山顶越过湖面,向萨德伯里草原瞭望时,我觉得整个草原升高了,也许是蒸腾的山谷中海市蜃楼显出的效果,它好像一枚沉在水盆底下的天然铸就的铜币,湖水之外的大地犹如一层薄薄的表皮,被一片小小的水波浮载着,成了孤岛。这时我才幡然醒悟:我居住的地方只不过是一块"干燥的土地"。

虽然从我的房门口向外望去,视野很狭隘,但我却一点儿也没觉得它拥挤,更无被囚禁之感,足够我的想象力在所见之处驰骋了。低处的矮橡树丛生的高原在对岸升起,向西部的大平原和鞑靼人干涸的草原伸展开去,给所有流浪的家庭一个广阔的天地。当达摩达拉的牛羊群需要更大的新牧场时,他们说:"世间再没有比自由自在地欣赏广阔的地平线的人更快活的人了。"

时间和地点都已变换,我居住在更靠近宇宙中的这部分、更贴近历史长河中最为吸引我的那些时代。我生活的地方,如天文家每晚观察的太空一般遥远。我时常幻想着,在宇宙的更遥远、更僻静的一角,在仙后星座形成椅形的 5 颗最亮的星星后面,有着更罕至、更快乐的地方，远离了喧嚣和骚动。我发现我的房屋正位于这样一个遁隐之处，它是从来没有受到污染的宇宙的一部分。如果说，居住的地方更靠近昴宿星团、毕星团、牵牛星座、天鹰星座才更加值得的话，那么，我就住在那里，至少是跟那些星座一样远离人世。那些闪闪的柔光，那些柔美的光线，传给我最近的邻居，他们只有在没有月亮的夜晚才能够看得到。我所居住的地方便是天地万物中这样的一部分——

> 曾有个牧羊人活在世上，
> 他的思想像高山那样崇高，
> 他那在高山之上的羊群，
> 每时每刻都给予他营养美食。

如果牧羊人的羊群总是走在比他的思想更高的牧场上，我们可以想想他的生活会是怎样的呢？

每一个早晨都是一个令人愉快的邀请，令我的生活跟大自然本身一样朴实简单、纯洁无瑕。我同希腊人一样，虔诚地向着曙光膜拜。我很早便起床，然后在湖里沐浴，这是个具有宗教意味的活动，也是我所做到的最好的一件事情。据说，成汤王的浴盆上就刻着这样的字："苟日新，日日新，又日新。"我深知这个道理。黎明将人带到了英雄时代。在天边刚露出一缕晨光的黎明，我端坐着，门窗大开，一只看不到也想象不到的蚊子在我的房中飞舞，它那微弱的吟声感动了我，我好像听到了宣扬美名的乐章。这是荷马史诗的一首安魂曲，空中回荡的《伊利亚特》和《奥德赛》，歌唱着它的愤怒与漂泊。它包含着宇宙本体之感，宣告着世界的无穷精力与生生不息，直到它遭禁。黎明啊，一天之中最值得回味的时刻，是觉醒的时辰。那时候，我们少有昏沉欲睡之感；至少一小时之久，睡了整夜的昏昏沉沉的感官大都被唤醒。但是，如果我们并不是被自己的禀赋所唤醒，而是被什么仆人生硬地用肘子推醒；如果并不是由我们身心的新生力量和内心的渴求来唤醒，而是被工厂的汽笛所唤醒的话；既没有那弥漫于空中的芳香，也没有回荡在耳边的天籁之音——因而我们醒时，并没有抵达比睡前更崇高的境界，那这样的白天，姑且称之为白天，也是没有什么希望可言的。要知道，黑暗是可以结出它的硕果来证明自己并不亚于白昼的。如果一个人不相信每一天都能拥有一个更早、更神圣的黎明时分，反而去亵渎它，那么他一定是对生命失望透顶了，正踏上一条坠入黑暗的不归道路。生命的感官在休息了一夜之后，人的灵魂，或者说是人的各部分官能，每天又能再次精力充沛。而他的禀赋，又可以去尝试他能创造何等崇高的生活了。我敢说，一切值得纪念的事情，都在黎明时分或黎明的氛围中发生。印度婆罗门教的古代经书《吠陀经》中说："一切知，俱于黎明中醒。"诗歌和艺术，人类最美丽最值得纪念的事情，都发生于黎明这一时刻。所有诗人和英雄都像曙光之神的儿子一样，在日出时分用竖琴奏响美妙的乐音。对思维活跃、精力充沛而紧紧追随着太阳步伐的人们来说，白昼便是一个永恒的黎明。不用管时钟的报时、人们持何种态度以及在从事什么劳动，这一切和它们毫不相干。早晨是我醒来时内心感受黎明的时刻,修身养性就是为了抛弃昏沉的睡眠。如果人们不是整日都浑浑噩噩地昏睡,那为什么他们回顾每天时会认为自己虚度光阴呢?如果他们没有被昏睡所击败,那他们是可以干成一番事业的。几百万人醒来就是为了从事体力劳动,但是一百万人中,只有一个人醒来是为了服役于智慧;一亿人之中,也只有一个人生活得诗意而神圣。苏醒就是为了活着。我还从没有遇到过一个非常清醒的人,要是见到了他,我怎敢正面凝视他呢?

我们必须学会重新苏醒,学会保持清醒而不再昏睡,但不要借助机械的力量,而应将无穷的期望寄托于黎明,即使在最深沉的睡眠中,黎明也不会抛弃我们。人类是有能力、有意识地提高自己的生活水平的,我还没有看到过比这更鼓舞人心的事实呢。能画出一张画作、雕塑出一个肖像、美化几个客观之物,的确很了不起;但让我们更加荣耀的,是能够塑造或绘画出那种能使我们观察事物、正当地有所为的氛围与媒介。每人都应该把最为崇高和紧急时刻内他的所思所为,与他的生命甚至于生活细节相匹配。如果我们拒绝了,或者说虚耗了我们所得到的这些琐碎信息,神明自会清清楚楚地告诉我们如何去做到这一点。

我幽居在森林中,是因为我希望谨慎地生活,在只面对生活的基本要素的情况下,看看我是否学会了生活传授于我的东西,免得到了临死之时,才发现我根本就没有生活过。我不希望去过不能称之为生活的生活,因为生活是这样珍贵;除非万不得已,否则我也不愿意归隐山林,去过隐逸的生活。我要深植于生活之中,吸取生命的精髓,生活得稳稳当当,如斯巴达人一样,以便根除一切生活必将丢弃的东西。我要划出一块收割的面积来,细细地收割或修剪,把生活压缩到一个角落里,让它缩小到最卑贱的地步。如果它被证明是卑微的,那么就获知它全部而真实的卑微,并把它的卑微之处公布于世;如果它被证明是崇高的,就用切身的经历来体会它,以便我下一次远游时,可以对它作出一个真实的评价。在我看来,大多数人还无法确定他们的生活是属于魔鬼的,还是属于上帝的,然而又多少有点轻率地下了判断,认为人生的主要目标是"赞美神明,并永享他的恩赐"。

虽然神话告诉我们,我们已从蚂蚁变成人了,然而我们依然生活得如蚂蚁一样卑微;像小人国里的小矮人一样,和长脖子仙鹤作战,这真是错上加错。我们最优美的德行在这里也显得多余,遭遇到本可避免的劫数。我们的生命在琐碎之中被消耗掉了。一个老实人用 10 个指头,便可以数数了。在特殊情况下,顶多加上 10 个脚趾头,其余不妨笼而统之。简单,简单,再简单些啊!我说,最好你要做的事只两件或三件,不要 100 件或 1 000 件,更不必以 100 万计,半打不是够计算了吗?总之,账目能记在大拇指甲上就好了。

在这波澜壮阔的文明生活的海洋中,一个人要生活,就得经历这样的暴风骤雨以及 1 001 种考验,除非他纵身一跃,栽到海底,不想安然抵达。那些事业成功的人,真是精于算计的高人啊。简单化,简单化!不必一日三餐,如果必要,一顿已足够;不必百道菜,五道足矣;至于别的,就按同样的比例减少好了。我们的生活像德意志联邦,由小州组成。联邦的边界永远在变动,以至于即便是德国人,也不能在任何时候把准确的边界告诉你。国家自身也有所谓的内政的改进,实际上全是些表面功夫而已，甚至是有些肤浅的事务，它是这样一种艰难运转而又臃肿庞大的机构，胡乱塞满了家具，掉进自己设置的陷阱，被自身的奢侈挥霍所毁灭。因为它没有计划，也缺乏崇高的目标，好比地面上的100万户普通人家一样，对于这种情况，唯一的医疗办法就是采用一种严峻的经济手段，一种严峻得更甚于斯巴达人的那种简单的生活，并树立更高的生活目标。人们现在的生活实在是太放荡随意了。人们认定国家必须拥有商业、必须出口冰块、要用电报来传递话语，还要1小时驰奔30英里，而毫不怀疑它们有无用处。但是我们应该生活得像狒狒，还是像人呢？对于这一点却又难以确定了。如果我们不做出枕木，不轧制钢轨，不日夜工作，而只是慢条斯理地应付我们的生活，那么谁肯去修筑铁路呢？如果不造铁路，我们又怎能准时抵达天堂呢？可是，如果我们只待在自己家里，忙自己的私事，谁还需要什么铁路呢？看来我们没有驾驭铁路，铁路倒驾驭了我们。你可曾想过，铁路底下铺着的枕木是什么吗？——每一根都是一个人，是一个爱尔兰人或一个北方佬。铁轨就铺在他们身上，他们身上又铺上黄沙，列车在他们身上平滑地驰过。我告诉你，这些沉睡不语的亡者就是枕木。每隔几年，就会换上一批新的枕木，列车仍在上面奔驰；如果一批人在铁轨之上愉快地乘车经过，那么必然有另一批不幸的人在下面被碾压而过。当火车奔驰时撞上一个梦游者，或碾过一根出轨的多余枕木，他们会突然刹下车子，吼叫不已，惊醒了乘客，好像这是一个意外事故。听到这些我真觉得可笑，他们每隔5英里路就派一队人，保证那些枕木保持应有的高低以及平稳牢固，由此可见，枕木有时候会自己站起来。

为什么我们要生活得这样匆忙,如此浪费生命呢?我们应该下定决心,在饥饿来临以前,就饿死得了。人们时常说,现在及时缝上1针,将来可以少缝9针,所以现在他们缝了1 000针,为了将来可以少缝9 000针。至于工作,常常是劳而无功,我们患了好动症,连脑袋都无法保持静止。

如果我站在寺院的钟楼下,拉几下钟绳,使钟声发出火警的信号来,钟声不大,那些在康科德周边田园里的人,尽管今天早晨反复说他如何如何地忙,但是没有一个男人,或孩子,或女人不放下手头的工作循着这声音跑来的,并不是说要从火里救出些财产来,说实话,更多的人还是来看火灾场面的,既然已经烧着了,而且这火肯定不是他们放的;他们跑来是看这场火是怎么被扑灭的,要是不费什么劲,还可以出手帮忙救救火;即使教堂着了火,也是这样。一个人吃了午饭,睡了半个小时的午觉,一醒来就抬头问:"有什么新闻?"好像全人类都在为他站岗放哨。有的人还要求别人每隔半小时叫醒他一次,即使并没有什么特别的原因;然后,为报答人家,他讲述了他的梦境。睡了一夜之后,新闻如早饭一样不可或缺。"请告诉我,发生在地球上的任何地方的任何人的新闻"——于是他一边喝着咖啡,吃着面包卷,一边翻读报纸,知道了这天早晨在瓦奇多河上,有一个男人的眼睛被挖掉了;却一点不在乎自己早就是有眼无珠了,正生活在这世界上一个深不可测的大黑洞中。

于我而言,我觉得邮局可有可无。因为没有什么重要的消息是需要邮局传递的。到目前为止,我的一生中,收到过的信至多只一两封是值得邮寄的——这还是我几年前写过的一句话。一般情况下，一便士邮资的目的是，为一个人花一便士，你就可以得到他的思想了。但结果你得到的常常只是个玩笑。我同样也认为，我从未在报纸上读过任何值得纪念的新闻。如果我们读到某人惨遭抢劫，或被人谋杀死于非命，或一幢房子被烧了，或一只船沉没了，或一头母牛在西部铁路上被撞死了，或一只疯狗被杀死了，或在冬天出现了一大群蚱蜢——那么我们便不用再读其他新闻了。因为有这一条新闻就够了。如果你掌握了这个办报原则，何必去关心那亿万的例证及其应用呢？对于哲学家来说，这些所谓的新闻，不过都是瞎扯，编辑和读者全都是在茶余饭后拨弄是非的长舌妇。然而现实是，仍然有不少人意犹未尽，听着他们瞎扯。我听说有那么一天，大家争先恐后地，要到报社打听一个刚刚发生的国际新闻，那报社里的好几面大玻璃窗都被挤碎了——那条新闻，我曾认真地想过，其实一个精明之人在12个月前，甚至在12年前，就已经相当准确地写好了。比如说关于西班牙的新闻吧，如果你知道如何把唐·卡洛斯和公主、唐·彼得罗、塞维利亚和格拉纳达这些字眼不失时机地放进一些——这些字眼，我读报至今，变化不是太大——然后，实在没有什么有趣的新闻时，就把关于斗牛的新闻加进报纸，这就是真实无误的新闻。能将西班牙的现状以及变迁作出详细及时的报道，完全跟现在报纸上这个标题下的那些最简明的新闻一个样。再来说说英国，来自那个国家的最后一条重要新闻几乎总是1649年的革命；如果你已经弄清了英国的历年谷物年均产量，除非你是要拿它来做投机生意，赚几个钱，否则你也会把这些事扔到一边的。如果你能预测报纸上的新闻，那么对你来说，世界上也没什么新闻值得关注,即使是一场法国大革命也不例外。

新闻是什么?永葆即时才谓之生命!蘧伯玉(卫大夫)派人到孔子那里去。孔子与之坐而问焉,曰:"夫子何为?"对曰:"夫子欲寡其过而未能也。"使者出。子曰:"使乎,使乎。"到了周末,在劳累得直瞌睡的农夫们休息的日子——星期日,真是过得糟糕的一周的恰当的结尾,但绝不是新的一周的新鲜而勇敢的开始——偏偏那位牧师不用那种慢条斯理、冗长的宣讲来麻痹农夫们的耳朵,却雷霆一般地吼叫着:"停!停下!为什么看起来很快,实际上却慢得要命呢?"

谎言和妄想已被尊崇为最可信的真理,现实反倒显得荒诞不经了。如果世人能稳健地观察现实,不允许自己受欺被骗,那么,用我们所知道的事物来比喻,生活将好像一部《天方夜谭》了。如果我们只尊敬一切难以避免的、有权利存世的事物,音乐和诗歌将在街头巷尾回荡。如果我们从容不迫且足够聪明,我们便会领悟,唯有伟大而优美的事物才会拥有永久的绝对的存在权——琐碎的恐惧与琐碎的欢乐不过是现实的阴影,而现实却常常是活泼而崇高的。实际上,世人由于闭上了眼睛才神志不清,任凭自己受到假象的欺骗。在这种情况下,人类建立并强化了日常生活的制度和习惯,而且处处遵循它们。其实呢,它们只是构筑在纯粹幻想的基础之上的。天真嬉戏的儿童,反而能更清晰地认清生活真正的规律,而大人们却常常自作聪明,不懂得珍视生活。因为他们阅历丰富,也就是说,他们经常失败。

我曾在一部印度的书中读到:"有一个王子,小时候被逐出故土,由一个樵夫抚养成长,所以他一直以为自己身属贱民阶级。后来，他父亲手下的官员发现了他，并告知了他的出身，消除了他对自己身份的误解，他才知道自己是一个王子。所以，"那印度哲学家接下来说，"由于所处环境的缘故，灵魂误解了他自己的角色，直至一位神圣的教师将真相披露于他。然后，他才知道自己是高贵的婆罗门。"我认为，我们新英格兰的居民之所以过着如此低贱的生活，就是因为我们没法透过事物的表面去看本质，把"似乎是"当作了"肯定是"。如果一个人徒步穿过一个城镇，只知道眼见为实，那么，他从未见过的"贮水池"该是子虚乌有的吧？如果他向我们描述他所看见的现实，我们都不会知道他是在描述什么地方。看看会议厅，或法庭，或监狱、店铺、住宅，你说，在你真正凝视它们的时候，这些东西到底是什么啊，在你的描绘中，它们已经被你弄得支离破碎了。

人们尊崇那遥不可及的、制度之外的真理，它存留于最遥远的那颗星星之后，它始于亚当之前而终于世间最后一人。当然，在永恒中是存在真理和崇高的。可是，所有这些时代，这些地方，这些时节，都可简述为"此时此地"的啊！上帝之伟大就在于现在之伟大，尽管时光流逝，但他绝不会再添丝毫神圣。只有永远渗透于现实，发掘围绕在我们身边的现实，我们才能领悟到什么是崇高。宇宙经常顺应我们的观念，不论我们走得是快是慢，路途已为我们铺好。让我们穷毕生之精力去领会它们吧！诗人和艺术家还从未完成这样公平而崇高的设想，不过，至少他们的后人是可以替他们完成的。

让我们像大自然一样顺其自然地过上一天吧，不要因一个坚果壳或掉在轨道上的蚊虫的一只翅膀而脱离轨道。让我们在黎明时分起身,早餐与否随意一些,但求平静而无忧;任他人来去,任钟声敲响,任孩子哭闹——下个决心,我们要自然地好好过一天。为什么我们要屈从,甚至于随波逐流呢?在身处子午线的浅滩时,我们不要因卷入所谓午餐之类的可怕的急流与漩涡中而惊慌失措。熬过了这种危险,你就平安了,余下的就是下山的路了。神经千万不要松弛,要以那破晓的魄力,向着另一个方向航行,如同被紧绑在桅杆上的尤利西斯那样。如果汽笛响了,让它鸣叫到沙哑吧;如果警钟响了,我们为什么还要奔跑呢?我们应该研究它是什么音乐。

让我们定下心来,好好工作;让我们跋涉在那些污泥似的意见、偏见、传统、谬论与表象之间。这淤积了全球的污泥啊,越过巴黎、伦敦、纽约、波士顿、康科德,越过教会与国家,越过诗歌、哲学与宗教,直到我们抵达一个坚硬的底层,在那里的岩层,我们称之为现实。然后告诉自己,错不了,这就是现实。之后你可以在这个支点之上,在洪水、冰霜和火焰之下,建造一道城墙或一片国土,或是牢固地竖起一个灯柱,或一个测量仪器——不是用来测量尼罗河水的,而是用来测量现实的。让未来能知道,那谎言与假象曾像洪水带来的淤泥一样,是多么深不可测啊。如果你挺胸而立,面对着事实,你就会看到,阳光在它的两边熠熠闪耀,它好像一柄阿拉伯人的短弯刀,你能感到它锋利的刀刃正剖开你的心和骨髓,这样你便可快乐地结束你的人间旅程了。生也好,死也罢,我们渴求的,只是现实。如果我们真的渐渐死去,就让我们聆听喉咙中发出的咯咯声,感受四肢上蔓延的寒冷好了;如果我们暂且活着,就让我们踏踏实实干我们自己的事业吧。

时间只是供我垂钓的溪流。在我喝这溪水的时候，我看得到它的沙床，它是那么浅啊。浅浅的溪水流逝了，永恒却留在原处。我愿痛饮，我愿在天空中垂钓，在天空的底层，有着石子似的星星。我没法数清它们。我不认识字母表上的第一个字母。我时常后悔，我不像出生时那般聪明了。智力是一把刀子，它看准地方，刀刃便一路抵达事物的秘密所在。我不希望我的双手徒劳地忙个不停。我的头脑便是手和足。我觉得我最好的官能都汇集在那里。我的本能告诉我，我的头可以用来挖洞，像一些用鼻子或前爪挖洞的动物一样。我要用头挖掘洞穴，在这人生的群山中，挖掘出我的道路来。我要用探寻藏金的魔杖，依据那升腾的薄雾判断，最富饶的矿藏就在这里的某个地方。在这里，我要开始挖掘宝藏了。

阅　读

假如可以重新谨慎地选择自己所从事的职业，也许所有人都愿意去做个学生或观察家，因为两者的性质和命运对所有人都颇具吸引力。在为自己或后代积累财富、成家或建国，甚至沽名钓誉这些方面，我们都是凡人；但在探寻真理时，我们便超凡脱俗了，也不必害怕变化或意外事件了。最古老的埃及哲学家和印度哲学家掀起了神像上的轻纱一角；这微颤着的袍子现在仍是撩起的，我看见它跟当初一样，鲜艳夺目，因为曾经如此勇敢的是他心中的"我"，而现在重新瞻仰着那形象的是我心中的"他"。那袍子上纤尘未染，时间也没有因为这神圣之景的显现而逝去。我们真正利用了的，或者更确切地说可以利用的时间，既不是过去，也不是现在，更不是未来。

我的木屋与大学相比，不仅适宜于思索，还适宜于认真地阅读。虽然我阅读的书在一般图书馆的借阅范围之外，我却比以往更易受到那些全世界流通的书籍的影响，那些书起初是写在树皮上的，如今只是抄在亚麻纸上。诗人密尔·卡玛·乌亭·玛斯特说:"坐着便可以在精神世界里驰骋,这种益处我得自书本。一杯酒就令我陶醉,当我畅饮着深奥学说的芳洌琼浆时,我同样体验着这样的愉快。"虽然我只能偶尔翻阅荷马的《伊利亚特》,但整个夏天,我都把它摆放在桌上。开始时,有很多事等着我去做,我要造房子,还要锄豆子,使我难以抽空去读更多的书。但我想不久可以多读些书,这个念头一直支持着我。工作之余,我还读过一两本浅显易懂的关于旅行的书,随后我羞愧难当,我问自己,我到底住在什么地方?

读过荷马或埃斯库罗斯的希腊文原著的学生,绝无放荡不羁或奢侈挥霍之举,因为他会在很大程度上仿效原著中的英雄,会将清晨的大好时光用来专心读书。如果这些英雄的诗篇是用我们的母语刊印成书的,那么在这个品德败坏的时代,那些诗篇也会变成死寂的文字。因此,我们必须辛苦地探寻每一行诗每一个字的原意,穷我们的智力,大胆而细致地琢磨出比平时应用得更深远的含义。

近代的出版社,出版了大量廉价的译著,却没有一部使得我们更加靠近那些古代的英雄作家。这些译著令人不敢问津,他们的文字仍被印得稀奇、怪异。花费那些宝贵的青春岁月,来研习一种古代文字,即使只学会了几个字,也是值得的,因为它们是街头巷尾琐碎平凡之言的精粹,是永久的暗示,能给你永恒的激励。有的老农夫听到几句拉丁语警句,记在心上并时常说起它们,这是百益而无一害的。

有些人曾说过,对古典作品的研究最后会让位给一些更现代化、更实用的研究。但是,富有进取心的学生仍会时常去研究古典作品，无论它们是用什么文字写就的，也无论它们有多么的古老。因为古典作品记录下了最崇高的人类思想，它们是独一无二、不朽而神奇的神示谕旨。即便是求神问卜于特尔斐和多多那也得不到的近代的一些解答，却能在古典作品中找到。我们甚至不屑研究大自然，因为她已经老了。好好读书，也就是说，以务实的精神去读真实的书，这是一种崇高的训练，它对一个人的气力的需求，超乎任何一种训练。这需要一种锻炼，像竞技家必须经受的那样，要坚持不懈，终身努力。书本是谨慎而含蓄地创作的，也应该谨慎而含蓄地阅读。

即使你所讲的语言与原著一样，这也是不够的，因为口语与书面语有着很明显的差异：一种是听说的文字，另一种是阅读的文字。口语通常是变化多端的嗓音或舌音，是一种土话，几乎可以说是很粗野的，我们可以像野蛮人一样从母亲那里不知不觉地学会口语；书面语却是口语的成熟形态与精练的表述，如果前一种是母语，这一种便是父语，是经过磨炼的表达方式，并非耳朵所能听到的，我们必须再降人世，才能学会说它。中世纪的时候，有多少能够流利地说希腊语与拉丁语的人，由于出生之地的关系而难以读懂天才作家用这两种文字所著写的作品，因为这些作品不是用他们熟知的希腊语和拉丁语来写的，而是用精炼的文学语言写就。他们还没有学会希腊和罗马的那种更高级的方言，这种语言所写的书，在他们看来不过是一堆废纸，他们重视的反倒是一种低廉的当代文学。可是，当欧洲的几个国家拥有了他们自己的文字后，虽然粗浅，倒也表达无碍，便足以复兴他们的文艺了。于是，最初的那些知识复兴了，学者们能够辨识远古的藏书了。罗马和希腊的群众当时难以倾听的作品，在历经几个世纪之后，如今只有少数学者能读懂并且在研读它们。

无论我们如何赞赏演说家时常爆发出来的好口才，最崇高的文字还是隐藏在瞬息万变的口语背后，或凌驾于它之上，有如繁星点点的苍穹藏于浮云之后。众星璀璨，但凡观察者都可阅读它们。天文学家也永远在观察它们、注解它们。书卷可不像我们的日常谈吐和转瞬即逝的呼吸。在讲台上的所谓口才，通俗点说就是学术界的所谓修辞。演讲者抓住了一个个闪过脑海的灵感，为他面前的群众，为那些跑来倾听他的人演讲。可是，对于作家而言，更宁静的生活才是他们所需要的，那些给予演讲家灵感的社会活动以及成群的听众只会分散他们的精力，他们是对着人类的智力和心灵致辞的，是对着任何年代中能够读懂他们的所有人说话的。

难怪亚历山大在行军征战之时，总要在随身携带的一只宝匣中放一部《伊利亚特》了。文字是圣物中最珍贵的。它和别的艺术作品相比，与我们更亲密也更具有世界性。这是最接近生活的艺术。它可以翻译成任何一种文字，不仅供人阅读，而且还从人的唇齿中吐出来：不仅可以表现在油画布或大理石上，还可以雕刻于生活自身的气息之中。一个古代人思想的结晶可时常被近代人挂在嘴边。两千个夏天已经在纪念碑似的希腊文学上——好比在希腊的大理石上——留下了更成熟的、秋收般的金黄色泽，因为他们给世界各地带来了祥和而肃穆的氛围，保护他们免受时间的侵蚀。书本是世间的珍宝，是多个国家世世代代的最优良的遗产。年代最古老最好的书，自然适于放在每一个房屋的书架上。它们没有什么私事要诉说，可是，当它们启发并鼓舞了读者后，它的观念将使读者难以拒绝。而书的作者，自然而然地成为任何一个社会中的贵族，他们对于人类的影响甚至大于国王或者皇帝。当那目不识丁或许还受人歧视的商人，用苦心经营和勤劳刻苦换来了闲暇和自主，并跻身于财富与时髦的圈子时，最终他会不可避免地转向那些更高级，然而又高不可攀的智力与天才的领域，此时他便会发觉自己的不学无术，发觉自己的一切财富也难以弥补虚荣。于是，他煞费心机地要给子孙后代以自己所匮乏的知识文化，这便进一步地证明了他眼光敏锐，就这样他成了一个家族的始祖。

还没有学会阅读古典著作原文的人们，对于人类史一定知之甚少。更惊人的是，这些古典著作并没有一个现代语言的译本，除非我们的文化本身姑且算作这样一份译本的话。《荷马史诗》《埃斯库罗斯》和《维吉尔》还没有英译本——这些作品是那么优美，那么精炼，如早晨的霞光一样美丽。后世的作者，不管我们如何赞美他们的才能，可是能与这些古代作家的精美、完整与永存的，以毕生心血铸就的文艺作品相比的，少之又少。对它们一无所知的人，只会叫人去忘掉它们。但当我们有了学问，有了禀赋，能研读它们、欣赏它们时，那些人的话，我们立即抛之脑后。当那些被我们称为古典作品的圣物，以及比古典作品更古老、更少人知道的各国的经典越积越多时，当梵蒂冈教廷里放满了《吠陀经》《波斯古经》《圣经》，以及荷马、但丁和莎士比亚的作品，当继起的世纪继续把它们的战利品陈列于世界的讲坛上时，那么这个时代定将更加丰富。有了这样一大堆文艺经典的作品，我们才有攀登天堂的希望。

伟大诗人的作品，人类还从未阅读过，因为只有伟大的诗人才能读懂它们。众人阅读它们，有如观望满天繁星，至多是从星象学而不是从天文学的角度。大多数人学会阅读，只是为了贪图那可怜的便利，好像他们学算术是为了记账，以免做生意时上当受骗。但是，将阅读作为一种高尚的智力锻炼，他们仅是略知一二，甚或一无所知。然而就其高级的意义来说，只有这样才叫阅读，绝不是如奢侈品般引诱我们，使我们的头脑在读书时昏昏欲睡。我们必须端坐一隅，在大脑最灵敏、最清醒的大好时刻凝神阅读才对。

　　我想，在识字之后，我们就应该阅读最优秀的文学作品，不要永远在重复 a、b、ab 和单音字，不要在四五年级年年留级，终身坐在小学最低年级的教室前排。许多人是能读懂或听懂人家阅读就满足了，也许只领略到一本好书《圣经》的智慧，而此后他们就只读一些轻松的作品，放荡或单调地虚度一生。在我们的公共图书馆里，有一部数卷的作品叫作《小读物》，我想它大约是我没去过的一个小镇的名字吧。有一种人，像贪食的鸭子和鸵鸟，能够消化一切，甚至在饱餐了肉类和蔬菜烹饪的丰盛大餐之后也能消化，因为他们不愿浪费。如果说别人是供给此种食物的机器，这类人就是不知饱足的阅读机器。他们阅读了 9 000 个关于西布伦和赛福隆尼亚的故事，全是讲述他们如何相爱、爱得如何史无前例、爱得如何曲折艰难——总之，是他们如何艰难地爱，如何栽跟斗，如何爬起来，如何再相爱！某个可怜的不幸之人是如何爬上教堂的尖顶的，没爬上去倒还好，他既然已经鬼使神差地爬上尖顶，那欢快的小说家于是敲起钟来，让全世界都围拢过来，听他诉说。哎哟，天啊！他怎么又下来了！以我的看法，他们倒不如把所有小说世界里往上爬的英雄人物一概变形为指示风向的小铁皮人，好像他们时常把英雄放在星座之中一样，让那些小铁皮人在尖顶上旋转，直到它们锈掉为止，千万别让它们下来胡闹，骚扰了人类。下一回，倘若小说家再敲钟，哪怕是那公共会场烧成了平地，也休想让我动弹一下。《偷情舞会》是一部中世纪传奇，由著名作家"叽叽喳喳先生"所著，并且标有"按月连载，读者甚多，欲购从速"之类的广告语。他们瞪得如小碟子般大的眼睛，以原始的坚定不移的好奇、极好的胃口，来阅读这些东西，也不怕损伤胃壁，如同那些4岁的孩子，成天坐在椅子上，看着售价两分钱的烫金封面的《灰姑娘》——在我看来，他们读后，发音、重音、加强语气这些方面并没有进步，更不用说学到主旨的表现与渲染方面的技巧了。结果是视力下降，生机凝滞，思想颓废，智力退化。这就像姜汁面包，几乎每天从每个烤面包的炉子里烤制出来，比用纯粹的面粉或黑麦粉以及印第安玉米粉做的面包更吸引人，在市场上销路更广。

即使是所谓的"爱读书者"，也不屑读最好的书。我们康科德的文化又算得了什么呢？这个镇上，除了极少数例外的人，大家对于最好的书，甚至是英国文学中非常优秀的书，都觉得兴味索然，虽然他们家都能读出英文、拼出英文。甚至毕业于那里的大学、受到所谓自由教育的人，对英国的古典作品也知之甚少，甚至一无所知。那些记录人类思想的古代作品和《圣经》，如果有谁愿意阅读，是很容易得到的，然而却只有极少数人肯花工夫。我认识一个中年樵夫，订阅了一份法文报，他说他并不是为了读新闻，他是超乎这一套之上的，而是为了"不间断地学习法语"，因为他生来是一个加拿大人。我就问他："你认为世上你能做得最好的事是什么？"他回答说，除了这件事之外，还要继续下功夫学好英语。一般的大学毕业生所做的或想要做的也是如此吧，他们订一份英文报纸不也是出于这样的目的吗？假设一个人刚刚读完一部有可能是最好的英文佳作，你想他又可以跟多少人谈论这部书呢？再假定一个人刚刚读了一部希腊文或拉丁文的古典作品，即使是文盲也知道颂扬它，可是他却根本找不到一个可以谈谈心得的人。因此，他只能沉默。大学里几乎没有哪个教授，在掌握了一种艰难的文字后，便会相应地掌握一个希腊诗人深奥的才智与诗情，并能以交流之心来传授给那些灵敏的、富有英雄气概的学生。至于神圣的经典，人类的《圣经》，有人能把它们的书名告诉我吗？其实大多数人还不知道，唯有希伯来这个民族拥有自己的经典。任何一个人都会为捡一块银币而费尽心机，可眼前有黄金般的文字，有古代最聪明的人说出的话，它们的价值为历代所公认——然而我们读的只不过是识字课本、初级读本和教科书，离开学校之后，只读孩子们和初学者看的《小读物》与故事书，于是，我们的读物、我们的谈吐和我们的思想，水平极低，只能和小人国里的侏儒相匹配。

  我希望认识一些比出生在康科德这片土地上的人更加聪明的人，他们的名字在这里几乎无人知晓。难道我会听到柏拉图的名字而不拜读他的大作吗？好像柏拉图是我的同乡，我们却素未谋面——好像他是我的近邻而我却从未听他说过话，或听过他饱含智慧的言谈。可是，事实不正是如此吗？他的《对话录》充满了他不朽的见解，却躺在我旁边的书架上，我还没有拜读过它。我们都是愚昧无知、不学无术的文盲。在此情形下，我觉得这两种文盲之间并没有什么区别，一种是完全目不识丁的市民，另一种是能读书识字，可是只读儿童读物和简单易懂的读物的人。我们应该像古代的圣贤一样令人敬仰，但首先我们要知道他们为何受人敬仰。我们真是一些小人物，我们的智力最多也只能达到比报纸新闻稍高一些的地方。

并不是所有的书都像它们的读者一样愚笨。或许有好多话正是针对我们的境遇而言，如果我们能真正倾听，并完全懂得这些话语，它们对我们生活的裨益将胜过黎明或阳春三月，也许能给我们的人生一个新的开始。多少人在读了一本书之后，开始了他生活的新征程！一本书，若能解释我们的奇迹，又能启发新的奇迹，这本书就真的是为我们而存在了。我们现在说不出来的话，也许在别处已经说出来了。那些困扰我们，使我们迷惑不解的问题，也曾经发生在所有聪明人身上。而且每一个聪明人都按照各自的能力，用各自的话和各自的生活方式来解答这些难题。再说，有了智慧，我们才会领会慷慨的意义。在康科德郊外的一个庄园上，有一个寂寞的雇工，他获得了第二次生命，拥有特殊的宗教经验。他相信，由于信念的关系，自己已经沉浸于沉默的庄重和拒绝外物的境界，也许他会觉得我们的话不对。但是数千年前，琐罗亚斯德走过了同样的历程，拥有同样的历练。可是他是智慧的，知道这是普遍存在的，就用相应的办法与乡邻交往，甚至还发明并创设了一个祭奉神灵的礼仪。那么，让那个雇工谦逊地和琐罗亚斯德精神沟通吧，并且在所有圣贤的自由影响下，跟耶稣基督精神沟通，然后，让"我们的教会"滚开吧。

我们吹嘘说，我们属于19世纪，同任何国家相比，我们迈着最为快捷的步子。可是想想这市镇，它对自身的文化贡献微乎其微。我不想谀赞我的市民同胞们，也不要他们恭维我，因为这样一来，大家都不会有进步了。应当像老牛需要驱赶然后才能快跑一样。我们有个相当正规的公立学校的制度，但只供儿童就读。除了冬天有个"半饥饿"状态的文法学堂，最近政府为我们新添了一个简陋而草创的图书馆，却没有为我们建所学院。我们在治疗疾病方面花了不少钱，但对于精神食粮方面却没有什么花费。现在是时候了，我们应该拥有一所非凡的学校，让男女儿童成年后能继续接受教育。现在是时候了，让一个个村子如同一座座大学，老年人都从事研究——如果他们日子过得宽裕——他们应该有闲情逸致，把他们的余年放在自由研究上。难道世界的大学永远只局限于一个巴黎或一个牛津？难道学生们不能寄宿在康科德的天空下享受文科教育吗？难道我们不能请一位像阿伯拉尔这样的学者来给我们授课吗？可悲啊！因为我们忙于养牛、做生意，我们好久没有上学堂了，我们的教育被可悲地荒芜了。

在这个国度里，我们的城镇在某些方面应当取代欧洲贵族的地位。它应当是艺术的保护者。它足够富有，只是缺少度量与优雅的气质。在农业和商业上它肯出钱，可是要它举办一些知识界都认为是功德无量的事业时，它却认为那是乌托邦的空想。感谢财富和政治，本镇才花了17 000美元修建了市政府，但也许100年内，它也不会为了生命的智慧花这么多钱。为冬天开办文法学校，每年募集125美元，这笔钱比市内任何同样数目的捐款都花得实惠。我们生活在19世纪，为什么我们不能享受19世纪带来的好处呢？为什么生活必须过得这样狭隘呢？如果我们想读报纸，为什么不跳过波士顿的闲谈专栏，去订一份全世界最好的报纸呢？不要从"中立派"的报纸中打发闲暇，也不要浏览什么新英格兰娇嫩的"橄榄枝"。让一切有学问的社团都给我们做报告，我们要看看他们懂得些什么学问。为什么要让哈泼斯兄弟图书公司和里亭出版公司给我们挑选读物呢？正像一个品味高雅的贵族，在他的周围自然会聚集一些有助于他的修养的——天才——学识——机智——书籍——绘画——雕塑——音乐——哲学的工具，等等。让乡镇也这样做吧——不要只请1个教师，1个牧师，1个教堂司事，以为办1座教区图书馆，选举3个市政委员就可以止步不前了。我们刚移民的祖先仅有这么一点事业，却也在荒凉的岩石上挨过了严冬。集体的行为和我们的制度精神相符。我确信我们的环境将更发达，我们的能力更强于那些贵族。新英格兰能够请来全世界的智者来培养她自己，让他们在这里吃住，让我们不再过愚昧的生活。这就是我们所需要的非凡的学校。我们不要贵族，但让我们拥有高贵的村子吧。如果这是必要的，我们宁愿少造一座桥，多走几步路。但在围绕着我们的黑暗的"无知深渊"上，让我们至少架起一座拱桥来吧。

声 音

　　可是，当我们只是局限在书本里——即使是那精挑细选出来的古典作品，而且只限于读一种特殊的语言文字时，我们应该明白它们本身也只不过是口语和方言，待到那时我们就有危险了，我们要忘掉另一种语言文字了，而我们会忘记的是那种一切事物不用比喻就能直说出来的文字，唯有它最丰富，也最标准。出版的刊物有很多，但把这印出来的却寥寥无几。透过百叶窗缝隙流进来的光线，在百叶窗完全打开以后，便不再被人记起了。没有什么方法，也没有什么训练可以代替永远保持谨慎的必要性。能够看见的，要常常去看。这样一个规律，哪是一门历史或哲学，或不管多么精选的诗歌所能比得上的呢？哪是最理想的社会，或最让人羡慕的生活规律能与之媲美的呢？你愿意仅做一个读者、一个学生，还是愿意做一个先知呢？预见你自己的命运，看一看在你面前的是什么，然后坦然地向未来走去吧。

　　第一年的夏天，我没有读书，去种豆了。不，应该说我干的是比这更有趣的事儿。有时，我不能把眼前的大好时光耗费在任何脑力或体力的工作中。我喜欢在我的生命中留下更多的余地。有时候，在夏天的早晨，我像平常一样洗过澡之后，坐在门前的阳光下，从红日东升坐到艳阳当头，坐在这一片松树、山核桃树和黄栌树中间，在远离尘嚣的寂寞与宁静之中，凝神沉思。那时鸟雀在四周唱歌，或悄然无声地突飞过我的屋子，直到太阳光临我的西窗，直到远处公路上传来旅行车辆的辚辚声，才让我在时光的流逝中如梦初醒。我在这样的季节中成长，好像玉米在夜间生长一样，任何手上的劳动都远不及这些带给我的快意。这样做并不是从我的生命中消磨掉时间，而是延长了我的时间，甚至还超产了许多。

我领悟了东方人所谓的沉思以及抛开工作的意味了。在很大程度上，我是并不在意虚度光阴的。白昼在前进，仿佛只是在为照亮我的生活而工作；黎明刚刚过去，可是你看，现在已经是晚上了，我并没有完成什么值得赞扬的工作。我也没有像鸟儿一般地歌唱，我只是静静地微笑，笑我自己的无边幸福。正像那蹲在我门前的山核桃树上的麻雀，叽叽喳喳叫个不停，我也偷偷地笑着，但压低了声音，怕它会听到我"巢中"的响声。我的每天并不是一个个星期中的某一天，它没有用任何异教的神灵来标记，没有被切碎为小时的细末子，也没有因滴答的钟声困扰而不安。因为我喜欢像印度的普里人一样生活。据说，对于他们来说，"代表昨天、今天和明天的是同一个词，而在表示不同意义时，他们一面说这个相同的词一面做手势，手指向后的算昨天，手指向前的算明天，手指朝上的便是今天"。在我的同胞们看来，这纯粹是懒惰。可是，如果用飞鸟和花朵的标准来评判我的话，我想我应该是完美无缺的。"一个人必须从其自身中寻找机遇"，这话说得对极了。自然的日子很宁静，它从来不责备懒惰。

比起那些不得不跑到外面去寻欢作乐、忙于社交或上戏院看戏的人，我的生活方式至少有这样的好处，我的生活本身便是娱乐，而且它永远新颖。它是一个多幕剧，而且永远没有谢幕之时。我们能够经常参照我们学到的最新、最好的方式来安排和管理我们的生活，我们就绝对不会为无聊所困。只要紧紧跟随你的创造力，它就可以随时随刻为你指示一个新的前景。家务活也是愉快的消遣，当家里的地板脏了，我便早早地起床，把所有的家具都搬到门外的草地上，床和床架堆在一起，在地板上洒上水，再洒上从湖里捞的白沙，然后用一把扫帚，把地板擦洗得干干净净。等到乡亲们用完早点，太阳已经把我的屋子晒干了，我就又可以搬回去了。而在这段时间我的沉思几乎没有中断过。这是一件很愉快的事，看着家里的全部家具都堆成一个小堆放在草地上，如同吉普赛人的行李，我的那张三脚桌子也摆放在松树和山核桃树下，上面的书本笔墨都还原样摆着。它们好像很愿意到外边来呼吸空气，很不愿意被搬回屋里去似的。有时我就特别想在它们上面搭一个帐篷，然后我也坐在其中。阳光暖暖地铺洒在这些家具上，形成一道别致的景观，吹拂着它们的风也是值得一听的声音，在户外看这些眼熟的东西比在室内有趣得多。小鸟坐在旁边的树枝上，长生草在桌子下面生长，黑莓的藤蔓攀住了桌子脚。松果、栗子和草莓叶子落得到处都是。它们的形态似乎是这样转变成家具的，成为桌子、椅子、床架——这些家具原本是站在它们之间的。

我的房子建在一座小山的山腰上，恰好在一个较大的森林的边缘，房子的四周被苍松和山核桃的小林子围绕着，离湖边有6杆之远，一条狭窄的小路从山腰直通到湖边去。在我的前院里，生长着草莓、黑莓，还有长生草、狗尾草、黄花紫菀、矮橡树和野樱桃树、越橘和落花生。5月末，野樱桃给小路两侧奉献了精细的花朵，短短的花梗周围是伞状的花丛，待到秋天便挂起大大的、漂亮的野樱桃，一簇簇地地垂吊着，仿佛在朝四面射去光芒。它们并不可口，但为了感谢大自然的赐予，我还是尝了尝它们。黄栌树在屋子四周异常茂盛地生长着，它们把我建的一道矮墙都顶穿了，第一个季度它们就长了五六英尺。它那阔大呈羽状的热带叶子，看起来特别奇怪，却让人感到赏心悦目。暮春时节，巨大的蓓蕾突然从看似已经死去的枯枝上长出来，像变魔术似的突然变得花枝招展了，成了嫩绿优雅的柔软枝条，直径也有1英寸。有时，当我坐在窗前，看着它们如此任性地生长，以致压弯了它们自己脆弱的关节，忽然我听到一枝嫩嫩的柔枝折断了的声音，周围没有一丝风，它是被自己的重量压倒的，继而像一把羽扇似的落了下来。在8月间，曾经在百花齐放的时候诱惑过许多野蜜蜂的大片浆果，此时也渐渐披上了它们光耀的天鹅绒般的彩色，可惜也是再次被自己的重量压倒，最终折断了它们柔弱的枝条。

在这个夏天的下午，我坐在窗前，鹰在林间的空地上盘旋，野鸽子疾飞而过，三五成群地飞入我的眼帘，或者不安地栖息在我屋后的白皮松枝头，向着天空发出声声呼唤；一只鱼鹰在如镜的水面上激起一圈涟漪，叼走了一尾鱼；一只水貂偷偷地爬出我门前的沼泽地,在岸边捉到了一只青蛙;芦苇鸟四处游荡,湿地的芦苇在它们的重压下弯倒;一连半个小时,我不断地听到铁路上火车驰过的咔哒声,一会儿慢慢地消失了,一会儿又响起来,活像鹧鸪在扑翅膀,把旅客从波士顿装运到这乡间来。我不像那个孩子一样生活在这世界之外,我听说他被送到本市东部的一个农民那里去,但没待多久,他就逃走了,回到家里,鞋跟都磨破了,他实在是思家心切。他从来没有见过那么沉闷和偏僻的地方,那里的人全走光了,你甚至听不到火车的汽笛声!我很怀疑,现在的马萨诸塞州还存不存在这样的地方:

真的啊,我们的村庄已成为一个靶子,
被一支飞箭似的铁路射中,
在安宁的原野上,
它是康科德的谐和之音。

菲茨堡铁路在我的住处南边约100杆的地方与湖相接。我时常沿着它的路基走到村里去,好像我是靠着这条纽带和整个社会相联络的。货车上的人在这条线上来回跑,他们把我当成老朋友一样跟我打招呼,过往的次数多了,他们以为我是个雇工,其实,我也的确是个雇工。我特别愿意做那地球轨道上的某一段路轨的养路工。

夏去冬来,火车发出的汽笛声穿透了我的林子,那声音就像在农家的院子上空翱翔的老鹰发出的尖叫声。这笛声让我知道,有许多焦躁不安的城市商人已经到了这个小镇,就要与他圈内的同行或是来自于他乡的商人洽谈生意。几列火车是在同一个地平线上的，彼此向对方发出警告，要他人让开轨道，呼唤之声有时候两个村镇都能听得到。乡村啊，我们给你送来了杂货；乡亲们呀，我们为你们送来了粮食！没有任何人能够与世界隔绝地生活，因此没人敢于对这些叫卖声说半个"不"字。于是火车的汽笛又在乡亲们的身边长啸了，似乎在幸灾乐祸："这就是你们要付出的代价！"火车像古代那长长的攻城槌般，以1小时20英里的速度，冲向我们的城墙，车厢里的椅子足够城墙以内所有负担沉重的人坐了。乡村就用这样巨大的攻城木桩的礼节给城市送去了座椅。于是，印第安山间漫山遍野的越橘全部被采了下来，所有的雪球浆果也都运进了城里。棉花装上来了，纺织品卸下去了；生丝装上来了，丝织品卸下去了；书本装上来了，可是作家著作书本的智力却降下来了。

当我与那火车头相遇时，它正带着一列列车厢，像行星运转似的在铁轨上移动着前进——或者不如说，更像一颗扫把星，因为既然那轨道不像一条轮回的曲线，看到它的人也就不知道在这样的速度下，向这个方向驰去的火车，会不会再回到原来的轨道上来——火车头蒸汽机里喷出的水蒸气像一面旗帜一样，形成金银色的烟圈飘浮在后面，好像我看到过的一团团绒毛般的白云，在高高的天空中大片大片地展开，并从边缘投射出耀眼的光芒；好像游荡着的怪兽，吐出了云雾，要把夕阳映照着的天空当作它的列车的外套。那时，我的耳边响起了这铁马如雷的吼声，在山谷间久久回荡，它的脚步踩得土地震动，它的鼻孔喷着火和黑烟（我不知道在新的神话中，人们会将这归为哪一类飞马或火龙），好像大地上终于有了一个有资格住在这地球上的新的物种了。如果这一切确实像我们双眼所看见的那样，人类控制着各种元素，使之为人类崇高的目标服务，那该多好啊！如果火车头上悬浮的蒸汽真能化作创造英雄业绩时所流淌的汗水，或者跟飘浮在农田上空的云一样有益，那么，元素和大自然都会乐意为人类服务，充当人类的护卫者了。

　　我眺望那清晨准时奔驰而过的火车时的心情，跟我眺望日出时的感触是一样的，日出也不见得比早班车更准时。火车奔向波士顿，成串的云在它后面拉长，越升越高，片刻间就把太阳给遮住了，我远处的田园也在阴影中了。这一串串云犹如在天际行驶的列车，相形之下，旁边那拥抱土地的小车辆，只是一杆标枪的倒钩了。在这个冬天的早晨，铁马的驾驭者起得极早，在群山间的星光下喂草驾挽。火被早早地点燃，给它内热，以便它起程赶路。要是这生计既能这样早开始，又能这样秋毫不犯，那该多好啊！当积雪很深时，它被穿上了雪鞋，驾着一个巨大的铁犁，从群山中开出一条路来，直达海岸，而列车就像一个奔驰在沟间的播种器，把所有身心疲惫的人和浮华的商品，当作种子播撒在田野上。这只火驹不分白昼黑夜地在田园间飞过，它停下也只为了让它的主人休息一下。即使是在半夜里，我也常常被它的步伐和恶意挑衅的哼哈声所吵醒，这是因为在远处山谷的僻隐森林中，它被冰雪封锁住了；在启明星升起时它才能进入"马厩"。可是既不能休息，也不能打盹，它立刻又踏上了新的旅途。有时，在黄昏中，我听到它在"马厩"里释放出这一天的剩余力气，以便让自己的神经平静下来，脏腑和脑袋也冷静下来了，可以好好地打几个小时的钢铁瞌睡。如果它飞奔起来，能永远这样英勇无畏、不知疲倦，威风不减当年，那该多好啊！

在市镇的偏僻处，在那人迹罕至的森林深处，从前猎人只在白天才敢进入的地方，现在灯火通明的车厢却在黑夜中飞驰而去，而车厢内的乘客对此一无所知。这一刻它还停靠在一个村镇或大城市那被照耀得如同白昼的车站月台上，一些社交界的常客正聚集在那里，而下一刻它已经行驶在阴郁的沼泽地带，机车的轰隆声把猫头鹰和狐狸都吓跑了。列车的出站和到站现在成了村中每一天的大事。列车准时准点地来来去去，而它们的汽笛声老远都听得到，农夫们可以根据它来校正钟表，于是一个管理严密的机构规范了整个国家的时间。自从火车发明以来，人类不是更能遵守时间了吗？在火车站上，人们的谈话和思维不是比起以前在驿站时更快速敏捷了吗？火车站的气氛，好像通了电流似的。我对于火车创造的奇迹，倍感惊异。我的一些邻居，我原本很肯定地预言他们不会乘这么快的交通工具到波士顿去，可是现在只要钟声一响，他们就已经在月台上了。以"火车式"作风行事，现在已然成为流行的口头禅了。任何一个有影响的机构都会经常发出离开火车轨道的真心诚意的警告，那是一定要听的。这是很有必要的，既不能停下车来宣读法律作为警告，也不能面对群众朝天开枪。我们已经创造了一种命运，一个夺人性命的命运女神阿特罗波斯，这已永远不会改变，让这个阿特罗波斯作为火车头的名称倒是恰如其分。人们看一看告示就知道几点几分，有哪几支箭要向罗盘上的哪几个方向射出。然而火车从不干涉别人的事，在另一条轨道上，孩子们还要乘坐它去上学呢。我们的生活因火车而变得更加稳定。我们都受了教育，可以做神箭手威廉·退尔的儿子那样的人——他儿子头顶苹果，他可以一箭命中。然而空中布满了暗箭。人生之路千万条，但只有你自己的道路才是你的宿命。那么，走自己的路吧！

我所钦佩商业之处，是它的进取心和勇气。它并不拱手向主神朱庇特祈祷。我看到商人们每天做自己的生意，或多或少都是勇敢而且满足的，比他们自己所预想的局面更大，也许还超过了他们所计划的目标。相比能在布埃纳维斯塔的火线上站立半小时的英雄，我更为那些在铲雪机里过冬、坚定而又愉快的人们所感动。他们不但具有连拿破仑也认为最难得的早上3点钟的作战勇气，到这样的时刻还不休息，而且还要在暴风雪睡着了之后或是他们的铁马的筋骨都冻僵了之后他们才躺下。在暴风雪的黎明，风雪在吹刮中冻结着人类的血液，我听到火车头因为被蒙住了而发出的轰鸣，从那道浓雾中冻结了的呼吸气息，宣告着列车的到来，而毫不在意新英格兰东北部风雪的裁决，我看到那铲雪者，全身布满雪花和冰霜，眼睛紧盯着他的弯形铁片，而被铁片翻起来的并不仅仅是雏菊和田鼠洞，还有像内华达州山上的岩石一样，在宇宙外表占了一个位置的那些东西。

商业精神出乎意料地自信、庄重、灵敏、进取、不知疲劳，而且它的方式都很自然，许多幻想的事业和伤感的试验都不能跟它相提并论，因此它的成功有其独到之处。一列货车轰隆隆地经过我旁边之后，我感到精神为之振奋，气概非凡了，我闻到从长码头到却姆泼兰湖的一路上都散发着商品的味道，这些让我联想到了外国、珊瑚礁、印度洋、热带气候和地球的广袤。我看到了一些棕榈叶，到明年夏天，不知有多少新英格兰人的亚麻色的头发上都要戴上它，我又看到马尼拉的麻、椰子壳、旧绳子、黄麻袋、废铁和锈钉，这时候我更觉得自己是一个世界公民了。一整车的破帆布，如果能造成纸，印成书，读起来一定会更易懂、更有趣。谁能够像这些破帆布这样把它们所经历的惊涛骇浪的历史生动地描绘下来呢？它们就是无须校对的大样。经过这里的有缅因州森林中的木料，上次洪水泛滥时，没有扎成木排从海里运走，而现在因为运输所需或者锯开那些木料的关系，每1 000根涨了4美元。洋松啊，针枞啊，杉木啊被归类为头等、二等、三等、四等。不久前它们还是相同质量的林木，枝头摇曳在熊、麋鹿和驯鹿的栖息地之上。其次隆隆地滚过了汤麦斯顿的石灰，一些头等货色，要运到很远的山区才卸下来。至于这一袋袋的破布，各种颜色，各种质料，真是棉织品和细麻布的最悲惨的下场，也就是衣服的最后结局——再没有人去称赞它们的图案了，除非是在密尔沃基市，这些都算是光耀的衣服质料，像英国、法国、美国的印花布，方格布，薄纱等——而由时装、低劣品等各方面去搜集拢来的破布头，都将要变成同样的颜色，或者仅仅是深浅不同的纸张，说不定在纸张上会写出一些关于生活的真实的故事，无论是上流社会还是下等社会，都是基于事实而作！

  这一节紧闭的车厢散发出咸鱼的味道，这是强烈的新英格兰商业的味道，使我不禁联想到宽阔的河岸和渔民们忙碌的身影。谁没有见过一条咸鱼呢？它完全是为我们这个世界而腌的，再没有什么东西能够使它腐烂变质了，它使得一些坚持不懈的圣人都羞愧到脸红。有了咸鱼，你可以扫大街或者铺平街道，你可以劈开引火的柴火；驴马队的车夫和他的货物也可以躲在咸鱼后面避太阳，避风雨了——正如一个康科德的商人曾试过的，商人们在新店开张时把咸鱼挂在门上当招牌，一直到最后连老主顾都没法说出它究竟是动物，还是植物或矿物时，它仍然白得像雪花，如果你把它放在锅里煮熟，依然还是一条美味的咸鱼，可供周末晚上的宴会享用。接着托运的是西班牙的皮革，尾巴依旧那样扭转，还保留着它们在西班牙故土的草原上疾驰时的仰角——足见这是很顽固的典型，看来性格上的一切缺点是何等的令人绝望而且不可救药。坦率地说，在我了解了人的本性之后，我承认在目前的生存情况之下，我绝不希望它有任何变化。东方人说："一条狗尾巴可以烧、压，用带子绑，穷尽十二年之精力，它还是老样子不变。"对于像这种尾巴一样根深蒂固的本性，唯有一个办法，就是把它们制成胶，我想通常就是拿它们来作这种用途时，它们才可以粘着一切。这里是一大桶糖蜜，也许是白兰地，是送给佛蒙特的约翰·史密斯先生的，他是佛蒙特州的卡汀斯维尔青山地区的商人，这是为他住处附近的农民采购进口货，或许现在他靠在船舱壁上，想着最近装到海岸上来的一批货将会如何影响市场价格，同时告诉他的顾客，他希望下一次火车带到头等货色，这话在这个早晨之前就已经说过二十遍了。还在《卡汀斯维尔时报》上登过广告。

这批货物上来，另一批货物下去。我听见了那疾驰飞奔的声音，我把头从书上抬起来，看到了一些高大的洋松，那是从极北部的山上砍伐下来的，列车如同插上了翅膀，飞过青山和康涅狄格州，它箭一样地仅用10分钟就穿过了城市，人家还没有看到

它,它已经

  成为一根桅杆,
  挺立在一艘旗舰之上。

  听听吧!运送牲口的货车开过来了,带来了来自千山万壑的牛羊,随之而来的还有空中的羊圈、马厩和牛棚,以及那些带了牧杖的牲畜贩子,羊群之中的牧童都来了,只除了山中的草原,它们从山上被吹下来,就像9月的风吹下萧萧落叶。空中充满了牛羊的咩叫之声,公牛们挤来挤去,仿佛经过的是一个放牧的山谷。当带头羊系的铃铛震响的时候,大山真的像个公羊一样跳跃起来,而小山则跳跃得仿若小羊。在正中间有一列车的牧人,现在他们和被牧者受到同等待遇,他们已经没有工作了,却还死死地抱住牧杖,那是他们职业的印章。可是他们的狗,到哪里去了呢?这对它们来说是被解散了,它们完全被抛弃了,它们失去了嗅迹。我仿佛听到它们在彼得博罗山中吠叫,或者在青山的西边山坡上气喘吁吁地走着。它们没有出来参加死刑的观礼。它们也一样失业了。它们的忠心和智慧现在都今非昔比了。它们毫无颜面地偷偷溜进棚窝,也许因为变得狂野起来,于是和狼或狐狸赛了个三英里的跑。你的牧人生活就这样旋风似的结束了,消失了。可是钟响了,我必须离开轨道,让列车过去——

  铁路于我有何干?
  我绝不会去观看,

它会停靠在哪里。
　　它填满了一些崖洞，
　　给燕子造了堤岸，
　　使黄沙遍地飞扬，
　　让黑莓到处生长。

　　可是我就像走过林中小径一般跨过这铁路。我不愿意我的眼睛被它的黑烟和水汽遮蔽，也不愿我的耳朵被它的咝咝声污染。

　　列车已经驰去，所有不安的世界也跟它远去了，湖中的鱼不再觉得震荡，我也异常地孤独起来。漫长下午的剩余时间里，我的沉思再也难被打断了，因为整个下午顶多只是远处公路上有一两辆马车的微弱之音，或驴马轻鸣之声传来。

　　有时，在周末，我听来自林肯、阿克顿、贝德福或者康科德的钟声。在顺风的时候，声音很柔和甜美，仿佛是自然的旋律，那真值得飘荡在旷野之中。在适当距离以外的森林上空，它变成了某种震荡的轻微声浪，好像地平线上的松针就是大竖琴上的弦，而且给拨弄了一样。一切声响，在尽可能远的距离之外听到时，会产生同样的效果，好像宇宙七弦琴弦的微颤，就如我们极目远眺时，最远的山脊，由于横亘在其中的大气的缘故，会染上相似的微蓝色彩。这一次传到我这里来的钟声，像一段被空气拉长了的旋律，当它和每一片叶子以及每一根松针私语过后，它们接过了这旋律，变了一个调，又从一个山谷传给了另一个山谷。回声，在某种范围内还是原来的声音，这便是它神秘的魅力与诱人之处。它不仅重复了值得继续聆听的钟声，还重复了林中的另一部分声音，这便是林中女妖如泣如诉的吟唱。

　　黄昏，从远方的地平线上传来了一些牛的叫声，那声音甜美，旋律优雅，让我误以为是某些游吟诗人的吟唱。有的晚上，我听他们唱着小夜曲，也许那时他们在漂泊中正路经山谷，可是慢慢听下去，就怅然若失了，一拉长，这原来是牛的声音。我有时会说，"在我听来，青年人的歌声好像牛叫"，其实这并不是讽刺，恰恰相反，我对于他们的歌喉是很欣赏的，这两种声音，说到底，都是天籁。

　　在夏天的某些日子里，每当夜车很准时地在7点半路过以后，夜鹰就要站在我家门前的树桩上，或站在屋脊的梁木上唱半个小时晚祷曲。每天晚上日落以后，在一个特定时间的5分钟以内，它们一定开始歌唱，跟时钟一样准确。更有意思的是，我摸清了它们的习惯。有时，我听到有四五只鸟儿在林中不同地方不约而同地唱起来，音调的先后偶尔相差一小节，它们离我太近了，我能听得到每个音后面的咂舌之声，时常还听到一种独特的嗡嗡声，像一只苍蝇撞上了蜘蛛网，只是那声音比较响而已。有时，一只夜鹰在距离我身边只有几英尺的林中不断地盘旋，好像有绳子拴住了它们一样，也许是因为我在它们的蛋旁边吧？它们一整夜都不时地唱着，在黎明前直至黎明将近时唱得尤其富于乐感。

　　当其他的鸟雀都静下来时，猫头鹰继续接了上来，像哀怨的妇人，唱出自古以来的"呜——噜——噜"这种悲哀的叫声，颇有些班·琼生诗歌的风格——夜半的智慧的女巫！这并不像一些诗人所唱的"啾——喂——啾——胡"那么真实、呆板，这歌声好像墓地里的哀歌，像一对殉情的恋人在地狱的山林中，想起了生时爱恋的痛苦与幸福，于是互相慰藉着。然而，我却爱听它们悲伤的、凄惨的呼唤，听它们沿着树林旁边的颤声歌唱；让我总是想到音乐和鸣禽，它们仿佛心甘情愿地唱尽音乐的哀伤叹息，呜咽流泪。它们是堕落灵魂的化身，精神阴郁，预知悲哀，它们曾经有人类的形态，黑夜中在大地上走动，干着黑暗的勾当，而现在在罪恶的场景中，它们悲歌着祈求赎罪。它们使我清晰地感觉到，我们共存的大自然真是变化莫测，有无穷的力量。"噢——呵——呵——呵——呵——我要从没——没——没——生——嗯！"一只夜鹰在湖边这样叹息，在焦灼的失望中盘旋着，最后停落在另一棵灰黑色的橡树上。"我要从没——没——没——生——嗯！"较远的那一边另一只夜鹰颤抖地、忠诚地回应。从林肯郡的树林中，也远远地传来了一个微弱的回声："从没——没——没——生——嗯！"

还有一只哀鸣不已的猫头鹰也向我唱起小夜曲来，在近处听，你可能会觉得，这是大自然中最凄凉的声音，似乎它要用这种声音来凝聚人类生命临终时的呻吟，将它永远保留在自己的歌曲之中——那呻吟是人类游移于鼻尖嘴角的残息，他把希望抛到最后，在即将踏进地狱入口之时，发出像动物一样的嗥叫声，却还夹杂着人的啜泣声，由于某种很美的"格尔格尔"的声音，使它听来更加阴森可怕——当我想要模拟那声音时，我不经意间已经开始念出"格尔"这两个字了——它充分展现了一颗冻结中的腐蚀心灵，一切健康和勇敢的思想都被破坏殆尽。这使我想起了掘墓的恶鬼、白痴和疯子的号叫。可是现在却从远处的树林中传来一个回声，大概是因为距离的原因，那声音听起来反倒很美好,"霍——霍——霍,霍瑞霍!"这中间大部分所暗示的只有愉快的联想,不管你听到的时候是在白天还是黑夜,也不管是在盛夏还是严冬。

猫头鹰的存在使我感到欣喜。让它们像白痴一样为人类作发狂似的号叫。这种声音最适宜于没有白昼的沼泽和阴沉的森林,使人想起人类内心还有一片广阔无垠、从未深入的本能的世界。它象征着绝对愚妄的晦暗和人人都有的贪念不足的欲望。太阳曾整天照在一些荒野的沼泽表面,孤零散落的针枞上长着地衣,幼小的鹰在天空盘旋,而黑山雀则在常春藤中低鸣,山鹑、兔子则躲藏在下面。一个更阴郁、更合适的白昼来临了,于是就有另外一批生物随之醒来,代表了那里大自然的意义。

夜深时,我听到了远处车辆过桥发出的隆隆声——这声音在夜里听起来是最遥远的——还有声声犬吠,远远的牛棚中有一头不安分的牛在哞叫。与此同时,湖滨震荡着蛙声,这古代的醉鬼和寻欢作乐者的顽固的精灵依然不知悔过,冒天谴之险,要在他们那像冥河似的湖上轮流唱歌,大行酒令——请瓦尔登湖的精灵原谅我作这样的比喻,因为湖上虽没有芦苇,青蛙却是不少——它们仍执拗于它们那古老宴席上喧闹的规律,尽管它们的嗓音已经沙哑,可是神态依旧庄重,它们在嘲笑欢乐,酒也没了香味,变成了只是用来灌满肚子的饮料,而醺醺然的醉意再也阻挡不了它们对于过去的回忆,它们只觉得喝饱了,肚子里水沉甸甸的,有些发胀。最大个的那只青蛙也许是大王吧,把下巴放在一片心形的叶子上,好像在垂涎的嘴巴下面挂着一片餐巾纸,在湖的北岸喝了一口那曾经不屑一顾的水酒,把酒杯传递过去,同时发出了"托尔——尔——尔——龙克，托尔——尔——尔——龙克，托尔——尔——尔——龙克！"的声音，这口令片刻之间就在远处的水面上得到应和了，这大概是另一只官衔稍低的青蛙喝下了它那一口酒后，凸着肚子发出来的，而当酒令像击鼓传花一样沿湖巡回了一周后，司酒令的青蛙满意地喊了一声"托尔——尔——尔——龙克"，每一只都依次传递给那没有喝饱的、漏酒最多的和肚子最瘪的青蛙，一切看上去秩序井然。于是，酒杯又一轮一轮地传递，直到太阳把晨雾驱散，到这时就只有青蛙老臣还没有跳到湖底，不时地徒然喊出"托尔龙克"来，等待着回音。

  我不确定我在林中空地上有没有听到过雄鸡报晓，我觉得为了听音乐而养一只小公鸡很划算，只是把它当作鸣禽看待。这只鸡的前身是印第安野鸡，它的音乐的确是所有禽类之中最出类拔萃的，如果它们不是变为家禽而被驯化的话，它的音乐可以立即成为我们森林中最有名的音乐，远胜于鹅的叫声和猫头鹰的号哭。然后，你猜那些老母鸡在干什么——在她们的老爷停下歌唱之后，她们的聒噪声填满了停顿的时刻！也难怪人类要把这一种鸟编入家禽中去——更不用说鸡蛋和鸡腿了。冬天的黎明，在这百鸟荟萃的林中散步，野公鸡在林子深处的树上啼叫，它的声音嘹亮而尖锐，数里之外都能听到，大地也为之震荡，完全盖住了其他所有鸟雀的微弱的声音——想想看！这足以使全国警戒起来，谁不希望在自己生命中的每一天都闻鸡起舞，一天天地更早，直到能够健康、富有、聪明到无法形容的程度呢？全世界的诗人在赞美一些本国鸣禽歌声的同时，都赞美过这种外来鸟的乐音。勇武金鸡可以适应任何气候，它比本土的禽鸟更贴近自然。它的身体永远健康，它的肺脏永远强壮，它的精神从未衰退过。甚至大西洋、太平洋上的水手都是一听到它的声音就起身，可惜它的啼鸣从没有把我从沉睡中唤醒过。我从未喂养过狗、猫、牛、猪、母鸡这些小动物，也许你会说我的家缺少家畜的声音，况且我这里也没有搅拌奶油的声音、纺车的声音、沸水的声音、咖啡壶的咝咝声、孩子的哭声等来给我以安慰，这样的环境很容易使老套的人发疯或烦闷致死。我的屋子连耗子都没有，因为它们都饿死了，也许可以说得更夸张点，它们根本没有被引来过——只有松鼠在屋顶上和地板下活动，梁上的夜莺在鸣叫，窗下一只蓝鹣鸟尖叫着，屋下一只兔子或者一只土拨鼠，屋后一只枭鹰或者猫头鹰，湖上一群野鹅或一只狂笑的潜水鸟，还有入夜吠叫的狐狸，甚至连云雀或黄鹂这些彬彬有礼的田园之鸟都没有，这些柔和的候鸟从未访问过我的林中居所。院子里没有雄鸡一唱天下白，也没有母鸡聒噪惹人烦。其实根本就没有院子！大自然一直延伸到我的窗口。就在我的窗下，有一片小树林一直长到我的窗楣上。野黄栌树和黑莓的藤爬进了我的地窖，挺拔的苍松紧紧地挨挤着木屋，因为地方不够，它们的根在屋子底下盘根错节。并没有暴风骤雨袭来，而是我为了燃料折下屋后的松枝或拔出树根！大雪中既没有路通到院子的门——没有门，没有院子，更没有通往那文明世界的路！

孤　独

　　这是一个美妙的黄昏，全身只有一个感觉，那就是每一个毛孔中都透溢着喜悦。我在大自然里以飘逸的自由姿态来来去去，俨然她的一部分。我只穿着一件衬衫，沿着全是硬石的湖岸散步，那时，风云翻涌，天空显得无比清凉，而我心无杂念，没有什么事能引起我的注意，这种天气对我来讲再适宜不过了。黑夜在牛蛙的呼唤声中缓缓降临，夜莺的歌声乘着吹起涟漪的风从湖上徐徐飘荡而来。枝叶摇曳的赤杨和白杨，激起我情感的波澜，使我几乎不能呼吸了；然而我的宁静像湖水一样，只有涟漪而没有巨浪，夜风吹起来的涟漪是算不上什么风暴的。虽然天色黑了，风还在森林中咆哮着，波浪依然在拍打着岸边，有些动物还在用它们的乐音催眠着另外的动物。宁静从来都不是绝对的。最凶狠的野兽并没有宁静，它们正在找寻着自己的食物；狐狸、臭鼬、兔子，也正在这原野上漫游，它们在森林中毫不恐惧，它们是大自然的看护者——是连接一个个生机勃勃的白昼的生命链条。

　　等我回到家里，发现已有客人来过，他们还留下了名片，有时是一束花,有时是一个常春藤做的花环,有时是用铅笔写在黄色的胡桃叶或者木片上的一个名字。不常进入森林的人常把森林中的小玩意儿拿在手里一路把玩,时而有意时而无意地把它们留了下来。有一位还用剥下的柳树皮做成一个戒指,放在我的桌上。这样,我总能知道在我出门时有没有客人来过,我还可以凭借树枝或青草弯倒的程度,或者有没有鞋印,这些他们留下的微小痕迹里猜出他们的年龄、性别和性格;有的掉下了花朵,有的抓来一把草,又扔掉,甚至还有一直带到半英里外的铁路边才扔下的;有时,雪茄烟或烟斗的味道还有残留。通常我还能因为烟斗的香味而注意到60杆之外公路上经过的一个旅行者。

我们四周的空间应该说已经很大了,我们一伸手是无法触及地平线的。茂密的森林或湖泊并不都在我的门口,中间总还有着一块我们熟悉而且属于我的空地,多少整理过了,还围了点篱笆,它仿佛就是我从大自然的手里抢夺来的。究竟是什么原因,使得这么大并且罕有人迹的森林,被人类遗弃而为我所私有了呢?我最近的邻居在一英里之外,除非爬上那半里之外的小山顶去瞭望,否则我根本看不到他的房子。我的地平线全被森林包围起来,只供我自己享受,极目远眺只能看到那经过湖的一边的铁路和在湖的另一边山林公路边的篱笆。总而言之,我所居住的地方,就像北美的大草原一样孤寂。这里离新英格兰就像离亚洲和非洲一样遥远。可以说,我拥有属于我自己的太阳、月亮和星星,我有一个完全属于我自己的小世界。从没有一个人在晚上经过我的屋子,或叩我的门,我仿佛是人类中一个前无古人后无来者的异类,除非在春天里,隔了很久之后,有人从村里来钓鳕鱼——很显然，在瓦尔登湖中他们能钓到的只是他们各自不同的品性，而钩子只能钩到黑夜——他们很快都撤走了，往往是鱼篓很轻地撤退，又把"世界留给黑夜和我"，而黑夜的核心从没有被任何人类邻居所玷污。我相信，人们通常还都是有点儿害怕黑暗的，尽管妖巫都被吊死了，尽管基督教和蜡烛之光也都已经引进到这里。

我常常感慨，在大自然的万事万物中，人们都能寻觅到最甜蜜温柔、最天真和激动人心的伴侣，就算是愤世嫉俗的可怜人和最忧郁的人也不例外。凡是生活在大自然之间并且对这自然之美还有知觉的人，便不可能有无尽的忧愁。对于纯净的耳朵，暴风雨就像伊奥勒斯的乐章。任何事物都不可以理所当然地迫使单纯而勇敢的人产生庸俗的伤感。当我享受着四季的轮回时，我坚信，没有什么可以使生活成为我的负担。今天，一场柔和的小雨浇灌了我的豆子，因此，我在屋里待了一整天没有出门。然而，这雨既不使我沮丧，也不使我烦闷，相反却对我大有益处。虽然它使我不能锄地，但它却比锄地更有意义。如果雨下得太久，会使地里的种子以及低洼地里的土豆都烂掉，不过它对高地的草还是有好处的，既然如此，我就更是受益匪浅了。有时，我拿自己和别人作比较，总感觉自己好像比别人更得诸神的宠爱，获取的比我应得的似乎还多；好像我有一张证书和保单在他们手上而别人却没有，因此我受到了特别的指引和关照。这并不是自我夸赞，可是如果可能的话，倒是诸神称赞了我。我从不觉得孤单，也丝毫不受寂寞之感的压迫。但有一次，在我进入森林数周后，我踌躇了个把小时，不知道是否应当给宁静而健康的生活增添些邻居，独处是否真的那么愉快。同时，我也觉得我的情绪有些失落了，但我似乎也预感到我会恢复正常的。当这些思想占据我身心的时候，温和的雨丝飘落下来，我蓦然感觉到能跟大自然相依为伴是如此甜蜜、受惠的事儿，就在这滴答滴答的雨声中，我屋子周围的每一个声音和景象都散发出无边无际的友爱，这种友好的氛围一下子就彻底压制了我脑海中"有邻居方便一点"的想法，从此之后，我就再没有想过邻居这回事。

每一枝小小的松针都富于同情心，慢慢伸展膨胀，长大起来，成为我的好朋友。我明显地感到这里存在着与我同类的人，诚然，我是在一个一般人称之为凄惨荒凉的处境中生活的，然而我的血统与它们是最亲近的，况且最富于人性的不一定非是一个人或一个村民，从今以后，无论什么地方都不会使我感觉到自己是一个陌生人了。

> 用太多的哀恸销蚀悲哀，
> 托斯卡尔的美丽的女儿啊！
> 在生者的大地上时光短促。

我过得最快乐的一段时光，是在春秋两季长时间的暴风雨当中，这使我不得不成天待在室内，只有那永不停止的大雨和咆哮之声安慰着我的心灵。我从黎明中醒来，然后就进入了漫长的黄昏，其间有许多想法扎下了根，并不断发展壮大。在被东北风裹挟而来的倾盆大雨中，村子里的那些房屋都经受了考验，女佣们都已经拎着水桶和拖把，在大门口阻止洪水的侵入。而这时，我却坐在我的小屋子门后，虽然只有这一道门，我却很享受它给予我的保护。在一场雷阵雨中，湖对岸的一株苍松被一道闪电击中，从上到下划出一个一英寸，或者不止一英寸深、四五英寸宽，很明显的螺旋形的深沟，就好像你在一根手杖上刻的纹饰一样。那天我又从它旁边经过，一抬头就看到了这个痕迹，真是惊心不已，那是8年前，一个可怕的、不可抗拒的雷击留下的痕迹，现在却比以前更加清晰。人们常常对我说："我想你在那儿住着，一定很寂寞，特别是在下雨下雪的日子和夜晚，总想跟人们接近一下吧。"我迫不及待地想这样回答：我们居住的整个地球，在宇宙之中不过是一个小点。那边一颗星星，我们的天文仪器还无法测量出它有多么大呢，你想想它上面两个相距最远的居民该有多远的距离呢？我怎会觉得寂寞？我们的地球难道不在银河之中？我觉得你提出的似乎是最不重要的问题。什么样的空间距离才能把人和人隔开而使人感到寂寞呢？我已经发现，无论两条腿怎样努力也不能使两颗心更加贴近。我们最愿意和谁做邻居呢？并非所有人都喜欢车站、邮局、酒吧、礼堂、学校、杂货店、别墅区、赌场的，虽然人们常常在那里相聚，其实人们更愿意接近生命的不竭之源泉——大自然。生活中，我们时常感到有这么个需要，就好像水边的杨柳，它的根须必定是向着水的方向伸展生长的。人的性格不同，所以需要也不相同，可是一个智慧的人定是在大自然那里挖掘他的地窖……

有一天晚上，我在通向瓦尔登湖的路上遇见了一个老乡，他已经积蓄了所谓的"一笔很可观的产业"，虽然我从没有真正见到过。那晚上，他赶着两头牛到市场上去，他问我为何会有这种宁肯舍弃这么多人生乐趣的想法？我回答说："我确信我很喜欢自己这样的生活，我不是和你开玩笑。"就这样，我回家，上床睡觉，让他在黑夜泥泞之中摸索着走到布赖顿去，或者说走到光明之城里去，大概要到天亮的时候他才能走到那里。

对于死者来说，一切时间和地点与觉醒的或者复活的景象相比都变得无足轻重。可能出现这种情形的地方对我们的感官都有着一种不可言喻的刺激。可是我们大部分人却总是在意那些表面上的、很短暂的琐事。事实上，这些也正是使我们分心的原因。生命之本首先是寓居于形体之内的能量，其次是由它激发出来的自然之道，再然后是创造了我们的"工匠"，但并不是被我们雇用，并且喜欢和他们说说笑笑的普通意义上的工匠。

　　神鬼之为德，其盛矣乎！
　　视之而弗见，听之而弗闻，体物而不可遗。
　　使天下之人，斋明盛服，以承祭祀，洋洋乎，如在其上，如在其左右。

我们不过是一件试验品，但我对这个实验很感兴趣。在这样的情况下，难道我们不能够离开这个充满是非的社会去拥有属于自己的一会儿时光，只让我们自己的思想来鼓舞我们吗？还是孔子说得好："德不孤，必有邻。"

有了思想，我们就可以在清醒的状态下欢欣鼓舞。只要我们的心中有努力的意识，我们就可以远远地超出一切行为及其后果之上；一切好坏之事，都如大河江流一样，从我们身边一泻而过。我们并不是完全沉浸在大自然之内的,我既像急流中的一根浮木,又像从天上俯视尘世的因陀罗大神,擅长用雷雨和闪电来攻击仇敌。我很容易被戏剧中的情节所感动,但是和我生命更加攸关的事情却未必可以感动我。我只知道我是作为一个人而存在的,可以说我是反映我思想感情的一个舞台,也可以说我多少有着双重性格,因此我能够坦然站在远处像看别人一样看着自己。不论我有如何强烈的感受,我总能意识到有另一个我在旁边批评我,好像它不是我的一部分,而只是一个旁观者,并不分担我的感受,而只是关注它,正如他并不是你,也不是我,而是他自己。等到人生的戏落幕,很可能是场悲剧,观众们各自离去了。至于这第二重性格,当然是虚构的,它只不过是想象的产物,但有时这第二重性格很难使别人和我为邻,交友。

大多数时候,我觉得寂寞是有益于健康的。当你有了伴儿,即使是最好的伴儿,过不了多久也要厌倦,使人感到焦躁不安。我喜爱孤独,而且也没有碰到比寂寞更好的同伴了。到异国他乡去置身于人群之中,大概比独处室内还要寂寞。一个人在思考和工作时总是孤独的,让他爱在哪儿就在哪儿吧,寂寞是不能以他离同伴的距离来衡量的。真正勤奋的学生,在剑桥学院最拥挤的蜂房内,也会孤寂得仿若沙漠上的一个托钵僧。农夫可以独自一人一整天在田地上、在森林中工作,耕地或砍伐,却不觉得寂寞,因为他有工作相伴;可是到了晚上,他回到家里,却不能独自在室内沉思,而必须到"看得见他家人"的地方去消遣一番,按他的想法,这是用来弥补他一天的寂寞。因此,他很奇怪,为什么学生们能整日整夜坐在室内却不觉得无聊与"忧郁"?可是他没有意识到,虽然学生在室内，但也是在他的"田地上"工作，在他的"森林中"采伐，跟在田地上或森林中工作的农夫没什么两样，而后学生也要去寻找乐趣，也要消遣和社交，尽管那形式可能更加紧凑些。

社交通常没有太大收获。由于相聚的时间短暂，彼此还来不及获得任何新的有价值的东西。我们在每日三餐的时间里相见，再重新品尝我们这种陈腐乳酪的味道。我们都必须遵从若干条惯例和约定的规则，那就是所谓的礼节和礼貌，以便这种经常的聚首能相安无事，避免争吵。我们每天晚上相会于邮局和社交场所，围坐在炉火边。这种生活太拥挤，大家互相干扰，彼此牵绊，因此彼此之间早已失去了应有的敬意。当然，那些重要而热烈的聚会，次数少一点也无关紧要。想一想工厂中的女工吧！她们永远不能独自生活，甚至做梦都很难有孤独的感受。如果一英里只住一个人就好了，就像我这儿一样，一定会感觉颇好。人的价值并不在他外在的皮肤上，所以我们没必要去碰触彼此。

我曾听说，有人在森林里迷路，因为太过饥饿劳累，导致体力不济而倒在一棵树下，他那病态的想象力让他看到了周围许多奇怪的幻象，他竟还信以为真。同样，在肉体和灵魂都很健壮有力的时候，我们可以不断地从类似的，但更正常、更自然的社会现实中得到鼓舞，从而发现我们并不是寂寞的。

我的房屋中有我的许多同伴，特别是在清晨还没有人来造访的时候。我先举几个例子，或许可以表达出我的某些状况。我并不比湖中高声欢叫的潜水鸟更孤独，也不比瓦尔登湖更寂寞。我反倒想问问这孤独的湖又有谁做伴呢？然而在这蔚蓝的水面上，没有蓝色的魔鬼，却有蓝色的天使。太阳是寂寞的，除非乌云密布，天空有时候好像有两个太阳，但我们明白有一个是虚幻的。上帝是孤独的——可是魔鬼却不寂寞，他有许多伙伴，他是要拉帮结派的。我并不比一朵毛蕊花或原野上的一朵蒲公英寂寞，也不比一片豆叶，一棵酢浆草，或一只马蝇、一只大黄蜂更孤独。我不比密尔溪，或一只风信鸡，或北极星，或南风更寂寞，也不比4月的雨、正月的融雪或新房子中的第一只蜘蛛更孤独。

在一个漫长的冬夜里，大雪狂舞，风在森林中呼啸的时候，先前的拓荒者——这里曾经的主人，常常来拜访我，据说瓦尔登湖还是他挖出来的，并且铺了石子路，沿湖种了一排排松树。他告诉我古往今来的许多永恒的故事，我们俩这样度过了一个个愉快的夜晚。这种交往充满乐趣，我们彼此交换了对事物的看法，虽然没有苹果或苹果酒——但这个聪明且幽默的朋友啊，我真的很喜欢他，他比谷菲或华莱知道更多的秘密，虽然人们说他已经死了，却没有人能够告诉我他的坟墓在哪里。还有一个老太太，也住在我家附近，很多人根本见不到她，但我很喜欢到她那芳香四溢的百草园中去散步，采集药草，聆听她的寓言；因为她有无比丰富的想象力，她的记忆可以一直追溯到神话以前的远古时代，她可以把每一个寓言的出处，哪一个寓言是根据了哪一个事实而来的都告诉我，因为这些事都发生在她年轻的时候。这是一个鹤发童颜、精神矍铄的老太太，不论什么天气、什么季节她都兴致勃勃，看样子她应该会比她的孩子活得还长久。

阳光、风雨、夏天、冬天——大自然不可描绘的纯洁和仁慈的恩惠，它永远给我们提供如此多的健康，如此多的欢乐！它给予我们人类如此多的同情，如果有人因为某些正当的原因而悲痛，那大自然也会受到感染，太阳会黯淡下去，风像人一样悲叹，云端里会落下泪雨，树木在仲夏时节落下叶子，披上丧服。难道我不该与大地共呼吸吗？我们自己不也是绿叶、青菜和泥土的一部分吗？

是什么灵丹妙药使我们健康、宁静而满足呢？不是我们的曾祖父，而是我们的曾祖母——大自然的全部蔬菜和植物的补品，她自己也是靠这些来永葆青春的，活得比汤麦斯·派尔（据说此人活了152岁）还要长久，依靠蔬菜、植物这种没有脂肪的食物的滋养，使自己更加健康。那种装在浅浅的、长长的黑色篷车上的药瓶子里，江湖医生用冥河水和死海海水混合配制的药水并不是我的灵丹妙药！还是让我来吸一口纯净的清晨的空气吧。清晨的空气啊！如果人们不愿意在每日初始时痛饮它，那么，我们必须把它们装在瓶子中，放在店里，卖给世上那些没有黎明订单的人们。可是你要记住，即使在冰冷的地窖里它也只能保持到中午，而且要提前就打开瓶塞，跟随曙光的脚步一路西行。我并不崇拜健康女神，因为她是爱斯库拉彼斯这位古老的草药医师的女儿，她高高矗立在纪念碑上，一手拿着一条蛇，另一只手端着一个杯子，那条蛇不时去喝杯中的水。我宁可崇拜朱庇特的执杯者希勃，这青春的女神，为诸神司酒行觞，她是天后朱诺的女儿，能使神仙和人永葆青春。她也许是地球上出现过的最健康、最强壮、最完美的少女，无论她到哪里，哪里便成了春天。

访　客

　　和大多数人一样，我很喜爱交际，只要有充满激情的人来访，我一定像吸血的水蛭一样，紧紧吸住他不放。我不适合做隐士，如果有机会，在酒吧中待的时间最长的也许就是我了。

　　我的屋子里有三把椅子，我一个人的时候用一把，交朋友时用两把，交际时用三把。要是出乎意料地，访客来了一大堆，没办法，也还是只有这三把椅子可供他们使用。不过他们通常为了节省空间都自觉地站着。想想就是这样一个小房间里竟可容纳这么多的男女，真是令人难以置信。一天，我的房间里来了25~30个灵魂，外加上他们的血肉之躯，把我的屋子塞得满满的，但是直到我们分手的时候，我也不觉得我们彼此之间曾经如此接近过。

　　这里有许多房屋属于我们，无论它们是公共的还是私人的，其内的房间数也数不清，有宽敞的厅堂，还有地窖（用来储藏美酒与和平时期的军需品），不过我觉得对住在里面的人来说，它们却不合适。它们太宽敞了，住在里面的人有如败坏它们的寄生虫。有时我也觉得非常好笑，那些大家族如托莱蒙、阿斯托尔或米德尔塞克斯的府邸，当仆人通报客来时，却看到有一只小老鼠，爬过游廊，立刻又消失在铺道上的另一个小窟窿里。

当然，我也曾觉得我居住的房间太狭小而有些不便，当客人和我用深奥的话语谈着大道理的时候，我就很难和客人保持一个适当的距离。你的思想也得有足够的空间，才能让它起航，转两个弯，到达彼岸。你的思想子弹必须消除它四处乱飞的动作之后，笔直前进，才能到达听者的耳内；要不然，一不留神它就有可能从听者的头脑旁溜走。同样，我们的语言也需要有足够的空间来让我们的思想发散开来。总的来说，人与人之间就像两个国家的领土，应该有适当的自然边界，如同两国的边界之间有一个合适的中立地带一样。

我发现，跟住在湖对面的那个朋友隔湖聊天，简直是一种美妙的享受。然而在我的屋子里，我们彼此之间挨得太近了，又没法说得更轻，所以我们都听不清楚彼此的话，又好像其他人都听得清。就好比你扔两块石子到平静的水中，要是离得太近，它们会破坏彼此的涟漪。如果我们只是喋喋不休、大声说话的人，那我们彼此之间紧紧挨着也不要紧。可是，我们都是说话很含蓄、富有思想的人，那么我们之间就应该离得远一点，以便我们本身的热度和潮湿的动物气息有机会散发掉。假如我们之中有一些不可以言传只可以意会的话语，要很亲近地分享我们的思想，光是沉默一会儿还不够，彼此之间得距离远一点，要在任何情况下都几乎听不见彼此的声音才行。照这样看来，大声说话只是为了方便听力不好的人交流，如果很多美妙的事物，非大喊大叫不可，那就无法用语言表达了。谈话中，当嗓音越来越高的时候，为了庄重，我们会渐渐地把椅子往后移，越来越靠后，直到碰到了两个角落的墙壁，这个时候就会觉得房间有点小了。

当然，我的"最好"的房间，就是我退隐时的那间，它是随时准备用来招待客人的。这房间就是我屋后的松林，太阳很难照到地毯上。夏天，每当来了尊贵的客人就请他们去那儿，那儿有一个很好的管家已把房间收拾得井然有序、干干净净。

如果来的客人只有一个，他就可以享用我那简单的食物。我们有时一边聊天一边在火上煮玉米糊，或者在火上烤面包并看着它膨胀、烤熟，这些不会对我们的谈话产生影响。要是一下子来了 20 个人坐在屋里，吃饭就成了一个大问题。尽管我还有一些足够两个人吃的面包。不过，在我这里大家好像都没吃饭的习惯了，都在控制食欲，大家并不认为我这样有些失礼，反而觉得这是最合适的、考虑最周全的办法。

对于肉体的伤害，向来是急需补救的，现在却被延迟了，但是生命的活力还是这么旺盛。像这样，不要说招待 20 个人，哪怕有 1 000 个人，我想这也是可以办到的。如果来客见到我后，却失望地饿着肚子回去，我希望他们明白，我从来都是同情他们的。尽管有许多管家对此有些怀疑，但显而易见，建立一个新规矩和好习惯来代替旧的还是很容易的。你不必用请客来获得你的好名声。对我而言，哪怕看管地狱之门的有三个头的恶犬也吓不住我。可要是有人大摆筵席地请我，我就只好退避三舍，我可能会觉得这样过于客套，而且是在委婉地暗示我以后不要再去麻烦他了。我肯定从此不会再去这些地方了。

有一件让我感到荣耀的事儿，一位访客用写了几首斯宾塞的诗的黄色胡桃页当作名片，大可拿来做我的陋室铭：

> 人们来到这里，填充了小屋，
> 不希求那些多余的款待；
> 休息就是宴席，一切顺其自然，
> 最高贵的心灵，最能知足自满。

当那位后来担任普利茅斯垦殖区总督的温斯罗和一个伙伴去访问玛萨索特酋长时，他们在森林中步行，来到他的棚屋时又饿又累，这位酋长给了他们崇高的礼遇。可是这一天没有提到吃饭的事。当天夜晚，按照他们所说的——"他把我们招待到他和他夫人的床上，他们睡一头，我们睡另一头，床是离地一英尺的木板架成的，上面只铺了一条薄薄的席子。他手下的两个头目，由于睡觉的地方不够，只好和我们挤着睡，这让我们觉得比在森林中徒步行走更累。"

第二天1点钟，玛萨索特酋长"拿来了他们打来的两条鱼"，这有鲤鱼的三倍大。"鱼烧好之后，分给四十多个人吃。不过总算大多数人都吃到了。在这儿的两夜一天，我们只吃了这点东西，幸好我俩中有一人买到了一只鹧鸪，不然我们这旅行可真是要饿着肚子了。"温斯罗他们既缺少食物，又缺少睡眠，因为他们总是唱着"那种野蛮的歌（那是他们的催眠曲）"为自己催眠。他们体力不支，怕没有力气回家，于是就告辞了。很显然，在住宿方面他们没有受到好的招待，然而使他们深感不便的是那种上宾之礼；至于食物呢，印第安人真是太聪明了，他们本来就没有多少吃的东西，也明白道歉代替不了粮食，所以他们勒紧了裤带，并对此只字不提。温斯罗后来还去过一次，那次正好是他们食粮充足的时候，所以没有感到食物短缺。

至于人，哪里都有。我住在森林，这一时期的访客比我这一生中其他任何时期都要多，我在那里会见客人，比在其他地方会见他们要好得多。我住在远离闹市的偏远乡下，仅仅因为这一段遥远的距离，他们也不会为了琐事来找我的。我深深地隐藏在这孤寂的大海中，社会的人流虽然最终都流入这个大海，不过按照我所需要的，只有真正沉淀下来的，才能在我的周围汇集。除此之外，在那些未开发或未开化的土地上，我也结识了不少人。

今天早上来我家的是一位真正的荷马式或帕菲拉戈尼亚（黑海边的王国）人。他的名字如此符合他的身份，而且富有诗意，不过遗憾的是我不能在这里写下他的名字。他来自加拿大，是一个专做木柱的伐木工人，每天可以在50根柱子上凿洞。他刚吃了一只土拨鼠，那是他的狗捉来的。他也知道谁是荷马，他说"要不是我有这书本，真不知道该如何打发下雨天"。虽然好几个雨季已经过去，他可能连一本书都没有读完。在他所在的那个遥远的教区，有一个懂得希腊文的牧师，曾经教过他读里面的诗。现在他把书拿了出来，我得给他当翻译了，他把书打开就看到了帕特洛克斯洛的满面愁容，阿喀琉斯责怪他的一段："帕特洛克勒斯，为何哭得像个小女孩？"

    你是不是从毕蒂亚那里得到了什么消息？
    亚克托的儿子，依若斯的儿子，

还是好好儿地活在玛弥同,

只要他俩活着,我们就不应该悲伤。

他说:"这是首好诗。"在他的胳膊下面夹着一大捆星期天早上采集的白桦树皮,这是他准备送给一个病人的。他接着说道:"今天应该可以做这事了吧。"他认为荷马是一个大作家,虽然他并不知道他写的是些什么。

在这世界上恐怕再也找不到一个比他更单纯、更自然的人了。罪恶与疾病,使这个世界变得忧郁阴暗,而在他看来却几乎不存在。他大概有28岁,12年前离开加拿大他父亲的家,来到美国找工作,想挣点钱以便将来在自己的家乡买点田产。他有一个高大却笨拙的身体,但他却很文雅地接人待物,他的大脖子被晒得焦黑,头发乌黑浓密,一双无神欲睡的蓝眼睛,时不时地闪烁出饱含感情的光芒。他身上披着一件黑乎乎的羊毛大衣,头上戴着一顶扁平的灰色帽子,脚穿一双牛皮靴。

他常常带一只装好饭的铁桶在身上,到离我屋子几英里之外的地方去工作——他整个夏天都在伐木——他很喜欢吃肉,常常吃冷的土拨鼠肉。咖啡装在一只石瓶子里,然后用绳子吊在他的皮带上,他有时候还请我喝上一口。他很早来到这里,穿过我的豆田,但是像所有的北方佬一样,并不着急去工作。他对自己的身体很是爱惜。哪怕收入只够吃住,他也不在乎。他时常把装饭的铁桶放在灌木丛中,这样,有时半路上他的狗捉到了土拨鼠,他就可以往回走一英里半路把它煮熟,然后放在他房子的地窖里。但是在这之前,他会傻傻地想上半个小时,大多是在考虑土拨鼠泡在湖里是否安全,到了晚上还能不能安全地取回,对于这一类的事情他都要考虑很久。早上,他经过的时候总会说:"这里有这么多鸽子!如果我的职业不需要我天天工作,我光靠打猎就可以很轻松地得到我所需要的全部肉食——鸽子、土拨鼠、兔子、鹧鸪,只需要打一天的猎就够我吃一星期了。"

他是一个技术娴熟的伐木工人,常常陶醉于这项艺术的技巧之中,他伐木的时候总是沿着根砍下,那样将来在根上萌发的芽将会格外强壮,而且运木料的雪橇在平根上也容易滑过去。他不需要用绳子把砍过一半的大树拉倒,而是把被砍的部位削成细细的一根或者薄薄的一片,最后只需用手轻轻一推,大树就倒了。

我被他的安详、独来独往,和内心的愉快深深地吸引住了,一股愉悦而又悠然自得的神情从他的双眼流露出来。他有着淳朴而又坦然的快乐。有时候,我会去林中看他工作,他带着一种难以形容的、非常知足的笑声迎接我,用加拿大腔的语言向我问候,其实他的英文说得也很好。等我走近了他,他就停止工作,克制着内心的喜悦在被他砍倒的松树旁躺下来,剥下树的内层皮,把它卷成一个圆球,边笑边把它放在口中咀嚼。他如此朝气蓬勃,有时遇到值得他思考的事情,触到他的兴奋点,他会开心地躺在地上打起滚来,看着四周的树木,他会大声叫喊:"真的啊!在这里伐木真够劲,再没有比这更有乐趣的了。"有时候,他闲下来,就会带着一把小手枪在林中自娱自乐,边走边向自己鸣枪敬礼。冬天,他会生一堆火,中午的时候在壶里煮咖啡,当他坐在一根圆木上吃饭的时候,有时候会有小鸟飞过来,落在他的胳膊上啄他手里的土豆,他便说:"我喜欢更多的小玩意儿来到我的身边。"

他是朝气蓬勃的。他体力上的坚韧和满足,可以跟松树和岩石相比。有一次,我问他天天工作,到了晚上累不累,他目光真诚而严肃地回答道:"天晓得,我一生中从没有累过。"不过,他的智力或灵性如同婴儿一般,还是沉睡着的没有醒来。他接受了那样天真幼稚却没有一点用的教育。这就是天主教神父教育土人的方法,而学生总是不能提高他们的意识境界,一直在信赖和尊敬的层次上停留。就像一个孩子并没有被教育成人,那么他依然还是个孩子。大自然在创造他的时候,除了给他一个强壮的身体,还让他对自己的命运感到满足,在他周围有信任和尊敬支撑着,他就可以像一个孩子似的一直活到70岁。他如此淳朴、真诚,甚至简单得不需要介绍,正如你无须给你的邻居介绍土拨鼠一样。

他做任何事都是如此简单、直接。他为别人劳动,别人给他钱来买衣服和食物,他从来不跟人们交换意见。他如此单纯,生性卑微——如果那种没有追求的人可以称作卑微的话。可是,这种卑微在他身上并不明显,他自己也没感觉出来。在他看来,稍微有点聪明的人,简直就成了神仙。如果你告诉他,有一个这样的人正要到来,他会觉得这样隆重的事情肯定和他没有关系,这种事情自然有别人办好,他已经习惯了被人遗忘。他从来没有在别人那里得到过赞美。他特别敬重作家和传教士,他觉得他们的工作是崇高无比的。我告诉他,我写过很多文章,他想了一会儿,以为我说的只是写字而已,因为他的字写得也很好。我不经意间发现在公路旁的积雪上很秀丽地写着他故乡的教区的名字,而且还标明了法文的舌音记号,于是,我就知道他曾经从这里经过。我问他是否想过把自己的思想写下来,他说:"我为不识字的人读过和写过一些信件,但从没有想过写下自己的思想——不,我不能,我不知道该如何开头,这会难死我的,何况写的时候还要留意拼写!"

我听到过一个著名的且很有智慧的改革家问他:"你愿不愿这世界发生改变?"他先是诧异地一笑,因为这问题他还从来没有想过,接着,他用他那加拿大口音回答:"不必,我很喜欢它现在的样子。"与他交谈,哲学家可以得到很多东西。然而在陌生人看来,他对一般问题是一窍不通的。但是,我有时候从他身上能看到一个我从未见过的影子,我不知道他究竟是像莎士比亚一样聪明呢,还是像小孩一般天真烂漫;到底他的语言是富于诗意呢,还是像个笨蛋。不过一个市民告诉我,他有一次遇到他——头戴着一顶小帽,悠闲地穿过村子,独自潇洒地吹着口哨——那样子使他想起了微服出行的王子。

他只有一本历书和一本算术书,他对算术颇为精通。而历书对他来说好比是一本百科全书,他认为那是人类思想的精髓之所在,事实上在某种程度上也确实如此。我喜欢拿一些社会改革的问题询问他,他每一次的回答都很简单,很实际。这些问题都是他第一次听到。我问:"没有工厂行不行呢?"他说:"我穿的是佛蒙特灰布,这是家庭手工织的,这布很不错。"我又问:"你可以不喝茶或咖啡吗?"他回答说:"在这个国土上除水之外,还供应什么饮料呢?"为了使热天喝点比白开水好的饮料,他曾经把铁杉叶泡在水里。我问:"没有钱行不行呢?"他就立刻证明给我看,有钱是多么的方便,他说得仿佛我们在探讨有关货币起源的哲学一样，正好表明了pecunia（"银"的拉丁语词根，本是"牛"的意思）这个词的来源。如果他有一头牛，他现在要到铺子里去买一点针线了，要他一点一点地把他的牛抵押掉真是不方便啊。他曾经替不少制度作过辩护，哲学家和他相比也稍逊一筹，因为他说的都是和他直接相关的理由，他说出了每一种制度存在的真正理由，并不是瞎编出任何其他理由。

　　有一次，他听到别人谈论柏拉图对人所下的定义——没有羽毛的两足动物——于是，就有人拿来一只拔掉了羽毛的公鸡，并称之为"柏拉图式的人"，他却说出了一条重要的区别：膝盖的弯曲方向不同。有时候，他也叫嚷："我是多么喜欢闲谈啊！真的，我能够谈一整天！"又有一次，我一连好几个月没有见到他，等遇到他时，我问他："这个夏天又有了什么思想？""天啊，一个像我这样有工作做的人，要是有了想法而又能记住，那就好了。也许有人和你比赛耕地，你的心思就全花在这上头了，此时你的脑海中就只有杂草了。"在这种场合，有时他先问我最近有没有什么新进展。在一个冬日，我问他是否常常感到满意，是否希望找一样东西代替外在的牧师，进而有更高的生活目的。"满意！"他说，"有的人对这些事物感到满足，而另外的人对那些事物感到满足。可如果一个人什么都有了，便整天面对着饭桌背烤着火，真的！"就算我费尽了心机，也找不出他对于事物的精神方面的观点来。他想出的最高原则像动物所喜欢的那样，在乎"纯粹的方便"，就这方面来说，大多数人都如此。如果我向他建议，如何在生活方式上有所改进，他会回答说"太晚啦"，然而他却彻底地奉行着忠诚一类的美德。

从他这个人身上可以看出，尽管很少却有相当积极的独创性。有时我还发现他就如何表达自己的意见方面在独自寻思，这是极少见的现象，我愿去观察这种现象，哪怕一天跑10英里路也在所不惜，这等于复习了一遍社会制度的起源。虽然他有些顾虑，也许还不能清楚地表达他自己，但他的确有一些非常正确的见解却往往深藏不露。他的思想比起仅仅有学问的人的思想来说，虽然原始却更为高明，能够和他肉体的生命融为一体，不过还没有成熟到能够公开报道的程度。他说过，在卑微的人中，纵然终身生活在底层，且大字不识一个，却可能出一些天才，因为他们一向都有自己的主见，从不认为自己一无所知，他们如瓦尔登湖一般深不可测，虽然它也许是黑暗、泥泞而且是无底的。

许多旅行家离开他们的航线，绕道来看我和我屋子里的装置，他们往往是以要一杯水喝作为托词。我则用手指着湖告诉他们，我是直接从湖里喝水的，我愿意借一个水勺给他们。尽管我住得很偏远，可每年4月1日左右人人都来踏青，我也免不了成为造访的对象。我可真是交好运了，来客中竟还有一些从救济院或别处出来的智力低下的人。我就尽量让他们放松，以展现出他们的全部智商，让他们和我畅所欲言。在这种场合，才智就常常成了我们谈论的话题，这样我就大有收获了。说真的，我觉得他们比贫民管理员，甚至比市里行政管理委员会的委员还要聪明，我认为让他们彼此换位的时机已经到了。

至于智慧，我觉得愚昧和聪慧之间并没有多少区别。特别是有一天，有一个头脑简单却并不讨人厌的贫民来看我，并表示愿意像我一样地生活。在此之前，我经常看到他像篱笆一样和其他人一起在田野中站着,或坐在一个箩斗上看守着牛,以免走散。他怀着极大的淳朴和真诚告诉我,说他"在智力上非常之低",这是他的原话,完全超出或者说低于一般的所谓的自卑。上帝把他创造成这个样子,是因为上帝关心他,正如关心别人一样。"从我的童年时代起,"他说,"我就是如此,我头脑不大灵活,我跟别的小孩子不同,我在智力方面很薄弱。我想这大概是神的旨意吧。"而他就在那里用一个形而上学的谜语证实了他自己的话。我很难碰到一个像他这样有希望的人——他说的话全都这样真实而且单纯诚恳。他越是自卑之至就越是显得高贵。一开始,我还不知道这是一个取得良好效果的聪明办法。由此可见,建立在这个智力不足的贫民真实而坦率的基础上的谈话,反倒可以达到比和智者交谈更深的程度。还有一些客人,表面上不算是城市贫民,但实际上他们应该算是城市贫民,甚至可以说是世界贫民,他们不在乎你是否好客,而在乎你的亲切款待。他们期盼着你的帮助,却开口就说他们不想帮助自己了。我要求访客不能饿着肚子来看我,即使他们有世上最好的胃口,且不管这胃口是如何形成的。客人不是慈善事业的对象。有些客人,不等他们的访问结束,我已经在做我自己的事了,因此回答他们的问题就愈来愈敷衍了。几乎各种智商的人在候鸟迁移的季节都来访问过我。有些人的智商是远远超过了他们平时的水平的。还有一些逃亡的奴隶,仍带着种植园里的神情,不时竖起耳朵来听四周的动静,好像寓言中的狐狸时刻听到猎狗在追踪它们一样,接着,他们用恳求的目光看着我,好像在说:"啊,基督教徒,你会把我送回去吗?"其中有一个真正的逃亡者,我曾经帮他朝北极星的方向逃去。有人只有一个心思，像只带着一只小鸡的母鸡，有人却像只有一只小鸭的母鸭；有些人头脑里杂念丛生，千头万绪，像那些要照料100只小鸡的老母鸡，为了追逐一只小虫，而在黎明的露水中丢失一二十只小鸡，结果弄得自己的羽毛蓬乱、污秽不堪了；此外还有一些用智力而不是用腿走路的人，像一条充满智慧的蜈蚣，使得你全身不寒而栗。有人建议我要像白宫那里的人一样，用一本签名簿来保留所有访客的名字，可惜啊！我的记忆力太好了，根本就不需要这种东西。

　　我发现我的访客有各种各样的特点。女孩子、男孩子、少妇，一到森林中就自由快活了。他们时而看着湖水，时而观赏着花朵，感觉时光在身边欢快地流过。而有一些生意人只想着生意经，所以他们只感到寂寞，他们觉得我住的位置不是太令人满意，离哪儿都不近，甚至有些农夫也有同感。虽然他们偶尔也爱在林中闲游，但很明显，他们其实对此并不特别爱好，因为这些焦灼不安的人，他们的大部分时间都花在谋生或者维持生活上了。还有一些牧师，满口都是上帝，好像这是他们的专利，他们也听不见任何不同的意见。医生、律师和忙碌的家庭主妇则趁我不在家的时候翻看我的碗橱和床铺——不然，某位夫人怎么会知道我的床单没有她的干净？有些上了年纪的人，以为最安全的办法是跟着职业界的老路走——这些人一般都说我这种生活方式不好。啊，问题就在这里！那些衰老的、有病的，且很胆怯的人，不管他们的年龄、性别，他们想得最多的是疾病、意外和死亡，在他们眼里，生命是充满了危险的——可那又有什么危险呢？假如你不去想它的话——他们觉得，谨慎的人应当小心翼翼地挑选一个最安全的地区居住，在那里医生可以随叫随到。在他们看来，村庄只是一个共同防护的联盟，你可以想象，他们带着药箱去采集浆果。这就是说，一个人有随时随地死亡的危险，其实这样的危险对于他这样一个活死人来说，已大大地减少了。一个人闭门坐在家里，跟他出外奔跑是一样危险的。最后，还有一种自称改革家的人，在所有访客中要数他们最讨人厌了，他们以为我一直在歌唱着：

> 这是我建造的房子；
> 这个人在我所建造的房子中生活。

可是，他们却不知道接下来的两行是：

> 而正是这些家伙，烦死了
> 住在我所造房屋中的人。

我并不害怕捉小鸡的老鹰，因为我没有养小鸡，可是我怕捉人的鹭鸟。

除这最后一种人，还有一些令人欣慰的访客。小孩子来采摘浆果，铁路上的工人们穿着干净的衬衣来散步，还有渔人、猎户、诗人和哲学家，总之，一切诚实厚道的朝圣者，为了自由的目的到森林中来，他们真的把村子全抛在脑后。于是，我情不自禁地对他们说："欢迎啊，英国人！欢迎啊，英国人！"因为我曾经和这个民族有过交往。

种　豆

　　这时我已经种的豆子，如果一行一行地加起来长度应该有7英里了吧，最后一批还没播种下去，最早的一批已经长得很不错了，所以锄草松土这些工作真是不能再拖延了。这样一件对于赫拉克勒斯来说简直是举手之劳的事情，我却干得这样卖力，我也不知道这样做到底有什么意思。虽然它们已经远远超出我的需要，但我仍然爱我所种的那一排排的豆子。因为它们，我爱上了我的土地，我也因此像希腊神话中的安泰一样获得了力量。可是大概只有天晓得我为什么要种豆。整个夏天，我都这样奇妙地劳动着，这些以前只长杨梅、狗尾草、黑莓以及甜蜜的野果子和好看的花朵的地方，现在却生产豆子了。我从豆子那里能得到什么，豆子从我身上又能学到什么呢？我爱它们，我为它们松土、铲除杂草，从早到晚地照管它们，这就是我一天的工作。阔大的叶子非常好看。露水和雨点滋润着这干燥的土地。虽然大部分土地都很贫瘠、干燥，没有什么肥力，但虫子、寒冷的天气、土拨鼠才是我的敌人。尤其是土拨鼠，它能吃光我四分之一英亩的豆子。可是我又不想拔除狗尾草之类的植物，去毁坏它们自古以来的百草园。好在剩下的豆子立刻就会长得十分茁壮，足以抵御敌人的进攻了。

我记得很清楚，在我 4 岁的时候，我的家从波士顿搬到这个地方。在我记忆中，对于过去最早的景象是：曾经经过这座森林和这片土地，还有这湖畔。今夜，我的笛声又在这同一片湖面上回荡。那些比我年龄还大的松树依然耸立在那里，有的可能已被砍伐了，我用它们的躯干来煮饭；新的松树已在四周生长，为新一代人展现另一番风味的景观。在这原野上的同一棵老树根上又长出了相似的狗尾巴草，甚至我后来还重新描绘了儿时梦境中神话般的风景。我重返这里之后，这里确实发生了一些变化，请瞧瞧这些豆子的叶子，玉米的尖叶以及土豆藤。我大约种了两英亩半的示范地，这片地约在 15 年前还被砍伐过一次，因为在这块地里我挖出了两三"考德"的树根，所以我没有施肥。在这个夏天，我锄地时还翻起了一些箭头，看来在白人来砍伐之前，就有一个已经消失了的古代民族曾在这里居住过，我想他们可能也种过玉米和豆子吧，所以，在某种程度上，他们已经耗尽了土地之力，有过收获了。

在土拨鼠或松鼠穿过大路、太阳升上矮橡树林之前，当万物都还披着朝露之时，我就开始在豆田里拔去那高傲的杂草，并且用泥土将杂草盖住，虽然有些农民警告我不能这样做——可我还是劝你们，尽可能趁着露水还没有蒸发之前，把一切工作都做完。一大早，我光着脚在田间工作，在有露水的沙土中弄泥巴的时候我就像一个雕塑家。日上三竿以后，我的脚被烈日晒得起了泡。太阳照射着我的锄头，我在那黄沙的冈地上、在那15杆长的一行行的绿叶丛中慢慢地来回走动，它的一端延伸到一座矮橡林，我常常在它的浓荫下休息；另一端延伸到一块浆果地边，在我每一个来回的过程中，总能看到那里青色的浆果颜色又稍稍加深了一些。除草的同时我还顺便在豆茎周围培新土以利于我所种植的作物生长，使这片黄土不是以苦艾、芦管、黍粟，而是以豆叶和豆花来展现它勃勃的生机——这就是我每天的工作。因为我既没有牛马、雇工或其他方面的帮助，又没有什么新式的农具，所以我的工作进行得特别慢，也正因此我跟豆子的关系格外亲切。我的工作跟做苦工差不多，但并不是任一种懒惰的形式。这其中有一个永恒的真理，对学者而言，是带有古典哲学意味的。但是和那些向西穿过林肯和魏兰德，谁也不知道去往哪里的旅行家相比，我就成了一个不折不扣、辛勤劳作的农夫了。他们把手放在膝盖上，悠闲地坐着马车，挂着花饰的缰绳也松散着；而我却是在泥土上工作的可怜的家居劳工。可是，我的房屋和田地却吸引了他们的目光。因为在大路两边的很长一段路上，只有我这块土地是耕种了的，所以很自然地引起了他们的注意。我经常听到他们对这片土地上劳作的人评头论足，那是不打算让我听见的，"豆子、豌豆都种得那么晚！"——因为我还在播种的时候别人已经开始锄地了——这是我这样不地道的农民想也没想到过的。"这些作物，只能给家畜吃了！""他在这里住吗？"那个戴着黑色帽子，穿着灰色上衣的人说。于是农夫勒住他那匹激动的老马，然后用他那严厉的口音询问我："你在这里干什么？犁沟中怎么没有施肥？"他又建议我，应该撒些细粉末之类的垃圾，或者任何粪便都可以。可是，这里只有两英亩半犁沟，只有一把用两只手拖的代替马的锄头——因为我不喜欢马车和马——而细粉末的垃圾离这里又很远。那些驾车经过这里的旅行者把这块地同他们一路上的所见所闻作比较，这就使我知道我在农业中的位子了。这一块田地没有在柯尔门先生的报告中提到。不过，顺便说一下，大自然在更贫瘠的、未经人们开发过的地面上所生产的谷物，又有谁能计算出它们的价值呢？他们曾小心地称过英格兰干草，还计算了其中的湿度和硅酸盐、碳酸钾的含量。可是，每个山谷、洼地、林木、牧场和沼泽地带都生长着丰富而多样的谷物，人们根本无法将它们全部收割。至于我的呢，恰像介乎野生和开垦两者之间的。正如有些东西是开化的，有些却是半开化的，而另一些却是野蛮的，从深层意义上来说，我的田地可以称为半开化的田地。我把那些豆子培育到野生的原始状态去了，而我的锄头在给他们高唱牧歌。

就在附近的一棵白桦树顶上，有一群棕色的鸟雀——有人管它们叫红眉鸟——整个早晨都在那边歌唱，它们很愿意和人做伴。如果这里没有农田，它们就会飞到另一边的农田里去。你播种的时候，它们吟唱着："丢，丢，丢了它——遮，遮，遮起来——拉，拉，拉上去。"可这里种的不是玉米，不会有像它那样的鸟来偷吃庄稼。你也许会觉得奇怪，它那滑稽的歌就像用一根琴弦或二十根琴弦进行的很不专业的帕格尼尼式的演奏，这跟你的播种又有什么关系呢？但是你却宁愿听它唱歌，而不想去准备灰烬或灰泥了。这些也正是我最依赖的、最廉价的一种上等肥料。

当我用锄头在犁沟边翻新土时，我将一个史书没有记载的，远古时代曾在这片天空下居住过的民族所留下的灰烬翻了出来，就连他们作战、狩猎用的小武器也都暴露在阳光之下。它们和一些天然形成的石块混在一起，有些石块还留有印第安人用火烧过的痕迹，有些则有被太阳暴晒过的痕迹，还有一些散乱的陶器和玻璃，则大约是近代的拓荒者的遗物了。每当我的锄头碰击在石头上，其发出的叮当之声，便在树林和天空中回荡；我劳动的时候因为有了这样的伴奏，立刻产生了无法计量的效果。我所种的已不是豆子，我也不再只是耕种豆子，因为我既怜悯又骄傲地想起我的一些朋友特地到城里听歌剧去了。而在这阳光明媚的下午，老鹰在我头顶的天空上盘旋——有时一整天都在那儿盘旋——它好像我眼睛里的一粒沙，又或者说是落在天空中的一粒沙，它时而斜冲下来，大叫一声，天空便像被划破了，好像撕开的两片破布一样，然而苍穹依然是完整无缺的，空中依旧飞着大大小小的精灵。但是很少有人看到它们落到地上、黄沙或岩石上、山顶上，它们美丽而细长，如同湖水卷起的涟漪，又像被风吹到空中的树叶；在大自然中，它们是那么的生机勃勃而又和乐融融。鹰是海面上波浪的空中兄弟，它在波浪之上飞行视察，在空中扑击着完美的鹰翅，好像在嘲笑海洋中那些没有翅膀的。有时我看着一对雄鹰在高空中盘旋，一上一下，一远一近，好像它们是我思想的化身；有时我被一群野鸽子吸引住了，看着它们从这一片树林飞到那一片树林，它们常常唱着歌快速飞过；有时我从烂树桩下挖出一条蝾螈来，它还是一副埃及和尼罗河的残迹的模样，迂缓、奇怪、丑陋，却又和我们同时代了。当我停下来靠在锄头上的时候，无论是站在犁沟中的任何一个地方，都能听到和看到这些声音和景象,这便是乡间生活中充满乐趣的一部分。

在节庆的日子里,城里放礼炮的声音传到森林中,听起来很像气枪声,偶尔也飘来一些军乐声。对于远在城外的豆田之中的我来说,这轰隆隆的大炮声就好像小生物在爆裂。如果军队出外演练,而我事先又不知道是怎么回事,我就整天恍恍惚惚地感到一切都那么不正常,就好像快要出疹子似的,也许是猩红热,还有可能是口蹄疫,直到后来一股暖风吹过大地,吹到魏兰德宽阔的公路上,把训练者的消息带给了我。这时,远处的嗡嗡之声就好像谁家的蜜蜂出窝了,邻居们则按照维吉尔的办法,拿出锅、壶来敲击,呼唤它们回蜂房去。等到敲击锅、壶之类的声音没有了,嗡嗡之声也停了下来,最柔和的微风也平息了,我知道他们已经把最后一只雄蜂也安然赶回米德尔塞克斯的蜂房了,现在最重要的事是考虑涂满蜂房的蜂蜜了。

当我知道马萨诸塞州和我们祖国的自由是如此安全时,我深感荣耀。当我回身再耕种的时候,我充满了无法言表的自信,泰然自若地怀抱着对未来的希望,然后继续我的劳动。

如果这里有几个乐队在演奏的话,那么整个村子就好像一只大风箱了。所有的建筑物在喧嚣声中一会儿扩张,一会儿坍下,此起彼伏。然而,偶尔传到林中来的才是真正令人兴奋的乐章,喇叭声负载着荣誉,此时我真想痛痛快快地用刀把一个墨西哥人干掉——我们为什么要常常忍受一些琐碎的小事呢?——我四处寻找土拨鼠和鼬鼠,想向它们表现一下我的骑士精神。这种军乐的旋律像从遥远的巴勒斯坦传来的一样,使我想起十字军犹如村子上空的榆树梢微微摇曳和颤抖的动作一样在地平线上行进。这是多么伟大的一天啊，虽然我在林中的空地上仰望的天空仍然和每天仰望的一样，还是那么无穷尽的苍穹，看不出有什么不同。

自从我种豆以来，我就和豆子相依为伴。时间久了，我学到了不少种植、锄地、收获、打场、捡拾、销售的经验——尤其是最后一种经验最难获得——我还经常尝尝豆子的味道呢。

我已经下定决心要去了解豆子。因此，在它们还在生长的时候，我就常常从早晨5点钟锄草直到正午，然后用这天剩余时间去做些其他的事情。闲来想想，人跟各种杂草还结交得如此亲热，这是不是很奇特呢——说起这事来也许有些啰唆，劳动的时候这些杂草已经够烦人的了——将一种杂草从根部斩断，野蛮地铲除它的纤维组织，而为了把另一种草保存下来，我们还要用锄头仔细地区别它们呢。这是罗马艾草，这是猪猡草，这是酢浆草，这是芦苇草——抓住它然后拔起，最后把它的根翻起来在太阳下暴晒，不让它有一根纤维留在泥土之中。要不然，过不了几天，它就会侧着身子重新长起来，两天以后，它们就又像韭菜一样长得郁郁葱葱了。这是一场持久战，我们不是在对付鹤，而是在对付杂草，因为它们就像得到太阳和雨露帮忙的特洛伊人。豆子每天都能看到我带着锄头去把它们的"敌人"干掉，"战壕"里填满了杂草的尸体。有些结实高大的杂草，就像比他们的同伴高出一英尺的特洛伊人的主将赫克托耳，也在我的锄头之下倒毙而落入尘埃中去了。

在这仲夏的日子里，与我同时代的人，有的在波士顿，有的在罗马，有的在印度，还有的在伦敦或纽约，他们或献身于美术，或正在思索着，或正做着生意。而我却跟新英格兰的其他农夫们一样献身于农业。我之所以这样做并不是因为我想要吃豆子,而是我这人在本质上是属于毕达哥拉斯(不吃豆子的古希腊哲学家)一派的,至少在种豆子这件事上是如此的。不管是为了吃,还是为了拉选票,或是为了换大米,甚至仅仅是为了给未来的作家一个比喻或是象征的对象吧,总得有人在地里劳动。总而言之,这是一种难得的快乐,纵然时间久了也会引起虚掷光阴的损失。尽管我没有经常给它们施肥,也没有为它们全部都锄一遍草、松一遍土,但我还是尽我最大的努力去为它们锄草、松土,这样做的结果是大有好处的。"这是真的,"正如爱芙琳说过的,"任何混合肥料或农家肥都比不上不断地挥锄舞铲,把泥翻上来所起的效果。"他还在另一个地方写着,"土地特别是未开发过的土地,其中有相当的磁力,可以吸引盐、水,或其他的东西(随便你怎样称呼吧)来增强它的生命力,土地是劳作的对象,我们在土地上的所有活动养活了我们,任何农家肥和其他发臭的东西只不过是此种改进的替代品而已。"更何况,那些"地力耗尽,闲置不用而且贫瘠的土地"或许正像凯男尔姆·狄葛贝爵士所认为的那样,已经开始从空气中吸取"有生的力量"了。我一共收获了12蒲式耳的豆子。

为了更详细可信,同时也因为柯尔门先生所报告的主要是那些有身份的富农的试验,并且曾有人对此表示过不满,现将我的收入支出情况列出如下:

一把锄头	0.54 美元
耕耘犁地	7.50 美元(太贵了)
豆种子	3.125 美元

土豆种子	1.33 美元
豌豆种子	0.40 美元
萝卜种子	0.06 美元
篱笆	0.02 美元
耕马及3小时雇工	1.00 美元
收获时用车马费	0.75 美元
共计：14.725 美元	

我的收入（一家之主应勤于销售，不应只顾进货），来自卖出：

9 蒲式耳 12 夸脱豆子	16.94 美元
5 蒲式耳大土豆	2.50 美元
9 蒲式耳小土豆	2.25 美元
草	1.00 美元
茎	0.75 美元
共计：23.44 元美元	

盈余（正如我在别处所说的一样）8.715 美元

这就是我种豆的经验：在6月1日前后，挑选那新鲜的、圆的、没有掺杂的、小小的白色豆种播下，并保持3英尺长、18英寸宽的间距，种成行列。要注意虫子，然后在没有出苗的位置上进行补种，最后还得提防土拨鼠。要是那片田地暴露在野外，那么它们会把刚刚长出来的嫩芽叶子一口气啃个精光的，而且，在嫩卷须伸出来之后，土拨鼠还是会察觉到的，它们会像松鼠一样直坐着把蓓蕾和初生的豆荚一起啃掉。最重要的是，如果你要让豆子免于霜冻，而且很容易销售出去，那你就尽可能早点去收割，因为这样做可以使你免掉许多不必要的损失。

我还学到了一些更好的经验。我曾对自己说，来年夏天，我不会再花那么大的力气种豆子和玉米了，我要腾出精力去播种像诚实、真理、淳朴、信心、纯真等这样一些种子，前提是这些种子还没有遗失。我要看看它们能否在这片土地上以较少的劳力和肥料生长，能否来维持我的生活。因为地里的养料一定还没有到不能种这些东西的地步。我以前对自己说过这些话，可是，现在又一个夏天过去了，而且很多年都过去了，我不得不告诉你们——我亲爱的读者们——我所种下的这些种子，如果全是美德的种子，很遗憾，它们都被虫子吃掉了，或者已失去了生机，都没有长出苗来。通常人们都像他们的祖先一样或勇敢或怯懦。我们这一代人，每一年所种的玉米和豆子必然与印第安人在几个世纪之前所种的一样，那是因为最初来到这里的移民都是他们教会的，仿佛一切都是命中注定的一样已经难以改变了。

有一天，一个老汉使我惊讶不已，他用一把锄头挖了至少70个坑了，但他自己却不准备躺在里面。新英格兰人为什么不去尝试其他新的事业呢？他们过分地看重他们的玉米、土豆、草料和果园，而不去尝试种植一些别的东西。为什么一点也不关心新一代的人类而偏要这样关心豆子的种子呢？我前面提到的那些品德，我确信它们比其他产物更加高尚。如果我们偶然遇到一个人，并且这个人具有我提到过的那些高尚的品德的话，那么那些飘荡在空中的品德已经在他的身体里扎根并且生长了，对此我们真应该感到满足和高兴。这样一种难以捉摸并且不可言喻的品德，例如真理或公正，虽然量极少且还是一个新的品种，然而它是沿着大路而来的。我们的大使应该接到这样一个指令：选择一些好的品种寄回国内，然后我们的国会再把它们分发到全国各地去播种。在对待真诚上我们不应该表现出虚伪做作。假如我们已拥有高贵与友情的精华，那么我们绝对不应该再用卑鄙的手段来互相欺骗、互相侮辱、排斥彼此，我们也不应该匆匆忙忙地相见。因为大多数人我根本就不认识，他们似乎没有时间，因为他们都忙着种豆子呢。我们尽量不要跟这样的忙人交往，他在工作间歇时倚身在锄头上或铲子上，仿佛倚身在手杖上一样，虽然不像一只完整的蘑菇，却像只有一部分破土而出的蘑菇，或者说像一只在大地上行走着的燕子：

  说话时，他的翅膀时开时合，
  好似展翅欲飞，却又垂下收拢了——

  它让我们误以为是在跟一个天使攀谈呢。面包也许不能总是滋养着我们，但它们对于我们来说总是有益的，因为它甚至能在我们不知道患了什么病症的时候，消除我们关节中的僵硬之感，使我们轻松、兴奋，从大自然及人间寻觅到温暖，享受到所有纯粹而强烈的欢乐。
  古代的诗歌和神话传达给我们：农事曾经是一种神圣的艺术，但如今因为我们的急功近利，我们所追求的只剩下大田园和大丰收。我们不但没有了仪式，没有了行列，也没有了庆贺的日子,甚至连耕牛大会以及感恩节也没有了,原本农民是用这种形式来表示他们这一职业的神圣意义的,或者说是用来追忆农事的神圣起源的。然而,此时吸引他们的却是薪金和一顿大餐了。现在他们不愿供奉谷神色列斯和主神朱庇特了,而是在供奉财神普鲁托斯了。因为我们没有一个人能摆脱掉贪婪、自私和卑贱的习惯,所以我们把土地看作财产或者是获得财产的主要手段,这样的结果是风景被破坏,农事开始变得低下,久而久之,农民过着最屈辱的生活。他们对大自然的了解,也仅限于一个强盗所了解的那样。卡托曾说过农业应该是特别虔敬而且正直的,按伐洛的话说,古罗马的人"把天地之母和色列斯唤用同一个名称,他们认为从事耕作的人是一个虔敬而有用的人,只有他们才是农神的后裔"。

我们常常会忘记,照在我们耕作过的田地与照在草原和森林上的太阳是同一个太阳。它们都反射掉一部分光线并吸收一部分阳光,前者只是它每天接受的阳光中的一小部分。不过在它看来,大地都被滋润得像花园一样。因此,我们在接受它的光与热的同时也接受了它的信任与大度。我看着种下的豆子一点点地长大,等到秋天有了丰收的硕果,又怎么样呢?我认真地照顾着这广阔的田地,但它却并不把我当作最重要的耕种者,反而将我撇在一边,转向那些给它洒水、使它变绿的、更宜于它生长的因素。豆子的果实并不全部由我一个人来收获。它们不是还有一部分被土拨鼠给吃掉了吗?麦穗不仅是农夫的希望,它的籽粒或者说谷物也不是它的全部产出。那么,我们怎会歉收呢?我们也应该为杂草的丰收而喜悦,因为它们的种子为鸟雀提供了食物。对于真正的农夫来说，大地母亲每年的产出是否能堆满他的仓库只是小事，他们关注的是这些产出能否堆满大地。就像那些松鼠根本不关心今年的树林会不会生产栗子一样，真正的农夫并不要求土地的生产品全部为他所有，在他的内心深处，他不仅想要贡献出第一颗果实，而且还想献出最后一颗果实。

村　子

　　上午劳动完之后，我喜欢读读书，写写字，如果有时间的话我还会去湖中再洗个澡，洗去劳动留在身上的尘垢，或者洗去阅读挂在我额头上的那一条条皱纹；下午我便很悠闲自在了，有时，我会到村子里去散步，听听那些口耳相传的闲言碎语，或是报纸上互相转载的永无止境的闲话，假如我们能怀着平淡的心情淡淡地去接受它们，也的确会别有一番趣味，犹如树叶的瑟瑟之声和着青蛙的呱呱而鸣。正如我在森林中散步时，喜欢看鸟雀和松鼠一样，我在村中散步时，喜欢看一些男人和儿童；我虽然听不到松涛和风声，却听到了辚辚的车马声。从我的屋子朝河畔的草地望去，那里是麝香鼠的聚居地；而在另一边的地平线上，榆树和悬铃木的华盖底下，却是一个满是大忙人的村子，这使我的好奇心泛滥了，他们仿佛是大草原上的流浪狗，不是坐在他们洞穴的门口，便是窜到邻家闲聊去了。我经常去村里观察他们的生活习惯。在我看来，村子特别像一个极大的新闻编辑室，在一旁支持它的，仿佛以前州政府大街上的出版公司所做的那样，他们不但销售报纸，还在出售干果、葡萄干、盐、玉米粉，以及其他食品杂货。对有些人来说，新闻对他们的吸引力最大，他们能极富耐心地坐在街道边，听那些新闻像地中海季风般沸腾着、私语着吹过他们，或者说，他们像吸入了少量的只是产生局部麻醉的乙醚，意识是清醒的，苦痛却被麻痹了，因为有一些新闻，听到了是会使人痛苦的。每当我悠闲地经过那村子的时候，总是看到这些活宝们一排排地坐在石阶上晒太阳，身子稍稍向前，他们那满是欲望的眼睛时不时地左顾右盼，要不然便是身子倚在一个谷仓旁，双手插在裤袋里，活像根支撑谷仓的柱子。因为他们是在户外，任何风吹草动他们都能听得见。他们就好比最粗糙的磨坊，所有流言蜚语都要经过他们第一道碾磨后，才进入户内，倒进更精细的漏斗中去。我观察到村中最热闹的是食品杂货店、酒吧、邮局和银行这类地方；此外，还有一口大钟、一尊大炮、一辆救火车，像机器中那些必要的零件一样都放在了适当的地方；房屋的规划布置与人类的特点结合起来，全都面对面地排成门对门的巷子，任何旅行者都逃脱不了夹道的鞭打，男女老少都可以"揍他一顿"。那些安置在最靠近巷子口上的人自然最先看到别人，同样也是最先被看到的，当然也是第一个动手揍的，所以要付最高的房租了。而少数零零散散居住在村外的居民，到他们那儿开始有很长的间隙，旅行者可以越墙或抄小路逃掉，所以只需付很少一笔地租或窗税。房子的四面都挂起了招牌，引诱着旅行者，酒店和食品店抓住了他们的胃口，干货店和珠宝店抓住了他们的幻觉，理发店抓住了他们的头发，鞋店和服装店抓住了他们的脚和衣服。除此之外，还有一件更可怕的事——你总要挨家挨户地去访问，而这样一来，更多的村民会见到你。总的来说，这所有的危险，我全都能够很巧妙地逃避过去。我勇往直前，毫不犹豫地向着我的目的地走去，那些遭到夹道鞭打的人真的应该按我的办法去做。有时，我专心致志地想着崇高的事物，就像俄耳甫斯那样"弹奏着七弦琴，高歌诸神之赞美诗，把妖女的歌声压过，因此没有遭难"。有时候，我会闪电般地溜走，没有人知道我在哪里，因为我是个不爱拘泥于小节的人，如果篱笆上有个洞，我也会毫不犹豫地钻过去。我甚至还习惯于闯进一些人的家里，那儿的人都很热情，当听完最后一些精选的新闻，知道了刚平息下来的事情、战争与和平的前景、世界还能够合作多久之后，我就从后面的几条路溜出，又逃入我的森林中去了。

每当我在城里待到很晚准备回到黑夜之中的时候，特别是在那些伴随着风暴的漆黑的夜晚，我都会感到特别愉快。我从一个光亮的村屋或演讲厅起航，肩上扛着一袋黑麦或印第安玉米粉，驶进森林中我那安乐的港湾。在我把外面的一切都安排好之后，我便带着快乐的思想退到甲板下面，只留我的躯壳把着舵，如果航道平静的话，我索性用绳子把舵拴死。航行的时候，我坐在舱中的火炉旁，脑海里浮现出许多快乐的思绪。虽然我遇到过许多风暴，但无论何时，我都不会忧愁，也没有感到悲伤。即使是在最平常的晚上，森林里也比你们想象之中的更黑。在最漆黑的夜晚，我常常依靠看树叶空隙间的天空来认路，在走到一些没有车道的地方，我只能用脚来摸索道路，有时只能靠手摸几棵熟悉的树来辨别方向，继续前行，譬如，我要从两棵松树中间穿过，它们中间的距离不过18英寸，并且是在森林中央。有时，在一个漆黑而潮湿的夜晚，我很晚了才回来，我用脚摸索着眼睛看不到的道路，一路上我都心不在焉，像在做梦似的，直到我不得不去伸手开门时才清醒过来，我简直不记得自己是怎么走回来的。我想也许我的身体，在灵魂遗弃了它之后，也还是能够在冥冥之中找到归途的，就好像手不需任何帮助总可以摸到嘴一样。

有好几次，当我的访客待到夜深，而夜又很漆黑的时候，我不得不从屋后把他送到公路上去，然后，把他要去的方向指给他，同时告诉他不要靠自己的眼睛，而是靠两条腿凭感觉摸索前进。在一个非常漆黑的晚上，我就是这样为两个到湖边来钓鱼的年轻人指路的。他们住在离森林一英里外的地方，对这里还是很熟悉的呢。几天后，他们中的一个告诉我，那天他们在自己住所附近转了大半夜，直到黎明才回到家，其间正好还遇上大雨，树叶都湿淋淋的，他们被淋得如落汤鸡一般。

我听说村中有许多人在伸手不见五指的夜晚——就像古话所说，黑得你可以用刀子一块一块地把它割下来——在大街上走走，都会迷路。有些住在郊外的人，驾车到村里来买货，遇到这样的夜晚，也不得不留在村里过夜；还有一些先生和女士，出门访客，离开他们的路线不过半英里路，便不得不可怜地用脚来摸索人行道，连在什么时候拐弯都不知道。无论何时，在森林里迷路，都是惊险而值得回忆的宝贵经历。在暴风雪中，即使是在白天，走在一条常走的路上了，也特别容易迷失方向，不知道哪里才是通往村子的正确方向。虽然他已在这条路上走过了上千次，但如今却什么也不认得了，它就像西伯利亚的某条路般陌生了。如果在晚上，还要困难得多。在我们日常的散步中，我们经常不知不觉地,像领航员一样,凭借着某个灯塔、某个海角,向前行进,如果不在熟悉的航线上,我们依然在脑中搜寻着邻近的一些海角的印象,除非我们完全迷了路,或者转了一次身——因为在森林中你只要闭上眼睛,转一次身,你就迷路了——到那时候,我们才发现大自然是多么浩瀚与神奇。无论是在睡觉或在做其他心不在焉的事,每一个人都应该在清醒之后,习惯性地去看看罗盘上的方向。不要非等到迷了路,或者说,非到我们失去了整个世界之后,才开始认清我们自己,认识自己的处境,认识到与我们密切联系着的无穷的世界。

在我的第一个夏天即将结束的一天下午,我进村子里去找鞋匠拿一只我送来修的鞋子,可是,我却被捕了,被送进了监狱,因为正如我在另外一篇文章里面曾说过的,我拒绝向国家纳税,甚至还不承认这个国家的权力,因这个国家在议会门口把男人、女人和孩子当牛马一样地买卖。我本来是为了别的事到森林中去的,但是,一个人不管走到哪里,人间肮脏的机构总要跟他到哪里,伸出手来攫取他,如果他们能够做到的话,还要强迫他回到那个共济会式的社会中。我本可以坚强地抵抗一下,这样可能多少会有点结果的;我也本可以疯狂地反对社会,但是我宁愿让社会疯狂地来反对我,因为它才是那真正绝望的一方。

然而,第二天我就被释放出来了,还拿到了那只修好的鞋子,回到林中正好赶上在美港山上大吃一顿越橘。除了代表这个国家的那些人物之外,我没有受到其他任何人的骚扰。除了放稿件的桌子之外,我没有用过锁,没有闩门,在我的窗子和梢子上,也没有一颗钉子。无论白天黑夜我都不锁门,即使有时我要出门好几天。在接下来的那个秋天,我到缅因州的林中住了半个月,我也没有锁门。然而我的房屋却比周围那些驻扎着大兵的大楼还要受到尊敬。疲劳的游客可以在我的火炉边休息,并且生火取暖,我桌上的几本书可以供爱好文学的人来翻阅,或者那些好奇的人,为了看我还剩下什么饭菜而打开橱柜的门,便可以知道我晚餐都吃些什么。虽然各个阶级都有不少人跑到湖边来,我却没有因此而感到什么不便,我也没有丢失过什么,只少了一部小书,那是一卷荷马史诗,大概是因为封面镀金过于奢华了吧,我想这可能是兵营中的某个士兵拿走的。我相信,如果世人都生活得跟我一样简单,偷窃和抢劫便不会发生了。而偷窃和抢劫之所以发生,是因为社会上有的人得到的多于需求,而另一些人得到的却又少于需求。蒲伯所译的荷马的诗句应该广泛传播。

  当世人所需要的仅是山毛榉做的碗碟时,这个世界将不会再有战争。

"子为政,焉用杀。子欲善,而民善矣。君子之德风,小人之德草。草上之风,必偃。"

湖

当我对人类社会及世人的胡言乱语都疲倦了，对村中所有朋友也都厌烦了的时候，我便会穿过平常活动的那些地方，向西漫游，来到罕无人迹的荒凉地带，到达"新的森林和新的草原"上，或者会在夕阳西沉时，跑到美港山上，把那些浆果一股脑地全塞进我的嘴里，之后再把满地的浆果捡拾起来，作为以后几天的食物。水果是不会把它的色、香、味全部给那些只会花钱购买它的人去享受的，也不会给那些为了把它作为商品而栽培它的农夫去享受的。其实，要享受那种色、香、味的方法只有一个，不过却很少有人采用这个办法。假如你真想知道越橘的色、香、味，那么请去问牧童和鹧鸪吧，他们肯定会知道的。对于从来没有采过浆果的人，就自以为已经品尝了它的色、香、味，这是多么庸俗的谬见啊！虽然波士顿的三座山上都长满了浆果，然而它们却从没进过城。水果的甘美与精华，在装上车子运往市场的时候，就和它的鲜丽外表一起被磨损了，于是，它们只能成为待食水果。或许，只要正义一直统治着宇宙，就不会有一个纯洁的浆果能够从城外的山上运到城里来吧。

有时,我在干完了一天的农活后,会到一个厌恶了尘世的伙伴身旁。他是那种从早起就在湖上钓鱼的人,常常是一动不动地,静静地,像只鸭子或是一片漂浮的叶子似的浮在水面上。或许他正沉浸在各种纷至沓来的哲思之中,而在我来到的时候,他或许已自认为是修道院中的一个老僧了吧?还有一位老人,确切地说是个很好的渔夫,而且还精于各种木工,他很愿意把我的屋子看作是为方便渔民而建筑的屋子,他常常坐在我的屋门口整理他的钓丝,我也同样感到高兴。我们偶尔会一起泛舟湖上,船的一头是他,船的另一头是我。我们并不多说一句话,近年来他耳朵有点聋了。不过偶尔兴起,他也会哼起一首赞美诗来,那常常和我的哲学思想极为契合。我们的这种交往确实是非常和谐的,现在回想起来,那感觉真是美妙啊!我想这或许比我们的谈话要有意思得多吧!当找不到人聊天时,我常常会用桨敲打船舷,听回声在周围的森林中激起一圈圈扩展着的声浪,那声音就像马戏团中驯兽师命令群兽发出吼叫一样,所有的山林和青翠的峡谷都发出了令人震撼的咆哮之声。

在温和的暮色中,我常常一个人坐在船里弄笛,看鲈鱼在我的四周嬉戏,好像被我的笛音迷住了。月亮徜徉在波光粼粼的水面上,湖底倒映着森林的丛丛幽影,真是一幅非常梦幻的美景。很早以前,我就一次次来到这个湖上探险。夏天的黑夜里,和朋友一起在水边生起一堆火,吸引鱼群。我们又在钓钩上穿上虫子做鱼饵,钓起一条条鳕鱼,就这样我们一直待到夜深以后,然后把火棒高高地抛掷到空中,它们像流星一样划过夜空,在落进湖里时发出响亮的咝咝声，挣扎了几下就沉寂了，我们就突然陷入完全的黑暗之中，在黑暗中摸索着哼着小调，穿过黑暗，又回到人群之中。不过如今我已经在湖畔边有了自己的家园。

　　有时，我会在村中一户人家的客厅里歇息，一直待到那家人都要睡觉时，我才独自回到森林里。那时，多多少少也是为了第二天的伙食，我会把子夜的时辰消耗在月光之下的垂钓之上，独泛小舟于湖上，聆听猫头鹰和狐狸对月齐唱小夜曲，偶尔还有不知名的鸟雀发出尖厉的长啸。对我来说，这些经历都是最宝贵的回忆。我常常在水深40英尺的地方抛锚，离岸约二三杆之远，有时那儿大约有几千条小鲈鱼和银鱼围绕着我，它们的尾巴把泛着银光的水面搅起无数个涟漪。我用一根细长的亚麻钓丝和一些神秘的生活在40英尺水底的夜间的鱼作无声的交流，有时我拖着60英尺长的钓丝，任凭柔和的夜风推着我的船儿在湖上漂荡，我会时不时地感到钓丝微弱的震动，这说明有一个生命正在钓丝的那一端徘徊，却又愚蠢地不能确定它对这盲目撞上的东西该怎样办才好，或许还没有完全下定决心呢。最后，我的手轻轻一提，慢慢地拉起钓丝，一些长角的鳕鱼扭动着身子咯吱咯吱地叫着被拉出了水面。尤其是在黑暗的夜间，当我的思想驰骋在浩渺的宇宙中的时候，这微弱的震动，常常打断我的沉思，又把我和大自然联结了起来，这确实奇妙无穷。我仿佛把钓丝往上甩到繁星密布的天空里去了，正如我同时把钓丝垂入这密度未必更大的湖的深处一样。这样我就像用一只钓钩钓到了两条鱼。

　　瓦尔登湖风景秀丽，虽然很美，却并不是宏伟的，不常去游玩的人、不住在它岸边的人未必能领略到她的魅力。但是她的深邃和清澈是值得给予更多的笔墨来描写的。这是一个明亮的、深绿色的湖，长约半英里，圆周约1.75英里，面积约61.5英亩。这是松树和橡树林环抱滋润的，除了雨和蒸发之外，湖的进水口和出水口并无踪迹可寻。四周的山峰像突然地从水上升起，它们可以达到40～80英尺的高度，有时东南面高到100英尺，而东边更高到150英尺，而其距离湖岸，也不过1/4或1/3英里的路程罢了，山上林木郁郁葱葱。

我们康科德所有地方的水波，至少是有两种颜色的，一种是站在远处望见的，另一种是站在近处看见的，更接近本来的颜色。第一种更多地靠的是光，根据天色变化而变化。在晴朗的夏天，从稍远的地方望去，它呈现出蔚蓝色，特别是在水波荡漾的时候，而从更远的地方望去，却是一片深蓝；在风暴的天气下，则呈现出黑蓝色。海水的颜色与此不同，据说它可能这天是蓝色的，而另一天却又是绿色了，与天气无关。在我们这里的水系中，当白雪覆盖这片大地时，水和冰几乎都是草绿色的。有人认为，蓝色"乃是纯洁的水的颜色，不管是流动的水还是凝结的水"。可是，直接从一条船上俯瞰近处的湖水，它又有着非常不同的色彩。甚至从同一个观察点，看瓦尔登湖也是一会儿是蓝色，一会儿是绿色。置身于天地之间，它同时具备这两者的色素。从山顶看去，它呈现的是天空的颜色，可是走近了看，在你能看到近岸的细沙的地方，水色先是黄的，继而是淡绿色的了，然后逐渐地加深起来，直到全湖的水波一律地呈现出一致的深绿色。然而在有些时候的光线下，即使是从山顶望去，靠近湖岸的水色也是碧绿得异常生动的。有人会说，这是青翠山林的渲染，可是在铁路轨道旁边黄沙地带的衬托下，也同样是碧绿的。而且，在春天树叶还没有长大的时候也是碧绿的，这也许是天空中的蔚蓝和黄沙调和以后形成的一个单纯的效果吧。这就是瓦尔登湖虹色彩圈的成因。当春天一来，这个地方的冰块被水底反射上来的太阳热量，和土地中传播的太阳热量溶解了，呈现出一条蜿蜒曲折的河流的模样，而湖中间还是寒光熠熠的三尺坚冰。在晴朗的天气里，湖水的水波湍急地流动时，波平面是在90度的直角里倒映了天空的，或者因为太光亮了，从较远处望去，它比天空更为湛蓝。而在这种时候，泛舟湖上，环湖眺望倒影，我发现了一种无法描述、极其罕见的淡蓝色，像浸水的或变色的丝绸，还像青锋宝剑，比天空更接近天蓝色，它和波光另一面的深绿色交替闪动，那深绿色与之相比似乎更浑浊了。这是一种玻璃似的蓝中带绿的颜色，以我记忆之所及，它仿佛是冬天里日落以前西方乌云中露出的一角蓝天。可是当你在玻璃杯里装上水，举到空中看时，却如装了一杯空气一样看不出任何颜色。众所周知，一大块厚玻璃板会呈现出微绿的颜色，据制造玻璃的人说，这与玻璃的"厚度"有关系，同样的玻璃，薄了小了就不会有颜色了。瓦尔登湖该储存了多少水才能泛出这样的绿色呢，我是无法证明的。从我们这里直接朝下望所见到的是黑色，或深棕色的，一个在河水中游泳的人，像其他所有湖泊一样，在水中他的躯体是一抹黄色，但是这里的湖水却是这样的纯洁，游泳者的身体看上去像大理石一样白，而更奇怪的是，在这水中他的四肢被放大并且扭曲了，形态非常夸张，很值得让米开朗琪罗来作一番研究。

一汪湖水清澈如许，以至25～30英尺下面的水底都可以很清楚地看到。赤足入水时，你会看到在水面下很深的地方有成群的鲈鱼和银鱼，它们大约只有1英寸长，连鲈鱼横行的花纹也能看得清清楚楚。有时你会觉得这种鱼也像不愿意沾染红尘，才到这里来生活的。很多年前的一个冬天，为了钓梭鱼，我在冰上挖了几个洞，上岸之后，我把一把斧头扔在冰上，可是就像魔鬼故意要和我开玩笑似的，那把斧头在冰上滑过了四五杆远，又刚好从另一个窟窿中溜了下去。那里的水大概有25英尺深，出于好奇，我趴在冰上，从那窟窿向里望。是的！我看到了那把斧头。它头朝下斧柄竖直向上地栽在那里，随着湖水的轻微晃动而摇摆着，我想如果不是我后来把它吊了起来，也许它就会一直保持这个姿态，直到木柄烂掉为止。在斧头的正上方，我用带来的凿子又凿了一个洞，然后用刀子割下附近最长的一条赤杨树枝，在树枝的一端做了一个活结套，小心地放下去，用它套住了斧柄突出的地方，然后用赤杨枝旁边的绳子一拉，就把那柄斧头吊了起来。

除了一两处小小的平坦的沙滩，整个湖岸都是由圆滑白润的鹅卵石铺成的。它没有一处是泥泞的，并且都是陡立的，从其上纵身一跃便可以跳到一人深的水中。因为湖中水波清澈至极，你能轻易地看到这个湖的底部，而有人则认为它是深得没有底的。匆匆而过的路人会感叹道，它里面甚至连一根水草都没有，至于那些可以见到的水草，只是因为最近湖水暴涨而被淹没的湖边的草地而已，即便是细心地查看也确实是看不到菖蒲和芦苇的，那儿甚至没有黄色或白色的水莲花，最多只有一些心形叶子的草和河蓼草罢了，也许有时还可以找见一两棵水眼菜。然而，即使在湖中游泳的人也未必能找到它们，因为这些水草也像供养它们的水一样明亮而无垢。岸边的石头伸展入水,有一两杆远,水底已是纯粹的细沙了。湖的最深处,难免会有一些沉积物,一些应该是腐朽了的落叶,多少个秋天,落叶被刮到湖上堆积起来,而最后都沉入湖底;另外还有一些是绿得发亮的水苔,甚至在深冬时节拔起铁锚的时候,它们也会跟着被拔上来。

我们这儿还有一个这样的湖,就是在瓦尔登湖偏西 2.5 英里处九亩角那里的白湖。虽然还有许多湖泊是我熟悉的,可是以这里为中心的 12 英里半径的圆周之内,我却找不出第三个有这样纯洁得如同井水的湖。我想历史上大概有不少部落都饮用过这湖水,艳羡过它并测量过它的深度吧,虽然最后他们一个个消逝了,可湖水却依然澄清、碧绿。一个春天也没落下!也许远在亚当和夏娃被逐出伊甸乐园时,就在那个春天的早晨之前,瓦尔登湖已经存在了吧,甚至在那个时候,随着蒙蒙轻雾和习习南风,飘下了一阵柔和的春雨,打破了湖面的平静,成群的野鸭和天鹅在湖上游着,它们一点都不知道亚当和夏娃被逐出乐园这一回事,它们只是沉醉在这纯净的湖水中,哪儿还记得起伊甸乐园啊。也许就是在那时候,瓦尔登湖涨涨落落,澄清了它的水,染上了它现在所有的色泽,还专有了这样一片天空,成了举世无双的瓦尔登湖,也许它就是天上露珠的蒸馏器。谁知道在多少篇再没人记得的民族诗篇中,这个湖曾被誉为喀斯泰里亚之泉?在黄金时代里,有多少山林水泽的精灵曾在这里居住?这是康科德的冠冕上第一滴水明珠啊!

我想第一批到这个湖边来的人可能在这儿留下过他们的足迹。我很惊异地发现,就在沿湖被砍伐了的一个浓密的森林里,在峻削的山崖中，有一条绕湖一匝的狭窄的高架似的小径，一会儿上，一会儿下，一会儿接近湖，一会儿又离远了一些，看上去曲曲折折，或许它和最早生活在这里的人一样岁月久远。也许是土著的猎者，用脚步摸索出了这条路来，从那以后世世代代生活在这片土地上的人都不知不觉地用脚跟随而来。冬天，站在湖中央，这条路看起来更加清晰，特别是在下了一阵小雪之后，它就成了连绵起伏的一条白线，败草和枯枝都无法将它掩盖。即使是在1/4英里以外看去，小径依然格外清晰。可如果是在夏天，即使是走近去看，也还是看不出来，就像雪花用清晰的白色浮雕又把它印刷出来了。但愿到了将来，当后人在这里建造一些山间别墅的时候，别把这条人类早期活动的痕迹给擦掉了。

湖水时涨时落，没有规律可循，如果有规律，又是怎样的周期呢？唉！谁也不知道的啊，尽管有人声称知道，可他们谁也说不出来，那只不过是信口开河罢了。通常冬天的水位要高一些，夏天的会低一些，但水位与天气的干燥潮湿却是没有关系的。我对住所旁边的湖水涨落十分清楚，譬如，什么时候水退到比我住到那儿的时候低了一两英尺，什么时候又涨高了至少有5英尺。那儿有一个狭长的沙洲伸展到湖中，它的一面是深水，离湖岸约6杆。大约是1824年，我曾在那沙岛上面煮开过一锅杂烩，可是此后一连25年水都淹没了它，我再也不能去煮什么了。在数年之前，我曾经常驾一叶扁舟，到森林中那个僻隐的山坳里垂钓，那地方离我现在看得见的湖岸约15杆远，可现在早已成为一片草地了。我把这些告诉我的朋友们，他们常常将信将疑。可是，近两年来，湖水一直在涨高，到现在——1852年的夏天，比我刚搬到这儿来居住的时候已经高出5英尺,接近于30年前的高度,那片草地又可以泛舟垂钓了。从表面上看,水位已涨了六七英尺,可从周围的山上流下来的水量实际上并不多,我想涨水可能跟那些深处的源泉有关吧,可在同一个夏天里水又退了。这种惊人的涨落,需要好几年才能够完成。我观察到一次涨,又部分地观察了两次退,我想大概在12或15年后,水位又要回落到以前的地方了。在东面一英里的费林特湖有泉水流入,又有流水出去,湖水的涨落剧烈,而一些介于这两个湖中间的较小的湖泊却和瓦尔登湖同进退,最近也涨到了它们的最高水位。据我观察,白湖的情形也如此。

我想瓦尔登湖间隔很久的涨落至少有这样一个作用:最高水位维持一年左右,沿湖步行固然困难,但沿湖生长的灌木丛、苍松、白桦、桤木和白杨等树木都被冲刷走了,当水位退下后,一片干净的湖岸就留在那儿了。瓦尔登湖不像别的湖泊和那些昼夜涨落的河流,在水位最低时,它的湖岸反而最洁净。在我屋边的湖岸上,一排15英尺高的苍松被淹死了,看起来像被杠杆撬起来似的,倒在地上,瓦尔登湖就是用这种方式赶走了树木的入侵。而树木的年龄正好说明了上次水位上涨到这个高度到现在有多少年了。瓦尔登湖以这样的方式保护了它对湖岸的拥有权,我们可以看到湖岸就这样被刮去了胡须,树木不能随心所欲地来占领它。湖用它的舌头舔个不停,使这些胡子无法形成气候。当湖水涨到最高时,桤木、柳树和红枫就从它们被淹在水里的根上伸出大量纤维质的红根须,这些根须长达数英尺,离地有三四英尺之高,它们想用这样的方法来保护自己。我还发现,在岸边高处的浆果灌木丛，以往是不结果实的，而在这种情况下，却会有大丰收。

湖岸何以堆砌得如此整齐呢？人们百思不得其解，然而镇上流传着这样一个传说。一个年龄最大的老汉告诉我——他说听说这个故事的时候他还是一个毛头小伙——在古时候，正当印第安人在一个小山上举行狂欢庆典的时候，小山忽然升到了高高的天上，就像湖现在这样深深降入地下一样，据说这是因为他们有许多亵渎神灵的举动（其实印第安人从没有犯过这种罪），就在他们亵渎神明的时候，山岳震撼，大地突然间沉了下去，只有一个名叫瓦尔登的印第安女子，逃掉了性命，从此这湖就用了她的名字。然而据我猜想，大概在山岳震撼时，这些圆石滚了下来，铺成了现在的湖岸。我想无论如何，有一点是可以确定的，那就是以前这里并没有湖，而现在却有了一泓碧水。这一个印第安神话应该跟我前面说过的那位古代居民不相冲突，这远古的居民清清楚楚地记得在他初来时，带来一根魔杖，他看到草地上升起一道稀薄的雾气，而那根魔杖直指其下，直到后来他决定在此挖一口井。至于那些石子呢，很多人认为它们不可能来自于山的震动。然而据我观察，四周的山上有很多这样的石子，以至于人们不得不在铁路经过的最靠近湖的地方的两边筑起围墙，而且我们可以看出在湖岸愈是陡峭的地方，石子愈多，所以，我敢大言不惭地说，这湖的形成已不再有什么神秘可言了。我想我已经知道铺砌的人是谁了。如果这个湖名不是由当地一个叫萨福隆·瓦尔登的英国人的名字衍生出来的话，我想瓦尔登湖原来的名字可能是"石墙围绕之湖"吧。

我觉得，瓦尔登湖就是一口天然水井。一年中有四个月它的水都是冰冷的，正如它的水一年四季都是清澈晶莹的一样。我想，即使它算不上乡镇上最好的水，至少也不输其他任何地方的水吧。在冬天里暴露在空气中的水，总比那些大地裹护的泉水和井水更冷些。我做过这样一个实验，从下午5点到第二天，即1846年3月6日正午，在我静坐的房间内，寒暑表温度有时是65华氏度，有时是70华氏度，我知道这是因为太阳曾照在我的屋脊上。而从湖中汲取的水，放在这房子里，温度却一直保持在42华氏度，比起村中最冷的一口井里当场汲取的井水还低了一度。而在同一天内，沸泉温度是45华氏度，那是经我手测量的所有水中最温暖的水了。但到了夏天，它又成了砭人肌骨的冰水，因为它的水浅，流动性比较差。

在夏季，因为瓦尔登湖很深，也就不同于一般暴露在阳光底下的水。它没有一般水体那么热。在最热的时候，我时常提一桶水，放在地窖里面。到夜间一冷却下来，就整天都冰爽无比。有时我也会到附近一个泉水里去汲水，即使放一个星期，水也还像刚汲出来的一样冰爽、清冽，而且没有抽水机的味道。在夏天，如果在湖边露营的话，只要在营帐的阴凉处，把一桶水埋下几英尺深，就不需要冰块这种奢侈品了。瓦尔登湖真是一块宝地啊。

我曾在瓦尔登湖捉到一条7磅重的梭鱼，还有一条更了不得，竟飞速地把一卷钓丝都拉走了，渔夫因此没有看到它，不过估计它最少也有8磅重吧。除此之外，我们还捉到过鲈鱼、大头鱼（它们大约有两磅重）、银鱼、鳊鱼，极少量的鲤鱼，两条鳗鱼（其中有一条有四磅重）。我把鱼的重量写得这样详细，是因为它们的价值一般是根据重量来决定的,至于鳗鱼,除了这两条我还没有听说过另外的。除此之外,我还隐约记得一条5英寸长的小鱼,两侧是银白色的,背脊呈青绿色,有鲤鱼的习性。亲爱的读者不要嫌我啰唆,我提起这条鱼,主要是为了把事实和寓言连接起来。然而,这个湖里的鱼并不多。梭鱼也不多,但值得夸耀的也正是梭鱼。有一次,我躺在冰上,至少看到了三种不同的梭鱼,一种扁而长,钢灰色,像从河里捉到的一样;一种是亮晶晶的,有绿色的闪光,生活在深水中;最后一种是金色的,形态跟上一种相近,但身体两侧有棕黑色或黑色斑点,中间还夹着一些淡淡的血红色斑点,很像鲑鱼,但和学名 *reticulatus*(网形)对不上号,被称为 guttatus(斑斓)才比较恰当。这些鱼都很结实,它们的实际重量要比看上去的重得多。银鱼、大头鱼、鲈鱼……这个湖中的水族,确实都比一般的河流和多数其他湖泊中的鱼类,都要更洁净,更漂亮,更健壮。因为这里的湖水更清澈,你可以很容易地把它们区别出来。我想有兴趣的鱼类学家或许可以用它们来培育出一些新品种吧。此外,还有一些喜爱清洁的青蛙和甲鱼,些许的贻贝;麝香鼠和貂鼠也在这里留下过它们的足迹;偶尔还有从烂泥中钻出来的甲鱼,它一定是旅游经过的吧。有一次,我在黎明中把我的船推离湖岸时,一只夜里躲在船底下的大甲鱼被我惊吓得落荒而逃。春秋两季,野鸭和天鹅是这里的常客,白肚皮的燕子(学名 *Hirundo bicolor*)也会偶尔在水波上掠过。而在夏天,满身斑斓的田凫(学名 *Totanus macularius*)摇摇摆摆地在石头岸边散步。我有时还会惊起湖水上面坐在白松枝头的一只鱼鹰。有一点遗憾的是,我不知道有没有海鸥来过，就像它们曾飞到过美港一样。潜水鸟每年都要飞来一次。至此，这湖的所有重要常客都已登台亮相了。

在宁静的初冬，坐在船上，你可以看到，在东边的沙滩附近，水深8～10英尺的地方，有一堆堆圆形的东西，高约1英尺，直径约6英尺，堆的是比鸡蛋略小一些的圆石，而在这一堆堆圆石周围，全是黄沙（在湖的有些地方，也可以看到）。起初，你会感到很惊奇，认为这可能是那些印第安人故意在冰上堆积的，可是等到冰雪融化了，它们就会沉到湖底。即便如此，那还是堆放得太细致有序了，而且有些是新鲜的圆石，它们和河流中可以看见的那些圆石很相似。但是这里没有胭脂鱼或八目鳗，我确实不知道它是哪一种鱼的建筑。也可能它是银鱼的巢。这样，水底就又有了一种愉快的神秘感了。

湖岸千曲百回，走在上面一点也不会感到单调。我用心灵之窗扫视着，只见一个个岬角相互交叠着，西岸是深深的锯齿形的深水湾，北岸较开朗，南岸犹如美丽的扇贝，让人不禁猜想岬角之间一定还有人迹未到的小海湾。在湖中央放眼望去，四周的森林简直是湖面再美丽不过的背景了。你看！森林倒映湖面，湖水不仅使近景犹如仙山琼阁，而且那弯弯曲曲的湖岸，又做了它最洒脱明快的轮廓线了。湖的四周没有任何造作和遗珠之憾，绝不像斧头砍伐出的林中空地，更不像那露出了一片开垦过的田地的那种地方。在这儿，树木可以随意地向着水边扩展，每一棵树都会向水边伸出最强有力的枝丫。在我看来，这里是大自然编织的一幅再自然不过的织锦，我们从沿岸最低的树渐渐地望上去，直到那最高的树。这儿很少能见到人工斧凿之处，啊！这真是一幅让人难忘的画面啊！浪涛拍岸，千百年来从不停息。

湖是所有自然风景中最美、最富有表现力的存在。它是大地的眸子，凝望它的人可以反思出自己天性中的不足。那湖边的树木如同睫毛一样镶在上面，而四周树木葱郁的群山和山崖就是那浓密突出的眉毛了。

在一个平静的9月的下午，我站在湖东边平坦的沙滩上，薄雾笼罩着对岸，就在那一瞬间我了解了所谓"波平如镜"这个词的真谛。这时你若再转过身，就会发现一条精细的薄纱挂在山谷之上，衬着远处的松林熠熠生辉，层层大气也被隔开了，让人觉得就像进入了幻境，不禁会产生这样的幻想，觉得可以从湖面信步踱到对面的山上去而滴水不沾，那掠过水面的燕子也仿佛是停在水面上的，不会下沉，有时甚至看见它们真的潜到水中。你愣了一下，继而恍然大悟，这一切都是幻觉。当你向西望去，你需要用双手来护住眼睛，避免受到自然的太阳光和水中的太阳光的双重照射。这两个太阳都是那么炫目耀眼，如果此时你能够在这两种太阳光之间细细地审视湖面，你就会理解"波平如镜"的意思。

一些在水面上滑行的长足虫星罗棋布地分散在湖面上。它们在阳光照耀的湖面轻盈地滑动，撩起想象不尽的绮丽波光。有时，你还会在湖面上看见一只鸭子在整理它的羽毛。正如我已经说过的那样，也许还有一只燕子在水面上掠过，仿佛触到了水；也许在远处，有一条鱼在空中画出了一个大约三四英尺的圆弧来，闪起一道波光，然后降落入水，又一道闪光，有时会画出一道道银色的圆弧。可以想象这些都是多么美丽的景象啊！有时湖面上漂着一根蓟草，鱼向它一跃，水上便又泛起一阵阵涟漪。这一切真是妙不可言，就像玻璃的溶液，已经冷却但还没有凝结，而连夹杂在其中的些许杂质也显得那般纯洁而美丽，如同玻璃中的小气泡，美得让人目炫。当然，你还常常可以看到一片更平滑黝黑的水，好像被一张肉眼看不见的蜘蛛网隔开了，成了水仙林妖在湖上歇息的栅栏。站在山顶向下俯瞰时，能看到任何一处跃起的鱼。在这一泓碧绿的湖面上，只要有一条梭鱼或银鱼捕捉虫子就会打破这里的平静。真是令人叹为观止！这简简单单的一件事，却可以这么精巧地呈现——这水族界的谋杀案也会骤然暴露在我眼前——我站在远远的高处，可以看到那慢慢扩大的涟漪，它们的直径有五六杆长。有时你甚至还可以看到水蝎在平滑的水面滑行0.25英里，它们微微地犁出水上的皱纹来，分出两条界线，激起明显的涟漪，而掠水虫在水面上滑来滑去的漫步也很难留出如此清晰可见的痕迹。在湖水澎湃之际，你是看不到掠水虫和水蝎的身影的。只有在风平浪静的时候，它们才会从自己的窝巢出来，探险似的从湖岸的一面，短距离地慢慢地向前滑去，直到它们滑过整个湖。可以想象这是何等舒服惬意的事啊！在一个风和日丽的秋日里，我坐在一个高高的树桩上，充分享受着阳光的温暖，湖景尽收眼底，感觉真是美妙惬意！我通常会细看那些圆圆的漩涡，天空和树木都倒映在微微荡漾的水涡里！水面是如此平静，如果没有这些涟漪是根本看不出水面的。这样广阔的水面上，是如此平静，即使偶尔有什么惊扰，也会立刻柔和地复归于平静，然后消失。该怎么比喻好呢？就好像在水边装了一瓶水，那些战栗的水波流回岸边之后，立刻又平滑了一样。鱼跃水面，虫落湖心，激起串串涟漪。这些美丽的涟漪是湖的颤动，仿佛生命之泉在喷涌，生命在轻柔地搏动。它胸膛的呼吸起伏，是欢乐的震颤？还是痛苦的战栗？我们都无从分辨。秋色下的湖面是如此祥和纯美，而人类的工作又像在春天里闪着光。看啊！树叶、枝丫、石子和蜘蛛网在下午茶时又在发光，犹如在春天的早晨缀满露珠一样。每一片落叶、每一只虫子的动作都能发出一道闪光来，而一声桨响，又激起何等甜蜜的回音！瓦尔登真是一个仙境啊！

仲秋九月或金秋十月的瓦尔登是森林中一面用石子镶边的尽善尽美的明镜。在我看来它就是珍贵的稀世珍宝，再也不会有其他什么会比这一个仰卧在天地之间的湖泊更美、更纯洁了。天空之水啊，看着它，你能感觉到你的心灵在净化。它无须围栏，一个民族来了，又离去了，都不能玷污它的贞洁。这一面明镜，石子敲不碎，它的水银也是永远不会褪色的，它外框的装饰总是那样完美，因为大自然会经常更换。风暴、尘垢，是不会使它蒙尘的，它的表面总是一尘不染——这一面镜子，任何污垢落在它上面，马上就会沉淀；太阳用它的薄雾刷子轻轻地拂拭——这是光的拭尘布，吹气在上，也了无痕迹，水汽蒸腾，直上青天，成为云朵，马上又把自己映衬在湖的胸襟里。

我想，即使是空中的精灵也不会舍得离开这片湖面的，所以它会经常从上空接受新的灵气和旨意。湖真是天地之间的灵媒啊！在大地上，草迎风而动，水也因风而泛起涟漪，我可以从粼粼波光上看到风的影子。我们俯视湖面，里面真是奇妙无穷。也许我们还应该细细揣摩水中的云天，看是不是有难以察觉的精灵和天使轻轻滑过她的面庞。闭目静思，真是惬意至极啊！

　　10月中旬以后，掠水虫和水蝎再也看不见了，落叶满地，白霜覆盖。想想看，在11月的任何一个艳阳天里我们的瓦尔登湖会是什么样呢？好吧！我就不再打哑谜啦，通常，这里没有任何东西再在水面上激起涟漪。绵绵细雨终于停止的一个午后，天空还是阴沉沉的，薄雾弥漫。就在此时，我亲爱的读者们，我发现湖水出奇的平静，简直看不出它的湖面，虽不再反映10月份的光辉色彩，却反映出了11月黯然的颜色。这真是一个不一样的瓦尔登湖啊！我静静地泛舟湖上，船尾激起的微弱水波一直延伸到我的视野之外，湖中的倒影颤颤巍巍。我眺望湖面，隐隐看出微微泛出的光亮，仿佛是那些躲过了严霜的掠水虫又在这儿聚会了，这一切真是太不可思议了。大概是湖面太平静了，就连湖底涌动的泉水都能清晰可辨。等我划桨到了那些地方，我才惊讶地发现，我居然被亿万条小鲈鱼包围了，它们都只有5英寸长；此时的绿水中满是斑斓的古铜色，它们在那里嬉戏着，时不时浮出水面，激起一些小小的水涡，甚至会留下一些小小的水泡漂在水面。云彩映照在空明无依的水中，我感觉好像坐上了氢气球飘浮在空中，鲈鱼就像在云天里盘旋、飞翔的鸟。它们和我处在同一高度，左旋右绕；它们的鳍像张满风的帆一样张挂着，来回穿梭着。这个湖中的许多水族，在冬天降下冰幕、遮去天光之前，是要在水面活跃一下的，那些被它们激荡的水波，有时就像一阵微风掠过，或者像一阵轻轻的小雨点落下。每当我漫不经心地接近它们时，它们会突然惊慌起来，尾巴横扫，激起水花，好像有人用一根树叶茂密的树枝猛击水面一样，一下子都躲到湖底去了。

后来，风起云涌，水波暗动，鲈鱼跳跃得比以前更高，半个身子都露出水面，这些3英寸长的鱼会一起跳起，形成上百个黑点。

有一年，甚至晚到12月5日，我还看到水面上有水涡，空中弥漫着浓雾，我还以为马上就会下大雨了，于是赶紧坐到桨座上，准备划船回家去。雨点似乎越来越大了，但奇怪的是我没有感到雨点打在脸颊上，其实我早做好了被淋成落汤鸡的准备。正当我疑惑怎么没有被淋湿的时候，水涡突然间全部没有了，这时我才知道原来是鲈鱼在戏水的缘故，是我的桨声惊扰到它们，它们成群结队地急忙消隐到深水中去！那天，我衣衫干爽，滴水未沾。

有个老人说，大概在60年前，他经常在夜幕即将到来的时候会来到我这里的湖边，那时湖面很热闹，水面上到处是鸭子和别的水禽，湖上的天空中有许多老鹰在盘旋。他常常到这里来钓鱼，还在岸上找到一只古老的独木舟，大家都不知道这条船属于谁，或许是属于瓦尔登湖的吧。那是一只中间挖空的由两根白松钉在一起、两端都削成四方形的船。虽然这个独木舟很粗笨，但他还是用了很多年。我想现在它也许已沉到湖底了吧。他常常把山核桃树皮一条条地捆起来，做成锚索，不得不说这真是一个不错的创意。还有一个老翁，他是一个陶器工人，在革命以前就住在湖边的，他告诉过我，说是在湖底下有一只大铁箱，他亲眼看到过。有时，它会随水漂到岸边，可是等你走近的时候，它就又回到深水里，就此消失了。

听到老人说起独木舟，我兴致勃勃，这条独木舟代替了另外一条印第安的独木舟，材料还是一样，可是造型要雅致得多。我曾揣测过这个独木舟的形成。原先那大约是岸上的一棵树，后来，倒在湖中，从一代人出生到逝去，它就一直在湖上漂荡，最后形成了这个独木舟。我想，对瓦尔登湖来说，它是最好的独木舟！我记得我第一次凝望这片湖水的深处时，隐约见到许多大树干横卧在湖底，如果不是大风把它们吹折的，那么便是经砍伐之后，停放在冰上的吧，因为那时候木料的价格太便宜了，可是现在，这些树干大部分都已经消失了。

还记得我初次在瓦尔登湖泛舟的时候，浓密高大的松树和橡树围在它四周，而在有些山凹中，葡萄藤爬上了湖边的树，搭起一座座凉亭，我的船可以在下面悠然通过。形成湖岸的那些山都非常陡峭，山上的树木高大，从西端望下来，整个地方犹如一个圆形剧场，水面可以演出山林舞台剧。我年轻的时候在这儿消磨了不少光阴，我常像清风一样在湖上游荡。在一个夏日的上午，我通常会先把船划到湖心，然后舒展四肢躺在座位上，似梦非梦地任船儿在湖上漂荡，直到船撞在沙滩上，我才惊醒过来，这时我懒洋洋地欠起身来，看看命运已把我推送到哪一个岸边来了。那种日子真是悠闲，懒惰是最诱惑人的，当然它的产量也是最丰富的。许多这样的上午，尽管"一日之计在于晨"，我仍是一个人"偷得浮生半日闲"。因为我是富裕的，当然不是指金钱，而是说我可以肆意挥洒那些阳光灿烂的日子。可后来砍伐木材的人越来越多，而我从此竟要有许多年不能再在林间的小径上徜徉了，不能从林中随意一瞥而见湖光山色了。因此，我的缪斯女神如果沉默了，那也是情有可原的。百灵鸟的寓所已被拆掉，你还能指望她那婉转的歌喉唱出优美的曲调吗？

现在，湖底的树干、古老的独木舟、四周葱郁的林子，都消失了。村民原本连这个湖在哪里都不知道，可现在知道后，却不是跑到这湖上来游泳或喝水，而是想用一根管子来把这些湖水引到村中去给他们洗碗洗碟子。真是悲哀啊！这恒河之水一样的圣水！而他们却想转动一个开关或是拔起一个塞子就利用瓦尔登的湖水了！还有那恶魔般喷气吐雾的钢铁之马，那刺裂耳膜的声音已经在全乡镇都听得见，它那肮脏的脚步使沸泉的水混浊了，也正是它，把瓦尔登岸上的树木吞噬了。这"特洛伊木马"，腹中躲了千百个人，全是那些经商的希腊人想出来的！但是哪里去找这个国家的武士——摩尔大厅的摩尔人，到名叫"深割"的创伤最深的地方去，掷出复仇的投枪，刺到这傲慢瘟神的肋骨上呢？

在我所知道的一些特异个性之物中，也许只有瓦尔登最为奇特，因为只有她最持久地保持了它的纯洁。许多人都曾经被喻为瓦尔登湖，但当之无愧者却没有几个。尽管伐木人把湖岸的树木一片片先后砍光了，爱尔兰人也已经在这儿建造了他们的陋室，铁路线也已经侵入了它的边境，冰块商曾在湖上采过冰块，但瓦尔登湖仍保持着自己的那份纯洁。它仍是我在青春时代所见的那一泓湖水——那样的清澈、纯净，反倒是我变了。现在看看它，波痕层层，却并没有一条永久性的皱纹，它是永远年轻的。我站在湖畔，看到一只飞燕像往常一样突然扑下，从水面衔走一条小虫。今夜，它深深地触动了我，这二十多年来我几乎从未离开过——啊，这就是瓦尔登湖——许多年前我发现的那个林中湖泊呀！这儿，去年冬天被砍伐了的森林，今年春天又顽强地冒了出来。同样的思潮又像当年一样涌上心头，还有那令人鼓舞的欢乐与幸福。是的，这就是我的喜悦。这湖该是一个大英雄的作品,没有丝毫的虚伪!他用他的巨灵之掌围起了这一泓湖水,在他的思想中,予以深化、澄清,并作为遗产传给了康科德。我从湖的面容里探知了这一切,以至忍不住要问一问:"瓦尔登,是这样吗?"

> 我并不在梦境,
> 让一行诗句显得荣耀;
> 我生活的瓦尔登湖
> 再没有比这里更接近上帝和天堂的。
> 我是它的圆石岸,
> 是它心头飘拂而过的风;
> 在我的手心里,
> 是它的碧水,它的白沙,
> 而在它的最深邃僻静处
> 我的思想静卧其中。

火车是从来不会停下来欣赏这湖光山色的,司机、司炉工、制动手和那些买了月票的旅客,倒是常常会看到这美景,这些景色是为那些善良的人准备的。司机并未在夜里忘掉它,或者说他的天性并没有忘掉它,在白天他至少有一次瞥见这庄严、纯洁的景色。我想就算他只是一瞥,也已经可以洗净州政府大街和那机车上的油腻了。不是还有人建议过,称这湖为"神灵的水珠"吗?

我曾说过,瓦尔登湖是没有明显的进水和出水口的,一面它与费林特湖暗中相连,费林特湖地势较高,两者之间有一连串的小湖泊通过来；在另一面显然它又直接和康科德河相连，康科德河比较低，却也有一连串的小湖泊横在中间。我想在另一个地质学的年代中，它也许泛滥过，只要稍加开掘，它们便会相互贯通，但上帝是禁止这种挖掘的。湖是这样含蓄而自尊，像隐士一样遁入林中修炼多年，才有这样令人叹为观止的纯洁。要是让费林特湖那不太纯洁的湖水流到这里，又假如它自己那甘冽的湖水流到海洋里去，谁不为之惋惜呢？

　　林肯区费林特湖又称沙湖，是我们这里最大的湖或内海，它位于瓦尔登湖以东约1公里处，大约有197英亩，鱼类很丰富，但是水比较浅，且水质也不太好。有一次为了消遣，我穿过森林散步到那里去过。就算只是让风自由地扑到你的脸庞上，就算只是看那连绵不绝的波浪，就算只是在这里猜想着水手的海洋生活，我想再累也是值得一试的。在风起云涌的秋天里，我常去那里捡拾栗子。那时栗子掉在水里，又让波浪卷到我的脚边。有一次，我在芦苇丛生的岸边爬行时，清新的浪花扑上我的脸庞，真是令人心旷神怡啊！这一次我在灯芯草丛中见到了一条船的残骸，船舷已不知去向，几乎只剩一个船底。但船的外形模样还能看得出来，似乎这是一个大的朽烂了的甲板垫木，连纹路都很清晰。这是海岸上人能想象得到的给人印象最深刻的破船，当然这其中也蕴涵深刻的教训。现在它已成了一块腐质土壤和难以辨认的湖岸，菖蒲和灯芯草都已旺盛地生长在其间。我常常沉醉于欣赏湖北岸沙滩上涟漪的痕迹，由于水的压力，湖底的沙土都板结了，涉水者可以放心地在上面行走。一行行的灯芯草，排成弯弯曲曲的行列，与波浪相对应，像波浪把它们种植在那里的一样。

在那里，我还发现了很多奇怪的球茎，显然是细草和根茎组成的，我想也许是谷精草的根吧。它们的直径有半英寸到4英寸不等，是很完美的球体。这些圆球在浅水的沙滩上随波滚动，有时还被冲上岸来，它们大多都是团得紧密的草球，要不就是中间含有些许沙粒。起初，你会说这跟鹅卵石一样是波浪的运动所形成的，但是最小的半英寸的圆球，其质地也跟大的那些一样粗糙，而且它们只在每年的其中一个季节内产生。所以我怀疑，对于一个已经形成的东西，这些波浪所起的破坏作用是多于建设的。况且这些圆球，在离开水面干燥以后很长一段时间还能保持原样。

费林特湖！看看！我们的命名是何等乏味！这个将农庄建在水天之滨的农夫，浑身臭气逼人，而且长着一个榆木疙瘩的脑袋。他把这湖岸弄得一塌糊涂，他有什么资格用他的名字来给这湖命名呢？他很可能是一个吝啬鬼，他更爱那亮晃晃的美元或白花花的分币，从那银子的反光中可以看到他自己那无耻的嘴脸。连野鸭飞来，他也认为是擅入者；他习惯于残忍贪婪地攫取东西，以至于手指已经像弯曲的鹰爪。哎！这个湖的名字真是让我倒胃口。我到湖上去，绝不是为了看这个费林特的，也绝不是去听人家说起他。也许他从没有好好地欣赏过这个湖，从没有在里面游过泳，从没有爱过它，从没有保护过它，从没有说过它一句好话，也从没有因为上帝创造了它而感恩。我总觉得这个湖还不如用在湖里游来游去的那些鱼的名字，或是用常到这湖上来的飞禽和走兽的名字，或是用生长在湖岸上的野花的名字，又或是用什么原始人或野孩子的名字来命名呢，毕竟他们的生命曾经和这个湖交织在一起过。反正就是不要用那个农夫的名字，除了那伙臭味相投的邻居和法律给予他的契据外，没有人认可他对湖的所有权，因为他满脑子只想到金钱的价值。他的存在让湖岸遭受了一场浩劫，他榨尽了湖边的土地，恨不得竭泽而渔呢。他或许还在抱怨这里不是生长英吉利干草或浆果的牧场呢——当然，他也知道这不过是想想而已——如果湖底的污泥可以卖钱，他会不惜把湖弄个底朝天。湖水又不能替他转动磨盘，对他来说，美丽的风景根本没有欣赏的价值。我对他的劳动充满鄙夷，因为他的田园处处都标明了价格。如果有好处可捞，我想他会把风景甚至于上帝都拿到市场上去拍卖。哎！在我看来金钱就是他的上帝，他到市场上就是为了他那个上帝。在他的田园上，没有一样东西是可以自由地生长的；在他眼里，田里没有绿苗，牧场上没有美丽的花，果树上没有诱人的鲜果，而有的只是数量不同的美金。他尝不到这些水果的甜美，除非它们变成金钱时，那些水果才算真正意义上的成熟了。其实我觉得如果生活是这样的话，我宁愿去过那真正富有的简朴生活。那些越是淳厚的农夫，越能得到我的敬意与关切！来看看这个所谓的模范农场吧！那里的田舍像粪坑上的菌类一样耸立着。人、马、牛、猪都有或清洁或污秽的房舍，它们相互嗅着彼此的气息，而人也像畜生一样蜗居其中，油渍、粪便和奶酪的气味混在一起。在一个高度文明的社会里，人的心灵和大脑变成了粪便似的肥料！因此你要在坟场上种土豆也是可以的！呜呼哀哉！这便是所谓的模范农场！

不，不，如果最美的风景要以人名来称呼，那就用最高贵、最有价值的人的名字吧。至少像"伊卡洛斯海"那样，在那里"声声海涛，依然传颂着一次勇敢的探险"。

鹅湖很小，就在我去费林特湖的途中。美港是康科德河的一个尾闾，面积有70英亩，在西南面一英里的地方，白湖的面积大约40英亩，在美港过去一英里半之处，便是我的"江南水乡"。这些再加上康科德河，就构成了我所醉心的王国。昼夜交替，年复一年，我云游其中，它们是如此的摇曳多情。

自从伐木工人、铁路和我自己玷辱了瓦尔登湖以后，在所有湖中最动人的要算白湖了，即便它并不是最美丽的。它是林中珠宝，它楚楚动人，它的名字大约来源于其水的纯洁、沙粒的洁白。这些方面同其他方面一样，和瓦尔登湖相比就像一对孪生兄弟，但它还是稍逊一筹。它们俩是如此相似，让人不禁怀疑它俩一定在地下相互接连。同样是圆石的湖岸，同样的纯洁的水色，如同在瓦尔登湖上一样。在盛夏酷暑之际，透过森林俯瞰那些不太深的湖湾的时候，湖底的反光给水波染上一层雾蒙蒙的青蓝色，或者说是海蓝色。

多年以前，我经常往返其间，看见一辆辆车子来运沙子去制造砂纸。对于我们这些常去游玩的人来说，我们更愿意称呼它为新绿湖。当然由于下面的情况，也许还可以称它为黄松湖。大约15年前，这儿有一株苍松的华盖，这种松树虽不是什么特别名贵的植物，但在这一带，人们还是称它为黄松。这株松树从离岸有几杆远的湖水中伸出。所以，有人推断说这个湖下沉过，这一棵松树就是以前在这地方的原始森林的残遗。我发现，早在1792年，有一个本地公民写过一部《康科德镇志》(收藏于马萨诸塞州历史学会)。作者在谈过瓦尔登和白湖之后，接着说，"在白湖中心，当水位降低之后，可见一树，似早就生长在这里，虽处于水面之下50英尺之深处,且此树的顶冠早已折断,然据测折断处直径14英寸"。

1849年春天,有个住在萨德波里,最靠近白湖的人,在一次交谈中告诉我,大概在10年或15年之前他把这棵树拖出了水面。据他回忆,这树离湖岸12～15杆远,那里的水有三四十英尺深。一个冬天,上午他去掘冰,下午又找了邻居帮助,要把这老树从湖中拖上来。他锯开一长条冰,一直锯到岸边,用牛来拖树,打算把它拔起,拖到冰上。可是还没有进行多久,他惊异地发现,他拔起的是树的下半部分,那些枝丫都是向下的,紧紧地插进湖底。树干最粗的一端直径有1英尺,他原本指望能得到一些可以锯开的木料做木板,可是这些树干已经腐烂得只能当柴火了,这还是说如果愿意拿它当柴火的话。那时候,他家里还剩一点底部有斧痕和啄木鸟啄痕的木料。他认为这是湖岸上的一棵死树,后来被大风吹到湖里,树顶浸透了水,而树干还是干燥的,因此比较轻,倒入水中之后就颠倒过来了。他那80岁的父亲都不记得这棵黄松是什么时候栽进湖中的。湖底还可以见到几根巨大的树干,水波颤动,就像一些蜿蜒巨大的水蛇在湖底游弋。

这个湖是很少被船只玷污的,因为湖中几乎没有吸引渔夫的生物,没有白色的睡莲,也没有常见的菖蒲。在那纯洁的水中,只依稀地在那一圈沿湖岸的圆石附近点缀着蓝菖蒲,每当6月中旬,蜂鸟飞来的时候,那蓝色的叶片和蓝色的花朵以及它们那翩翩起舞的倩影,与浅浅的蓝灰色的湖水交相呼应,融为一体。

白湖和瓦尔登湖是大地表面上两块巨大的水晶,是光芒四射的湖。如果它们被永远地冻结了,而且又小巧玲珑,可以拿起来的话，那么我想也许它们早已经被奴隶们拿了去，像宝石一样，镶嵌在国王的皇冠上了吧！可是，它是如此宏大，才得以永远保留给我们和我们的子孙后代，而我们呢？却弃之如敝屣，满世界去追求那冰冷的大钻石，人类有时候真是可悲啊！这两个湖是没被污染的，是如此的纯洁，它们是无价之宝。我们对它们是无可挑剔的，它们比起我们的生命来，不知美了多少；比起我们的性格来，不知透明了多少！和农家门前鸭子凫水的池塘一比较，跃然而现的是它们的超凡脱俗！爱清洁的野鸭只在这里休息。世人是无法感受到鸟儿连同它们的霓裳、婉转的歌喉与百花浑然一体。可是有哪个少男少女，是同大自然奔放华丽的美相协调的呢？大自然正在孤芳自赏，远离了人类居住的地方。谈什么天堂，你是在侮辱大地！

贝克田庄

每当我徜徉在这松树密林下,总感觉松树既像高耸的庙宇,又像海上整装待发的舰队,树枝像波浪般摇曳起伏,如同涟漪般熠熠生辉,看到这样柔和而碧绿的浓荫,就算是古时凯尔特人的巫师德洛伊德估计也要放弃他的橡树林而跑到这里来顶礼膜拜了。有时我跑到费林特湖边的杉树林里,那些参天大树上长满了茸毛已经变白的蓝浆果,它们越长越高,即使是把它们移植到北欧神话中沃丁神接待英灵的法尔哈拉神殿也一点都不逊色,而盘绕在杜松上的藤蔓结着累累果实,铺在地上。

有时,我还会跑到沼泽地去,那里有像彩霞一样从云杉上垂悬下来的松萝地衣;还有一些好似沼泽诸神在地面上摆的圆桌一般的野菌类;那些像蝴蝶又像贝壳的香菇更加美丽,点缀在老树根上;淡红的石竹和山茱萸在那里生长着,火红的桤果像精灵的眼睛般闪亮;蜡蜂在树干上攀缘时,再坚硬的树干也会被它们刻下破坏的痕迹;野冬青浆果味道之美真是使人流连忘返;此外,还有许许多多野生的不知名的野果将使你乐不思蜀,只让人觉得此物只应天上有，人间哪得几回尝。

我没有去拜访哪位学者，只是访问了一棵棵奇特的树和在附近一带也是稀有的林木，它们有的在林场的中央高高耸立着，有的生长在森林、沼泽的深处，有的生长在小山上。譬如黑桦木，我就看到一些好的典范，直径有两英尺之多；还有它们的姐妹黄桦木，好像穿着一件宽松的金色长袍般散发着一种奇异的香味；还有躯干洁净笔直的山毛榉，在它们身上就像描绘着美丽的苔藓之色，真是有着说不出的美妙。除了一些散布的样本外，在这个乡镇一带，我只知道有这样一片小小的林子，树身已经相当粗大了，听别人说这还是一些被附近山毛榉的果实吸引而来的鸽子播下的种子。当你劈开这些树木的时候，明亮可鉴的银色细粒熠熠生辉，此外还有椴树、角树、假榆树，不过这里长得较粗壮的只有一棵。还有一种高高的松树，可以用来制作挺拔的桅杆和木瓦，还有一种比一般松树更美妙，像一座宝塔一样矗立在森林中的铁杉，此外，还有许许多多我叫不出名字来的别的树木。这些神庙就是我在夏天和冬天所拜访过的。

我还有过一次很美妙的巧遇，当时我恰好站在一道彩虹的桥墩上，这条彩虹映照在天穹之下，把四周的花花草草都染成了彩色，让我感觉好像在欣赏一个彩色斑斓的万花筒一般，令人眼花缭乱。这里就像一片散发着七色霞光的湖泽，此时此刻，我感觉自己像一只徜徉在其中的海豚。我想要是它能持续得更长久一些，我的事业与生命之上或许就会永远渲染上这艳丽的七彩之色。当我行走在铁道旁边的时候，我常常惊奇地发现在我的影子周围有一道光环，让我有一种上帝一定也在宠爱着我的感觉。有一个访客告诉我,这种光环根本不会在他面前的爱尔兰人的身影周围出现,这种独特的标记只有本地土生土长的人才有。

班文钮托·切利尼在他的回忆录中写过,在他被禁锢在圣安琪罗城堡中的时候,他在做了一个可怕的噩梦或者产生幻觉之后总是见到一个光亮的圆轮罩在他自己影子的头上,不管是在黎明还是黄昏,也不管他是在意大利还是法兰西,尤其在草叶上有露珠的时候,那光轮尤为清晰可见。这种现象大约与我所说的相同,这光环不仅在早晨显得尤其清晰,即使在其他时间,甚至在月光之下,也是可以看到的。虽然常常如此,却从来没有被人注意过,但是对于想象力极其丰富,像切利尼那样的人,这就足够使他产生迷信的念头了。他甚至还说,他只肯指点给少数人看,可是,那些知道自己头顶上有光环的人,难道真的是一枝独秀的吗?

有一天下午,为了补充蔬菜所不能提供给我的营养,我穿过森林到美港山去钓鱼。我需要途经一片快乐草地,它是和贝克田庄紧紧相连的,曾经有个诗人称赞过这片幽雅之所,开头是这样写的:

> 入口是欢快的田野,
> 那里有些生苔的果树,
> 一泓红红的小溪穿过,
> 水边有奔跑的麝香鼠,
> 还有水银似的鳟鱼啊,
> 也在水中游来游去。

在我还没有搬到瓦尔登去住的时候，我曾想过去那里生活。我曾去"钩"过苹果，还纵身跃过那道小溪，甚至吓唬过那里的麝香鼠和鳟鱼。就在这个感觉尤其漫长、有许多事情可能发生的下午，我正在思索怎样用大部分时间在大自然中生活，而决定出发时，这个下午已过去了一半。在半途中又突然下了一阵雨，这使我不得不在一棵松树下躲了半个小时，我搭了些树枝在头顶上，又用手帕遮盖在上面，后来我干脆下到溪流中，尽管水深及腰，我仍然在梭鱼草上垂下钓丝，却突然发现头顶上乌云翻滚，雷声阵阵，我除了听天由命，显然已经没有别的办法了。我想，天上的神明实在是凶猛神气，定要用这些惊世骇俗的闪电来吓唬我这个可怜的无力反抗的渔人。我赶紧躲在最近的一个茅屋中，这里远离道路，倒是跟湖离得近些，很久都没有人在这里住了：

> 这里是诗人所建，
> 饱经沧桑的他，
> 看着这小小的木屋，
> 它时刻都有倒塌的危险。

缪斯女神曾如此说。

可是，当我走进茅屋时却发现这里现在住着一个爱尔兰人，叫约翰·斐尔德，还有他的妻子和几个孩子。最大的孩子有着宽宽的额头，现在已经能帮他父亲做事了，这会儿他正从沼泽中向家里跑来避雨。最小的是一个满脸皱纹的婴儿，像个充满智慧的先知一样，脑袋是圆锥形的，像坐在皇宫中的贵族一样坐在他父亲的膝盖上,从他那个既潮湿又饥饿的家里好奇地观看着陌生人。这权利原本就是一个婴儿的,但他却不知道自己是贵族世家的最后一代,他是世界的希望,是世界令人注目的中心,并不是什么约翰·斐尔德家可怜的、饥饿的小子。

在没有漏水的那部分屋顶下我们坐在了一起,外面依然是电闪雷鸣、大雨如注,我以前就来这里坐过很多次了,那时,载他们这一家漂洋过海来到美国的那条船还没有造好呢。这个约翰·斐尔德显然是一个老实、勤恳却没有主见的人;他的妻子是一个顽强拼搏的人,终年在那高高的炉子旁做饭。她的脸圆圆的,看上去很油腻,还在梦想着有一天能过上好日子,她手里一直抓着拖把,却无处值得拖一下。小鸡们也躲进了屋避雨,它们也像这家的主人一样在屋里大模大样地走来走去,实在是太像人了,我想即使把它们烤了吃,味道也不会太好。它们在那儿站着,先是望了望我的眼睛,然后径直走过来故意啄我的鞋子。

这时,这里的主人给我讲了他的身世,讲了他是如何给邻近一个农夫在沼泽地上辛苦地干活,如何为了每英亩 10 元钱的报酬和一年的土地、肥料使用权,用铲子和锄头翻一大片草地。那个个子矮小、有宽阔脸庞的大孩子依然在他父亲身边愉快地工作,却并不知道他父亲和别人做了一笔何等劳苦的交易。

我尝试着用我的经验来帮助他,告诉他我们是近邻,我是到这里来钓鱼的。仅从外表来看,我就像一个四处流浪的人,但我和他是一样的,都是自食其力的人;我还告诉他我有一所干净明亮的房子,它的造价甚至没有他租的这所破房子贵;如果他愿意的话,他也能够在一两个月之内,建造起一座属于他自己的皇宫；我是不喝茶、咖啡、牛油、牛奶，也不吃鲜肉的，因此我的饮食费用很少，我不必为了要得到它们而拼命地工作。可是因为他一开始就要茶、咖啡、牛油、牛奶和牛肉，他就不得不拼命工作来支付这笔费用。他越拼命地工作，就越要吃得多，以弥补他身体上的消耗——结果开支越来越大，时间越长，开支就会更大，因为他一直不能满足，所以他便在里面消耗了他的一生。然而他还是认为，到美国来是一件值得庆幸的事，因为在这里他们一家人每天都可以喝茶、咖啡和吃鲜肉。

可是真正的美国生活应该是这样的：在这里，你可以按照你自己的方式生活，即使没有这些食物也能过得好；在这个国土上，没有人强迫你去支持奴隶制度，不需要你来供养一场战争，更不需要你为这些事情间接或直接地支付额外的费用。我特意这样跟他说，是把他当成一个哲学家，或者一个将来可以成为哲学家的人。如果继续让这一大片草地自然地生长，如果这样的结果是因为人类开始醒悟，这样的话我会非常欣慰。一个人不应该在读过历史之后，才明白最适合他自己文化的东西是什么。悲哀的是，一个爱尔兰人的文化竟是用一柄锄头心安理得地在沼泽地上开发自己的事业。

我耐心地告诉他："既然你在沼泽上这么辛苦地工作，你就必须有厚靴子和结实的衣服，但它们也很快就会磨损破烂。相反，我却只需穿很廉价的薄底鞋和薄衣服，价钱还不到你的一半，不过在你看来我穿得衣冠楚楚，像一个绅士（事实上，却并不是那样）一样。我只需花一两个小时，很轻松地就可以完成我的工作，生活就像休闲一样，如果我高兴的话，还可以捕捉够我吃一两天的鱼,或者赚够我下个星期所花费的钱。如果你和你的家庭能够像我这般过着简朴的生活,你们可以像我一样在夏天去采摘越橘,这样真的有无穷的乐趣。"

听完我的话,约翰长长地叹了一口气,他的妻子两手叉腰,目瞪口呆,似乎他们都在考虑,他们的资金够不够过上这样的生活,或者正在用学到的算术计算能不能维持这样的生活。在他们看来,仅凭猜测和精打细算并不能让他们过上并维持这样的生活,就像我猜想的那样,他们还是会充满勇气地按照他们自己的那个方式来生活,面对生活竭力奋斗,却没办法用尖锐的楔子钉入生活的高大柱子中,使它裂开,然后认真细致地雕琢——他们想艰难困苦地去生活,像人们对付那一身刺的蓟草一样。可是他们是在更加危险恶劣的形势下战斗的——唉,约翰·斐尔德啊!不要再精打细算了,你已经一败涂地了。

"你以前钓过鱼吗?"我问。"啊,钓过,有时我休息的时候,会去湖边钓鱼,我钓到过很不错的鲈鱼。""你用什么做钓饵?""我用鱼虫钓银鱼,又用银鱼为饵钓鲈鱼。""你现在可以去了,约翰。"他的妻子容光焕发、满怀希望地说,可是约翰却犹豫了。

此时阵雨已经过去了,东面的林子上空悬着一道长虹。这是一个晴朗美好的黄昏,我起身告辞。出门之前,我故意向他们要了一杯水喝,借此看一看他们这口井的底部,来完成我此番的调查。可是,唉!这是一口很浅的井,里面全是流沙,有一根绳子还是断的,还有一个已经破得没法修的水桶。在这个时间里,他们找出厨房里用的杯子,而且水好像烧开的,犹豫再三,最后才把杯子递到口渴的人手上，但是水还是热的，并且混浊不堪。我心里想，这几条生命居然是靠这么脏的水维持的。然后，我很巧妙地把沉沙摇到一旁，闭上眼睛，为了那真诚的招待而干杯，痛快畅饮。在牵涉到礼仪方面的时候，我向来是不拘小节的。

大雨过后，天空晴朗，我离开爱尔兰人的屋子，又来到湖边。在经过荒凉的田野上满是积水的泥坑和沼泽区的凹地时，我忽然有一种想去捕捉梭鱼的冲动。但是转念一想，对于我这个受过高等教育的人来说，未免有点不合身份。于是，我转身下了山，向着满天红霞的西方跑去，我的身后挂着一道彩虹。

透过清新的空气，耳中隐隐约约传来阵阵钟声，我似乎又听到了我的守护神跟我说话的声音在荒野的云雾中四处飘荡——要天天都去遥远的地方钓鱼——越远越好，水面越宽越好——你可以在许许多多的溪边，许许多多人家的炉边休息。要牢记你年轻时候的创造力。你要毫不犹豫地在黎明之前起来，然后出发去探险。你要在正午时分到达第一个湖畔。夜幕降临，可以地为席，天为盖。这里的土地比任何地方都更为广阔，这里的游戏比任何游戏都更有意义。你要率性地生活，好比那芦苇和羊齿草，它们怎么也不会变成英吉利干草。让雷霆怒吼，即使对种植和收割不利，这又有什么关系呢？这并不是向你传达信息。当然，他们要躲在车下、木屋下，你却完全可以躲在乌云下。你完全可以不要再以手艺为生，而应游戏人生。只管用心尽情地欣赏大地，却不要想着去占有它。由于缺少进取心和信心，人们像奴隶一样在买进卖出中生活着。

啊，贝克田庄！

一道道绚烂的阳光

是最富丽的大地风光。

农场的四周围起了栏杆，

谁也不会跑去热情狂欢。

你不曾跟人争辩，

也从未为你的疑问所困，

初见时你是那般温顺，

还穿着一件普通的褐色斜纹衣裳。

爱者来，

恨者亦来，

圣鸽之子，

和州里的戈艾·福克斯，

把阴谋吊挂在牢固的树枝上！

  每当夜幕降临，人们总是驯服般地从附近的田地或街上回到家里，他们的家里回荡着平凡的声音，他们的忧郁是用生命化解的，因为他们自身不断地进行了周而复始的呼吸；从黎明到夜晚，他们的影子比他们的脚步前进得更远。我们每天应该去远方探险，猎奇和发现新鲜事物，并从中带回来新经验、新性格。

  在我来到湖边之前，约翰·斐尔德已在新的冲动下，率先来到了湖边，他的思想有了新的变化，他决定今天夜晚来临之前不再去沼泽工作了。可是可怜的他，今天只收获了一两条鱼，而我却钓了很多。他说他今天运气不好，后来我们换了位置，那玄妙的运气也跟着变换了。可怜的约翰·斐尔德！我想他是读不好这段文字的，他要是读懂了，我保证他会有所启发和进步——他仍然想把传统的老方法用在这充满野性的新土地上——用银鱼当鱼饵来钓鲈鱼。尽管有时候，我不得不承认这也是一种好的钓饵。

即使他的地平线完全属于他自己，可他仍旧是一个穷人，与生俱来的穷困。他继承了他那爱尔兰贫困的血统和贫困的生活，还继承了亚当的老祖母那优柔寡断的生活方式。他和他的后裔在这世界上都不能发财致富，除非他们那长了蹼的并且深陷在沼泽中的双脚，穿上了有翼的商业之神的靴子。

更高的法则

当我提着一串鱼，拖着鱼竿穿过树林往家走的时候，天色已经完全黑了下来。我瞥见一只土拨鼠偷偷地横穿我所在的小路时，心里突然涌出一阵奇怪的、野性般的、喜悦的颤抖。我被它强烈地吸引了，此刻我只想抓住它，活活吞下，这倒不是因为我肚子饿了，只是因为它所代表的是野性。我在湖上生活的时候，曾经梦到过自己在林中像一条半饥饿的猎狗一样奔跑，以奇怪而又放纵的心情，去觅取一些可以吞食的兽肉。那时，任何兽肉我都能吞下去。如此狂野的一些景象都莫名其妙地变得熟悉起来。我在内心发现，而且还在继续发现，我有一种追求更高尚的生活，或者说是探索精神生活的本能，并且许多人也都有过同感。但是我另外还有一种追求返璞归真和野性生活的本能，这两者很令我尊敬。我爱野性，不啻我爱善良。钓鱼中所蕴含的那一种野性和冒险性，使我特别喜欢这项活动。有时候我更愿意像野兽一样粗野地度过我的人生。我和大自然有着亲密的交往，也许正归功于我在年轻的时候就钓过鱼、打过猎。渔猎使我们很早就接触大自然的风景，并将我们安置在那里，不然的话，以我们那时的年龄，是无法熟悉野外风景的。

渔夫、猎户、樵夫等人，一生都在深山野林中度过，在某种意义上来说，他们已是大自然不可分割的一部分，他们在工作的闲暇时光里，要比诗人和哲学家都更适宜于观察大自然，因为后者更多的是带着某种目的前去观察。大自然并不害怕向他们展现自己。于是，旅行家在草原上很自然地成了猎手，在密苏里和哥伦比亚上游又成了捕兽者，而在圣玛丽大瀑布那儿，却成了渔夫。所以仅仅是一个游客的人，得到的只是二手的、片面的知识，是一个可怜的冒牌的权威。我们最感兴趣的是，搞科学研究的那些人，已经通过实践或者某种本能而发现了一些什么，只有这样有价值的报告才真正属于人类，或者说记录了人类宝贵的经验。

有人说因为北方佬法定假日很少，大人和小孩玩的游戏没有英国人的那样多，他们通常是缺少娱乐的。这话真是大错特错，因为在我们这里，最原始、最寂寞的渔猎之类的消遣还没有让位给那些游戏呢。几乎每一个跟我同时代的新英格兰儿童，大概在10～14岁中间都扛过猎枪，而他们的渔猎之地也不像英国贵族那样都是被划定了界限的，甚至比野蛮人的都广阔得多。所以，他们不经常到公共场所游戏也就不足为奇了。现在的情形却已经发生了根本的变化，这并不是因为人口增加，而是因为猎物渐渐地减少，以至于猎人反而成了被猎的禽兽的好朋友，这当然也包括动物保护协会。

何况，有时我在湖边捕鱼，也只是想换换我的口味。我的确像一个只是由于生活需要的缘故才去捕鱼的渔夫。虽然我曾以人道的名义反对捕鱼,但那全是虚伪的假话,我在哲学范畴内的思考,更甚于我在感情范畴内的思考。我在这里只说到了捕鱼,因为很久以来,我对于猎杀飞鸟都有着不同的看法,并且在我到这森林中来之前,我就已经卖掉了我的猎枪。我钓鱼倒不是因为我比别人残忍,而是因为我一点也感觉不到我有什么恻隐之心。我既不可怜鱼,也不可怜钓饵,这只是习惯而已。至于猎杀飞鸟,在我还没卖掉猎枪的最后几年里,我的借口是我要研究飞鸟学,我要找那些罕见和新奇的鸟。现在我承认,我找到了一种比猎鸟更好的研究飞鸟学的方式了。那就是严密细致地观察飞鸟的习惯,就凭这样一个理由,已经可以让我放弃拥有猎枪了。然而,不管人们怎样根据人道来反对,我还是怀疑,是否存在同样有价值的娱乐来代替狩猎。当一些朋友不安地向我询问应不应该让孩子们去打猎时,我总是回答"应该"——因为我觉得这是我所受教育中最美好的一部分——让他们成为猎手吧,或许最开始他们只是运动员,但是如果有可能的话,他们最后就会成为好猎手,将来他们就会知道,无论哪里的荒原都没有足够的鸟兽,来供他们打猎了。在此,我还是同意乔叟写的那个修女的意见,她说:

难道没有听老母鸡说过,猎人并不是圣洁之人。

在民族和个人的历史中,还曾经有过这样一个时期,猎手被称颂为"最优秀和最勇敢的人",阿尔贡金族的印第安人就曾这样称赞过他们。我们不得不替一个没有放过一枪的孩子感到可怜,怜悯他的教育被忽视,感叹他已不再有人情味了。对那些整天沉湎在打猎上面的少年，我也说过类似的话，我相信他们将来是会超越这个阶段的。还没有一个人在无忧无虑地过完了他的童年时代之后，依旧会随便杀死任何生物的，因为生物跟他一样有生存的权利。兔子到了生命的末路，也会像小孩一样呼喊。我在此警告你们，母亲们，我的同情心并不总是偏向人类。

年轻人往往是通过打猎来接近森林，并发展成他身体里面最淳朴的天性。他先是作为一个猎人、一个钓者到那里去，而到了后来，若他内心已种下更善良的种子，他就会蓦然发现自己的真正目标，可能是成为一位诗人，也可能是成为一位自然科学家，从此，猎枪和鱼竿等就被抛诸脑后了。在这一方面，多数的人类都还是并且将永远是幼稚的。在有些国家，爱打猎的牧师是十分常见的。这样的牧师也许可以成为好的"牧羊犬"，但绝不可能是一个善良的牧羊人。我还纳闷呢，诸如伐木、挖冰这一类事，根本不值一提。显而易见，现在只剩下一件事，还能够把我的市民同胞们，无论老少，都吸引到瓦尔登湖上来停留整整一个半天，那就是钓鱼。一般来说，他们并不觉得自己很幸运，除非他们钓到了长长的一串鱼，或许才会觉得这半天过得还很值得；实际上他们已经得到了一直观赏瓦尔登湖上迷人的风光这样的大好机会。他们得去垂钓一千次，直至钓鱼这种陋习沉入湖底，他们的目标才能够得以净化。毫无疑问，这样的净化过程，时时刻刻都在进行着，永不停息。州长和议员们对湖泊的记忆，早已经模糊不堪了。因为他们只在童年时代在那儿钓过鱼，现在他们已经太老了，而且身份高贵了，怎么还可能去钓鱼呢？所以，他们永远不会知道钓鱼之乐了。然而，他们居然还希望最后能到达天堂呢。若是要他们立法,则主要是应该作出该湖准许多少钓钩的规定;但是他们不知道,那钓钩能钓起美好的湖上风光,而立法也成了钓饵。由此可见,即使在文明社会中,处于启蒙状态的人,也都要经过一个渔猎者的发展阶段。

　　近年来,好多次我都发觉,每钓一次鱼,我的自尊心就降落一些。我反复尝试,才得此结论。我掌握了垂钓的技巧,且与我的同伴们一样,天生就喜好垂钓,这些都不断促使我去钓鱼,可是等到我这样做了以后,我就觉得还是不去钓鱼更好些。犹如黎明的微光一样,这是一个微妙的暗示,我想我并没有做错。毫无疑问,我这种天生的嗜好是处于造物中比较低等的一种。虽然我对捕鱼的兴趣在逐年减少,但我却没有变得更人道或更睿智。现在我已不再钓鱼。可我知道,若是我生活在莽莽旷野之中,我还会禁不住引诱,去做一个渔夫或猎人。不过,鱼肉以及所有肉食,基本上都是不洁净的。而且我开始思考,那么多家务从哪里来,那个愿望什么时候出现;每天要注重仪表,要穿得整洁大方,要把房屋管理得干净整洁且无异味,若要做好这些,是要很大代价的。好在我身兼屠夫、杂役、厨师等多种职业,同时又是那享受佳肴的绅士,所以我能根据不同寻常的全面经验来评说。我之所以反对吃肉食,主要原因是因为它不洁净。再说,在捉、洗、煮、吃了鱼之后,我并不觉得它给我增加了什么营养。这既微不足道,又毫无必要,而耗资却是巨大的。其实,一个小面包、几个土豆就已足够,既简单,又卫生。

　　像许多同时代的人一样,我已有许多年不吃肉、茶或咖啡这类东西了。这倒不是因为我发现了它们身上的缺点,而是因为它们跟我的想法不相符。我对肉食的厌恶，并不是由经验引起的，而只是出于一种本能。在许多方面，卑微而艰苦的生活显得更美。尽管我不曾做到，但至少也做到了令自己的想象感到满意的地步。我相信，每一个热衷于把自己的更高级且更具诗意的感官保持在最好状态的人，一定都是特别注意不吃兽肉，不多吃其他任何食物的。昆虫学家认为这是个值得深究的事实——我从柯尔比和斯宾塞的著作中读到——"有些昆虫在最完美的状态中，即使有饮食的器官，却并不使用它们"，他们把这归纳为"一个普遍性的规律，在成虫时期的昆虫吃得会比在蛹期时少得多，贪吃的蛹变为蝴蝶，贪婪的蛆虫变为苍蝇之后，只要一两滴花蜜或其他甘甜的液体就足够了"。蝴蝶翅下的腹部依然保持着蛹的形状，正是这一特点，引诱许多肉食昆虫杀死它。贪吃者便是处于蛹状态中的人。在有些国家，它的全部国民都处于这种状态，他们没有喜好，没有想象，只有一个出卖他们的大肚皮。

　　诚然，要准备并烹调这样既简单又洁净，并且又不违背自己想象力的饮食，是件困难的事。但是，我认为身体固然需要营养，想象力同样也需要营养来补充，二者应当同时得到满足。这其实是可以做到的。我们不必因为有节制地吃些水果而感到囊中羞涩，这也绝不会阻碍我们那价值非凡的事业。但如果你硬要在盘中再加上一点儿不那么需要的调料，那就会害了你自己。靠山珍海味、美酒佳肴来生活是不值得的。有很多人，要是被人看到他们正在亲手烹煮一顿美食，不论是荤是素，都难免会感到羞形于色。而实际上，每天都有人在为他做这样的美食。要是这种情形没有改变，我们就无文明可言；即使是绅士淑女，也算不上真正意义上的男人女人。究竟该怎样改变，内容当然已经提供。不必问我们的想象力为什么不喜欢肉食和脂肪，只要知道它不喜欢就已足够了。把人看成肉食动物，难道不是一种责备吗？食肉可以使他活下来，事实上也的确活下来了，但在很大程度上来说，是把别的动物当作牺牲品了。然而，这是一种多么悲惨的方式——所有捉过兔子、宰杀过羊羔的人都知道——如果有人能教育人类只吃毫无罪过、更有营养的食物，那他便是人类的恩人。不管我自己的实践能得出什么样的结果，我丝毫不怀疑，这是构成人类命运的一部分，且人类的发展必然会逐渐进化到淘汰食肉的习惯。这就像野蛮人和文明人接触多了之后，会淘汰人吃人的习惯一样。

要是一个人听从了来自他本能中最微弱却又最持久的建议——那当然是正确的建议——而且他并不知道这建议将要把他引导到何种极端，甚至于疯狂之中去。那么，当他变得更坚决更有信心时，摆在他面前的便是一条康庄大道。一个健康的人，内心中微弱却坚定的反对，也能战胜人世间的种种观念和陋习。但是人们在一开始却很少听从自己的天性，直到它带自己走入歧途，却又听命于它。其结果便是肉体的虚弱无力，然而却很少有人会引以为憾，因为这些是遵循了更高的法则的生活。如果你愉快地迎接白昼和黑夜，生活就会像鲜花和香草一样芬芳，甚至会更具活力、更加闪耀、更加不朽，这便是你的成功！整个大自然都在为你庆贺，你也有理由祝福自己。但最大的益处和最高的价值，却往往得不到人们的赞赏，我们很容易怀疑它们是否真的存在，而且我们也很快就把它们忘记了，它们是至高无上的现实。也许那些最惊人、最真实的事实从没有被人们传颂过。我生命中每天最真实的收获,也仿若朝霞暮霭一样不可捉摸,无法言表。我得到的仅是些许尘埃,我抓住的也只是一抹彩虹而已。

然而,我这个人绝不苛求;若是非吃不可的话,即使是一只油煎老鼠,我也可以津津有味地吃下去。我已过了许久只喝白开水的日子,而且我乐在其中,其中缘由同我爱好大自然的天空远胜过吸食鸦片者的吞云吐雾一样。我愿意时刻保持清醒,要知道陶醉的程度是没有底线的。我坚信,智者唯一的饮料便是白开水。酒也算不上是多么高贵的液体。想想看,一杯热咖啡足以摧毁一个早晨的希望,一杯热茶又可以让晚上的美梦化为乌有!现在想想,我也曾多次受到它们的诱惑啊,我曾经是何等的堕落呀!甚至音乐有时也可以使人醉倒。就是这些琐碎的原因,竟将古希腊和古罗马毁灭,将来还要毁灭英国和美国。一切醉人的事物之中,谁不愿意呼吸新鲜空气而使自己陶醉于其中呢?我坚决反对长时间拼命工作的原因是,它会反过来强迫我不得不拼命地吃喝。可是,说实话,在这些方面,近来我似乎也不那么挑剔了。我很少把宗教礼仪带上餐桌,也不在餐前祈祷。这倒不是因为我比别人更加聪明,而是因为我不能不承认,不管多么遗憾,我也一年年地越发粗俗,对待一切更加淡漠了。也许这些问题,只有年轻人关心了,就像他们关心诗歌一样。没有具体的地方能看见我的实践,我的意见却写在这里。然而,我并不觉得,我是《吠陀经》上说的那种特权阶级。它说:"对万物主宰有大信心者,可以吃一切存在之物。"也就是说,他不需要问吃的是什么,也不用问是谁为他预备的。然而,即使是在他们那种情形下,也有一点不能不提及,正如一个印度的注释家说过的那样,《吠陀经》是把这一个特权限制在"患难时间"里。

　　谁没有过嘴上吃得津津有味,而胃肠却一无所获的时候呢?我曾经兴奋地想到,由于所谓的味觉,我深受启发,得到了一种精神上的感悟。我坐在小山坡上吃的浆果,也滋养了我的天性。"心不在焉,"曾子说过,"视而不见,听而不闻,食而不知其味也。"能尝到食物真味的人,绝不可能成为饕餮之人,而饕餮之人是品不出食物的真味的。一个清教徒可能狼吞虎咽地吃着他的面包屑,正如一个议员大嚼山珍海味。食物入口,并不足以玷污一个人,但他吃这种食物的欲望却足以玷污他。问题不在量,也不在质,而在口腹的贪念之上。如果吃东西不是为了维持我们的生命,也不是为了激励我们的精神生活,而是为了喂饱寄生于我们身体内的蛔虫,那我们就显得更加可耻了。一个贪吃乌龟、麝香鼠或其他野生动物的猎人,一个喜食小牛蹄做的冻肉或海外的沙丁鱼的漂亮太太,从根本上讲,他们是同类人。他到他的磨坊池塘边,她则偷偷溜到她的肉冻罐旁。让人震惊的是,他们、你、我,怎能过着如此卑劣的只为吃吃喝喝的禽兽生活?

　　我们的生命具有惊人的感性。善良与邪恶之间的较量,从未停息过一刻。善是唯一的授予,永不会失败。在全世界为之演奏的竖琴的音乐中,善的主题给我们以欣喜。这竖琴好比宇宙保险公司里奔走在各处的推销员,到处去宣传它的保险规则,我们的小小善行就是我们所付的保费。虽然最后年轻人总要冷淡下去,但宇宙的永恒规律却是不会冷淡的,它永远和敏感的人站在一边。认真地听一听西风中的谴责之辞吧,听不到的人是不幸的。我们每弹拨一根琴弦,每移动一个音符的时候,那生动亲切的寓意便渗透了我们的心灵。许多令人感到厌恶的声音，也传得很远，而且听起来好像音乐，这对于我们卑贱的生活来说，真是一个绝妙的讽刺。

我们都清楚，在我们每一个人的身体里都有一头野兽，当我们崇高的天性昏昏欲睡时，它就醒了过来。这就像一条贪图感官之乐的毒蛇一样，很难把它完全驱赶走；也像一些寄生虫，它们甚至在我们生活得很健康的时候，寄生在我们的体内。也许我们能躲开它，但却永远改变不了它的天性。恐怕它自身也相当健壮，我们可以很健康地生活，却永远不可能保持纯净。有一天，我捡到了一头野猪的下颌骨，它有着雪白的完整的牙齿，隐约可见一种和精神上不同的动物性的健康和精力。这可能是它用节欲和纯洁以外的方法得到的。"人之所以异于禽兽者几希，"孟子说，"庶民去之，君子存之。"如果我们谨守纯洁，又有谁会知道将来是什么样的命运呢？如果我有幸认识一位能教给我洁身自好的方法的智者，我一定要去找他。"能够控制我们的七情六欲和身体的外在官能，并做好事的话，照《吠陀经》的说法，是在心灵上接近神的不可或缺的条件。"然而精神是能够在瞬间渗透并控制身体上的每一个官能和每一个部位的，而把外在的最粗俗的淫欲转变为内心的纯洁与虔诚。我们生殖的精力一旦被放纵，将使我们变得荒淫无度，而克制它则会使我们精力充沛并感到振奋。贞洁是人类的花朵，创造力、英雄主义、神圣等只不过是它的果实。当纯洁之门豁然打开，人们便立刻奔涌到上帝那里去了。我们时而为纯洁所鼓舞，时而又因不洁而沮丧。自知身体之内的兽性在一天天地消失，而神性一天天地生长的人是幸福的，当人和卑劣的兽性结合时，带来的只有羞辱了。我担心我们只是农牧之神和森林之神相结合的那种半神半兽的妖怪，或是贪食饕餮、好色的动物。在某种程度上，我一直担心我们生命的本身就是我们的耻辱——

> 心无杂念的人多么快乐，
> 把内心的群兽驱走放逐吧。
> 我们可以驱使牛马劳作，
> 那么我们就不算愚笨。
> 但是人不单单是放牧者，
> 而且也是自身的妖魔鬼怪，
> 狂妄肆虐，骄淫无度。

一切的淫欲，虽然形态各异，却都是一回事，所有的纯洁在本质上也是相同的。一个人大吃大喝、群奸群宿或是纵欲贪杯，都只是一回事。见一叶而知秋，我们只要看到一个人在做其中的某一件事，就能够判断他是怎样的一个好色之徒。不洁和纯洁是不能相提并论的。我们只在洞穴的一头打一下蛇，它就会立刻出现在另一头。如果你想要贞洁，就必须要节制情欲。何为贞洁呢？怎么知道一个人是否贞洁呢？他自己是不可能知道的。我们也只不过是有所闻，而不知其为何物。我们通常是依照我们听过的传说来解说它。智慧和纯洁来自于身体力行，无知和淫欲来自于懒惰。以一个学生来说，淫欲是他心智堕落的结果，一个不洁的人常常是一个懒惰的人，他在阳光下躺着，或者坐在生着火的炉子旁，他总在休息却并不是因为他疲倦了。如果要避免不洁和一切罪恶，那就热忱地工作吧，即使是打扫马厩也行。人性固然难改，但必须克制。如果你不能比异教徒更纯洁，不能比异教徒更好地克制自己，不能比异教徒更虔敬，那么即使你是基督徒又能怎样呢？我了解很多不同的宗教制度，它们的教律读过之后令人感到羞愧，因此，可以激励人去做更大的努力，尽管有些努力仅仅是流于形式而已。

我本不想说这些话，但绝不是因为这话题——我并不是害怕我的用语有多么亵渎——只是因为一说这些话就泄露出我自己的不洁。对于淫欲的其中一种形式，我们常常可以无所忌惮地畅所欲言，而对于另一种却又闭口不谈。我们已经太堕落了，所以不能随便去谈论人类的本能。早些年在某些国家里，对于人类的每一样活动都可以正常谈论，并且也都在法律允许的范围。印度的立法者是丝毫不嫌其琐碎的，虽然近代人不以为然。他教人如何饮食、同居、解大小便，等等，把卑劣简陋提高到冠冕堂皇，而不把它们当作琐碎之事避而不谈。

我们每一个人都是一座圣殿的建筑师。他的身体便是他的圣殿。在圣殿里面，他完全用自己的方式来祭拜他的神，即使是另外去雕琢大理石，他也要有属于自己的圣殿和神灵。我们都是用自己的血、肉、骨骼做材料的雕刻家和画家。任何高贵的品质，都会使一个人的形态有所改善；任何卑俗或淫欲都会使他立刻堕落为禽兽。

在金秋 9 月的一个黄昏，当约翰·发尔[①]末做完一天的艰苦

---

① 并非实有其人，可能是泛名。

工作之后，他独自一人坐在自家门口，心里的思绪多少还奔驰在他的工作上。洗完澡之后，他坐下来给他的理性一点儿休息的时间。这是一个特别寒冷的黄昏，他的一些邻居都在担心会降霜。他沉思不久，便听到了悠扬的笛声，这声音正和他的心情相协调。他依旧在想着他的工作，虽然他一直在想着，而且还在不由自主地计划着、设计着，可是他对这些事已不大关心了。对他来说，这充其量不过是皮屑，是随时可以扔掉的。而笛子的乐音，是从不同的环境中吹出来的，要他沉睡着的官能起来工作。那柔和的乐音吹走了街道、村子和他居住的国家。有一个声音对他说——在可能过荣耀生活的时候，为什么你留在这里过这种贫贱的奴役生活呢？同样的星星也照不到这里，而只照耀着那边的大地——可是如何从这种境况中跳出来，而真正迁移到哪里去呢？然而，他所能想到的只是另一种新的艰苦生活，就让他的心智降入他的身体中去解救他，然后以与日俱增的敬意来对待他自己。

与野兽为邻

有个人常常愿意做和我一起钓鱼的同伴,他从小镇的另一头,穿过整个村子来到我的屋里。好比请客吃饭这些社交活动一样,钓鱼也是一种社交活动。

隐士:我不知道这世界现在到底怎么啦。都3个小时了,我居然没听到一声蝉鸣。鸽子都睡在鸽棚里——它们的翅膀也都一动不动。此刻,哪个农夫正午的号角正在林子外面轰鸣?雇工们要回来吃煮好的腌牛肉和玉米粉面包,喝苹果酒了。为什么人们要这样自寻烦恼呢?如果人类不贪吃喝,那么他们就用不着工作了。我不知道他们得到了什么。谁愿意住在那种狗吠声使人心慌意乱而不能思考的地方呢?啊,还有家务!在这般美好的天气里,还要把铜把手擦得发亮,把浴盆擦洗干净!还不如不要家,直接住在空心的树洞里,也就不会再有清晨不期而至的门铃声和礼仪烦琐的晚宴了,只有啄木鸟啄树木的声音。城里的人们挤成一团,那里的太阳炙热,晒得他们心烦意乱。对于我而言,我只觉得他们太世故了。我从泉水中汲水喝,吃粗粮面包。听!树叶沙沙作响。是村中饿极了的狗在追猎？还是一只迷了路的小猪跑到这森林里来了？雨后，我还看见过它的脚印呢。脚步声由远而近了，我的黄栌树和多花蔷薇开始颤抖了——诗人先生，是你吗？你觉得今天怎么样？

  诗人：看看这些云，它们是如何精彩地悬挂在天上吧！它们是今天我所看见的最伟大的事物了。在古画中看不到这样的云，在国外也见不到这样的云——除非我们是站在西班牙海岸之外。这是一片真正的地中海的天空。我想，既然我不得不活着，而现在却没有吃的东西，那我就该去钓鱼了。这是诗人最好的工作，也是我唯一懂得的谋生之道。来吧，让我们一起去吧！

  隐士：我无法推辞。我的粗粮面包快吃完了。我很乐意马上就跟你一起去，可是我正在进行一次严肃的思考。我想快了，请你让我再独处一会儿吧。为了两不耽误，你可以先去挖一些钓饵来。这一带能做钓饵的蚯蚓很少，因为土里从没有施过肥，这一物种在这里几乎要灭绝了。挖掘鱼饵的游戏，跟钓鱼实在是有异曲同工之妙，尤其是在你肚子不饿的情况下。这个差事今天你一个人去做吧。我劝你带上铲子，到那边的花生丛中试试，你看见那边在摇摆的狗尾草吗？我想我可以保证，如果你在草根里仔细寻找，就像你在除杂草一样，每翻起三块草皮，包你可以捉到一条蚯蚓。或者，如果你愿意走远一些，也是一个聪明的做法，因为我发现一个规律：钓饵的多少，跟所走距离的长短成正比。

  隐士独白：让我想想，我想到什么地方去？我总是套在思维的框框中，我还是从这个角度认识周围的世界。我是应该上天堂，还是应该去钓鱼呢？如果我可以立刻结束我的沉思，以后还会有这样一个美妙的机会供我去思考吗？刚才我几乎已经和万物融为一体，这种体验今生还是第一次。我想我的思想是不会再回来了。假如吹口哨能把它们召唤回来，那我一定会吹口哨。当灵感向我们涌来的时候，如果再说一句：我们要再想一想，这明智吗？思如春梦了无痕，我找不到我思想的小径了。我在想什么呢？今天是一个非常朦胧的日子，我还是来想一想孔夫子的三句话吧，也许还能重新找回思路。我不知道那是一团糟呢，还是一种有神灵启示的澄明。切记：机会只有一次。

诗人：你怎么啦，隐士，是不是太快了？我已经捉到13条整蚯蚓，还有几条断头去尾的，或者是太小的，用它们钓小鱼也还可以，因为它们至少不会让钓钩显得太大。这村子的蚯蚓真是太大了，银鱼甚至可以饱餐一顿还碰不到这个串肉的钩呢。

隐士：也罢，让我们去吧。我们要不到康科德河去吧？如果水位不高，那里倒可以玩个痛快。

为什么恰恰是我们所看到的事物构成了这个世界？为什么人类只有这样一些野兽做他的邻居，好像天地之间，只有老鼠能够填充这份空虚？我想那专于写动物寓言的皮尔贝公司太善于驯服动物了，他们把动物调教得太好了，他们笔下的动物都负有重载，可以说，负载着我们的一些思想。

常来我家的老鼠并不是常见的那种，常见的那种据说是从外地带到这野地里来的，而常来我家的却是在村子里看不到的、土生土长的野老鼠。我寄了一只给一位著名的博物学家，他对它产生了很大的兴趣。我刚建好房子时，就有一只这种老鼠在我的地板下安了家；而在我还没有铺好地板，刨花也还没有扫出去的时候，每到午饭时刻，它就到我的脚边来吃面包屑了。也许它从来没有见过人类，我们很快就亲密无间了，它跳上我的皮鞋，沿着我的衣服往上爬。它很容易就爬上屋侧，三两下就蹿上屋顶了，动作和松鼠很相似。有一天，我正坐着，用胳膊肘支在凳上，它顺着我的衣服攀缘而上，沿着我的袖子，围着我盛放食物的纸不断地打转，我把纸拉过来以躲开它，然后又突然把纸推到它面前，跟它玩躲猫猫，我用拇指与食指夹起一片干酪，它过来了，坐在我的手掌中，一口一口地吃完干酪，最后像苍蝇似的用爪子擦擦脸和前掌，扬长而去。

没过多久，就有一只美洲䴕到我的屋檐下做窝；一只知更鸟在我屋旁的一棵松树上搭窝居住着，享受我的保护。6月里，连鹧鸪这样害羞的飞鸟，也带着它的幼雏从我屋后的林中飞来，经过我的窗子落到我的屋前，像一只老母鸡一样咯咯地唤她的孩子，她的这些行为证明了她确实是森林中的老母鸡。当你走近幼雏，母亲就会发出一个信号，它们就一哄而散，因为鹧鸪的羽毛颜色像极了枯枝败叶，因此像一阵旋风把树叶吹散了一样。经常有些旅行家闯进来，打破这和谐，这时只听母亲拍翅飞走，发出焦虑的呼号，她拼命扑扑地拍动着翅膀，去吸引那些旅人的注意，让他不去察看脚下和四周。母鸟在他们面前打滚、旋转，弄得羽毛蓬乱，使你一时之间搞不清在你面前的是怎样一种禽鸟了。幼雏们悄悄地，紧紧地趴在腐烂的落叶中，把它们的头缩在一张叶子底下，什么也不听，只听它们母亲从远处发来的信号，你就是走近它们，它们也一动不动，因此它们是不会被发觉的。甚至你的脚已经踩上它们，眼睛还望了它们一会儿,可你还是没能发觉你踩的是什么。有一次,我随手把它们放在我摊开的手掌中,因为它们从来只服从它们的母亲与自己的本能,所以它们一点也不觉得恐惧,并没有发抖,只是照旧蹲着。这种本能是如此完美,我又把它们放回到树叶上,其中有一只由于不小心而跌到了地上,可是我发现十分钟之后它又和其他雏鸟一起,还是保持原来的姿势。鹧鸪的幼雏不像其他幼雏那样不长羽毛,比起小鸡来,它们羽毛长得更快,而且更早成熟。它们睁大眼睛,成熟却又很天真的样子,使人一见难忘。这种眼睛似乎蕴涵了全部智慧,不仅有童真,还有经验淬炼过的智慧。鸟儿这样的眼睛不是与生俱来的,而是和它所映照的天空同样久远。山林之中还没有孕育出像它们的眼睛那样澄澈的宝石,普通的旅行家也没有见过这样清澈的一口井。无知而鲁莽的猎人常常在幼稚哺育期枪杀它们的父母,使这一群幼雏成了四处觅食的猛兽或恶鸟的美味,或渐渐地混入那些和它们非常相似的枯叶而同归于尽。据说,这些幼雏要是由老母鸡孵出来,稍受惊吓,便四处乱窜,再也无法寻觅,因为它们再也听不到母鸡的召唤声。这些便是我的母鸡和幼雏。

　　让人惊讶的是,在森林之中,有许多动物是自由奔放却秘密地生活着的,它们在乡镇的四周觅食,只有猎人才知道它们藏在哪儿。水獭的生活是何等隐蔽啊!当它们长到4英尺长,像一个小孩子那样大的时候,也许还没有人看到过它的真面目呢。以前我还在我屋子后面的森林中看到过浣熊,现在一到晚上我似乎依然能听到它们的嘤嘤之声。我通常是上午耕作,中午在树荫下休息一两个小时,吃过午饭后便在一条小溪旁读读书,那溪水是从离我的田地半英里远的勃立斯特山上流下来的,它还是不远处的一处沼泽地和一道小溪的源头。到泉水边去，需要穿过一大片水草茂盛的洼地——那里长满了苍松的幼苗——最后到达沼泽附近一座较大的林子。在那里一个僻隐而阴凉的地方，一棵高耸入云的白松下有片清洁而坚实的草地，可供坐或卧。我找到泉眼，挖成一口井，立刻涌出清冽的银灰色水流，在我提出一桶水后井水仍清澈如故。仲夏时分，湖里的水太热了，所以我几乎每天都去那边取水。

山鹬带着幼雏也跑到这里来了，它们在泥土中找蚯蚓，母鸟在幼雏上空大约一英尺的地方飞来飞去，而幼雏们成群结队地在下面奔跑，可是后来母鸟发现了我，便离开它的幼雏，绕着我盘旋，越来越近，在大约四五英尺远的距离时，装出翅膀或脚折断了的样子，以吸引我的注意，让它的孩子趁机溜走。那时，幼雏们已经能发出微弱、尖细的叫声，遵照母亲的指示，排成单行通过沼泽。有时，我听到幼雏细声的尖叫，却不知道母鸟身在何处。斑鸠也在这里的泉水旁蹦来蹦去，或从我头顶上方那棵柔和的白松的一个枝丫飞到另一个枝丫上。而褐红色的松鼠，从最近的树枝上盘旋下来，对我既好奇又亲热。不需在山林中坐多久，便可以看见各种各样的动物依次登场亮相。

森林也并非总是一片歌舞升平的平和景象，我还做过一些不平和事件的见证人。有一天，当我走出去，准备往那一堆木料，或者说那一堆树根走去的时候，我瞥见两只蚂蚁，一只红色的，一只黑色的，黑的要比红的大得多，差不多要长半英寸。它们正在恶斗，一交手就谁也不肯退却，挣扎着、角斗着，在木片上不停地打滚。再往远处看，更让我惊奇的是，木片上到处都有这样奋力厮杀的斗士，看来这不是单纯的决斗，而是一场战争，是两个蚂蚁民族之间的战争，红蚂蚁跟黑蚂蚁势不两立，时常还是两个红的对付一个黑的。在我放置木料的庭院中，满坑满谷都是这些迈密登的军团。大地上已经布满了黑的和红的伤亡者。这是我亲眼看见的唯一一场战争，我亲临了前线唯一的激战正酣的战场，红色的共和派在一边，黑色的帝国派在另一边，互相之间展开你死我活的拼杀。虽然我听不到任何呐喊之声，但我知道两方面都在奋不顾身地作殊死之战，人类的战争也还从没有打得这样坚决过。在风和日丽的阳光下，木片间的"小山谷"中，两个战士死死抱住对方不放，现在是烈日当空，它们准备酣战到日落，或生命停歇为止。那小个儿的红色英豪，像老虎钳一样咬住它仇敌的脑门不放。尽管双方在战场上滚来滚去，但红色斗士毫不放松地咬住对手一根触须的根部，它已经把另一根触须咬掉了。而那更强壮的黑蚂蚁，把红蚂蚁在两边甩来甩去，我凑近观战，发现它已经把红蚂蚁的某些躯体都啃去了，打得真是比恶狗还凶狠。双方没有一点退却的意思。显然它们的战争口号是"不战胜，毋宁死"。这时，在这山谷的顶上出现了一只孤独的红蚂蚁，它看上去斗志正盛，要不是已经打死了一个敌人，便是还没有参加到战斗中去。但据我分析，后一个理由的可能性比较大，因为它还没有损失任何一条腿。它的母亲大概吩咐过它要么拿着盾牌回去，要么躺在盾牌上回去。也许它是阿基勒斯式的英雄，现在来救它生死之交的普特洛克勒斯，抑或者替它战死的亡友复仇来了。它从远处看见了这不平等的战斗——因为黑蚂蚁比红蚂蚁大了将近一倍——它急忙奔过来，直到它离那一对正在进行生死战斗者只剩半英寸距离时，它瞅准下手的机会，便扑向那黑色斗士，从它的前腿根上开始了它的军事行动，根本不顾敌人将要咬它身上的任何一部分。于是，它们三个为了生存纠缠在一起，好像被一种新发明的胶粘上，使任何铁锁和水泥都相形见绌。这时，如果看到它们各自的军乐队，在各方的高地上排成方阵，威武雄壮地吹奏着各自的国歌，以激励前线的战士奋力拼杀，并鼓舞那些垂死的战士，我丝毫不感到惊奇，因为我自己也相当激动，好像它们就是人类一样。你越深究，越觉得它们和人类其实并没有什么不同。暂且不说美国的历史了，至少在康科德的历史中，无论从投入战斗人员的数量来说，还是从它们所表现的爱国主义与英雄主义来说，没有一场战斗可以跟这一场战争相提并论。就双方参战的人数与残杀的程度来说，这是一场奥斯特利茨之战，或一场德累斯顿之战。康科德之战算得了什么！爱国者死了两个，而路德·布朗夏尔受了重伤！啊，这里的每一个蚂蚁，都是一个波特利克，高呼着"射击，为了上帝而战，射击"！而成千上万个生命都像台维斯和霍斯曼尔的命运一样。这里没有一个雇佣兵，我从不怀疑，它们是为了真理而战斗，正如我的祖先并不是为了免去3便士的茶叶税而战一样，至于这一场大战的胜负，对于参战的双方来说都至为重要，这场战斗将载入史册，永远不能被遗忘，至少像我们的邦克山之战一样。

我特别观察了三个战士在同一张木片上的搏斗，我把这张木片拿回家，放在我的窗台上。用一个大玻璃杯反扣在它们上面，以便观战。我还用上了放大镜，先来看那最初提到的红蚂蚁，它虽然猛咬敌人前腿，并且咬断了敌人剩下的触须，可它自己的胸部却被那个黑色战士完全撕掉了，露出了内脏，而黑色战士的胸铠似乎非常结实，它没法刺穿。这受难的红武士暗红的眸子发出了只有战争才能激发出来的凶狠光芒。它们在杯子下面又搏斗了半个小时，等我再去看时，那黑色战士已经将它的敌人杀得身首异处了，那两个依然活着的头颅，就挂在它的两边，好像挂在马鞍边上的两个可怕的战利品，依然咬住它不放。黑蚂蚁正企图作微弱的挣扎，因为它没有了触须，剩下的唯一的腿也残缺不全，浑身伤痕累累，它全力挣扎着要甩掉它们。又过了半个小时，它总算成功了。我拿掉玻璃杯，看着它一瘸一拐地爬过了窗台。经过了这场战斗，它是否还能活下去，是否把它的余生消磨在荣誉军人院中，这些我都无从知晓了，我想它以后是干不了什么活儿的了。我不知道后来究竟是哪一方获胜了，也不知道这场大战的原因，可是接下来的一整天我的感情都因为目击了这一场战争而激动和痛苦，仿佛就在我的门口发生过一场人类的血淋淋的恶战一样。

　　吉尔贝和斯宾塞告诉我们，蚂蚁的战争长久以来一直就受到人们的敬重，大战役曾经在史册上也有过记载，虽然他们声称，近代作家中大约只有胡贝尔目击了蚂蚁大战，他们说，"依尼斯·薛尔维乌斯曾经描写道，在一枝梨树树干上进行的一场大蚂蚁对小蚂蚁的异常坚韧的战斗以后"，接下来添注道——"'这场战斗发生于教皇尤金四世治下，观察者是著名律师尼古拉斯·毕斯托利安西斯，他很忠实地把这场战争的全部经过记录了出来。'还有一场类似的大蚂蚁和小蚂蚁的战斗是俄拉乌斯·玛格纳斯记录的，结果小蚂蚁以弱胜强，据说战后小蚂蚁士兵埋葬了它们战友的尸首，可是对战死的大敌人的尸体却置之不理，任由飞鸟去享受。这场战争发生于克利斯蒂恩第二被逐出瑞典之前"。我目击的这次战争，发生于波尔克总统任期之内，在韦伯斯特制订的逃亡奴隶法案通过前5年。

　　许多在乡间常见的耕牛，行动迟缓，似乎只配在储藏食物的地窖里追逐乌龟，但在森林中它们却能奔跑跳跃，而它们的主人对此一无所知。它们嗅嗅老狐狸的窟穴和土拨鼠的洞，却一无所获，也许是些精瘦的恶狗把它们引进来的，恶犬在森林中灵活地穿来穿去，林中鸟兽对这种恶狗有一种自然的恐惧。现在老牛远远落在它那导游的后面了，它向树上的一些小松鼠狂叫，那些松鼠就躲在上面仔细观察它们，然后老牛缓缓地跑开，那笨重的躯体把树枝都挤弯了，还以为是在追逐一些慌不择路的老鼠呢。

　　有一次，在湖边的石岸上，我惊奇地发现了一只散步的猫，它们很少会离家跑到这么远的地方，我和猫都互相惊奇地看着对方。然而，即使是整天都躺在地毯上的最温顺的猫，一到森林里也好像回到了故乡一样，以它窥探和灵敏的潜行而言，它比森林里土生土长的动物更适宜生活在这片原野上。有一次，当我在森林里捡浆果时，我邂逅了一只母猫，正带领着它的一群小猫。那些小猫全是野性未脱的，像它们的母亲一样弓起了背脊，向我凶恶地喷吐口水。

　　在我搬进这森林之前没几年，在林肯郡离湖最近的吉利安·贝克田庄内，有一只所谓的"长翅膀的猫"。1842年6月，我专程去探访她（我不能确定这只猫是雌的还是雄的，所以我采用了这一般称呼猫的女性的代名词），她已经像她经常做的那样，去森林里猎食去了。据她的女主人说，这只猫是一年多以前的4月间来到这附近的，常常在房子附近徘徊，后来就把她收容到家里。猫全身呈深棕灰色，喉部有个白点，脚也是白的，尾部很大，毛茸茸的像只狐狸。到了冬天，她的毛越长越密，向两边垂挂开来，形成两条10～12英寸长，2.5英寸宽的毛带子，在她的下巴那儿也好像挂着一个暖手筒，上面的毛比较蓬松，下面却像毛毯一样缠结着，一到春天，这些披在身上的"棉被"就掉落了。主人送给我一对她的"翅膀"，我至今还保存着。翅膀的外面好像并没有什么膜。有人以为这猫的血统一部分是飞貂，或别的什么野兽，这是非常有可能的，据动物学家说，貂和家猫交配，可以产生许多变种。如果我要养猫的话，这倒正好是我愿意养的一种，既然诗人的马能插翅飞奔，那他的猫为什么不能拥有一对飞翔的翅膀呢？

秋天里，潜水鸟像以往一样又来了，它们在湖里换毛洗澡。清晨，当我还没有起身，森林里就已经响起它们狂放的笑声。一听到它们来了，聚集于磨坊水闸上的所有猎人便全都出动了，有的坐马车，有的步行，三三两两，带着猎枪和子弹，胸前还挂着望远镜。他们犹如秋天的树叶穿过林中，一只潜水鸟至少被十个猎人围剿。有的在这边湖岸放哨，有的在那边湖岸站岗，这可怜的鸟不可能四处同时出现，如果它从这里潜下去，那么它一定会从那边浮上来的。但是，那慈爱的十月的风吹起来了，吹得树叶沙沙作响，也吹皱了一泓秋水，猎人再也听不到，也看不到潜水鸟了，虽然鸟儿的敌人用望远镜搜索着水面，虽然枪声在林中震荡，鸟儿们却早已踪迹全无。碧波涌起，愤怒地冲击着石岸，它们和水禽是同一战线的,我们那业余的猎手只好空手而归,重操旧业了。不过,他们干起自己的本职工作倒是驾轻就熟的。黎明,我去湖边提水的时候,常常看到这种具有王者风度的潜水鸟驶出我的港湾,我们之间相距不过数杆。如果我坐船准备去追它,观察它如何活动,它就会潜下水去,再也不见踪影,有时候要到当天的下午才会露出水面来。可是,在水面上,我还是有办法对付它的。它常常在一阵滂沱大雨中飞离湖面。

在十月一个静谧的下午,我划船到北岸,因为我知道正是在这种日子里,潜水鸟会像一团团绒毛似的出现在湖上。在我放眼四顾也找不到潜水鸟时,突然有一只从湖岸上下来,向湖心游去,在离我只几杆之远,狂笑一阵,吸引我的注意。我划船去追,它一下子便潜入水中,等它冒出来时,我却更接近它了。它又再次潜入水中,这次我却把方向估计错了,当它再次冒出来时,距离我已经有50杆远了,这只能怪我自己。它大声嘲笑我好一会儿,这次当然笑得更有理由了。它的行动如此敏捷,矫若游龙,我始终无法进入距离它五六杆的范围内。它每一次浮出水面,便四处张望,冷静地观察湖水和大地,显然它是在挑选行进路线,以便浮起来时,恰在湖面最开阔、距离船只最远的地方。令人惊奇的是它的运筹决策之迅速,执行之坚决、快速。它立刻把我诱入湖水最深处,我却不能把它驱入湖水的一角,当它正在思考的时候,我也在努力猜测它脑中的想法。这真是一场美妙的棋局,在宁静的水面上,一人一鸟正在对弈。突然对方把它的棋子下在棋盘下面了,对于我来说,问题便是把我的棋子下在它下次出现时最接近它的地方。有时它突然出现在我对面的水面上,显然它是从我的船底穿过去的。它的肺活量真大，从未有疲惫之态，等它游到最远处时，立刻又潜到水下。任何智慧可能都无法相信，在这样波平如镜的水面下，它能在这样深的湖水里像鱼一样游来游去，因为它有能力以及时间到湖底的最深处作访问。据说在纽约湖 80 英尺深的地方，潜水鸟曾被钓鲑鱼的钩子钩住过，可是瓦尔登湖比那里要深得多。我想水中的鱼儿一定惊讶不已，从另一个世界来的这个不速之客能在它们的中间来去自如！看来它深识水性，水上水下都如履平地，并且在水下泅泳得更加迅速。

有一两次，我看到它在接近水面时激起的水花，然后看到脑袋在水面上探了一下，立刻又潜下去了。既然我猜不出它下次出现的地点，不妨停下桨来等它自行出水，可是一次又一次，当我向着一个方向望穿了秋水时，却突然听到它在我背后发出一声怪笑，吓我一大跳，它为什么在这样狡猾地捉弄了我之后，每次一钻出水面，还一定要放声大笑，暴露自己呢？它白色的胸脯已经够明显的了，它真是一只狂妄的潜水鸟。我通常都能听到它出水时的拍水之声，所以也能侦察到它在哪里。这样玩了个把小时，它仍兴致勃勃，游得甚至比一开始时还要远。它钻出水面，庄严地游来游去，胸前的羽毛一丝不乱，它是在水底下就用自己的脚蹼抚平了胸上的羽毛吗？通常它笑起来的声音像魔鬼在幸灾乐祸，不过还是有点像水鸟的叫声的。有时，当它成功地躲开我，潜水到很远的地方再钻出水面时，它就发出一声长长的怪叫，那声音不似鸟叫，更像狼嚎，犹如狼群长啸。这便是潜水鸟之音，如此狂野的声响在这一带似乎还从没听见过，整个森林都因这声音震动。我想它是在嘲笑我的白费精力，并且为自己的足智多谋而自鸣得意。此时天色阴沉，湖面寂静，我只看到它浮出水面，却没有听到任何声响。它浑身雪白，而四周空气肃穆，湖面平静，这一切对它本来都是不利的。最后，它在离我50杆的地方，又发出了一声长啸，仿佛在召唤潜水鸟之神出来保佑它似的，然后立刻从东方吹来一阵风，湖水翻涌，天地瞬间都笼罩在蒙蒙细雨之中。我的第一感觉便是，潜水鸟的召唤大概得到了响应，它的神生了我的气，于是我离开它，任它在汹涌的波浪间远扬。

在落叶漫天的秋日里，我常常一连几个小时观望野鸭如何在波浪间灵活地游来游去，不过，它们始终在湖中央，以远离那些猎人，这种阵势是它们在路易斯安那的沼泽里学会的。在它们不得不起飞时，它们便在高空中不停地盘旋，像天空中的黑色斑点一样。它们在这样的高度，肯定可以看到其他的湖泊和河流了。可是当我以为它们早已经飞到别的地方时，它们却突然之间，疾驰而下，飞了约有1/4英里的光景，又降落到湖面一个较为僻静的区域。它们飞到瓦尔登湖中心来，除了安全，是否还有别的什么理由呢？我不知道，或许它们和我一样也爱这一片湖光山色吧。

室内取暖

10月里,我到河岸草地上去摘葡萄,满载而归。我欣赏这些葡萄鲜亮的色泽和芬芳的味道,而不只是为了品尝它们的甜美。在那里,我也赞赏覆盆子,那一个个小小的蜡宝石垂悬在草叶之上,透着红澄澄的晶莹光泽,不过我并不采摘。农夫用耙子来收集它们,平整的草地顿时变得凌乱不堪。他们只会用蒲式耳和美元来计算他们的收成,只想着把草地上所劫获的卖到波士顿和纽约,制成果酱,以满足那里的野味爱好者的口腹之欲。哪里还考虑草地的美观啊!同样地,小贩们在草地上到处耙着野牛舌草,而丝毫不顾那因此被撕伤和枯萎的生命。鲜亮的伏牛花果也满足了我的视觉。我只略微采集一些野苹果,拿来煮了吃,这是这地方的地主和旅行家还没有注意到的东西。在栗子成熟的时候,我藏了半蒲式耳,以预备过冬。在这样的季节里,倘若身处林肯一带无边无际的栗树林之中,真是让人异常兴奋。可是现在,这些栗树却早已长眠在铁道之下了。还记得,那时我肩上扛着一只布袋,手中拿着一根木棍,来敲打那些带有芒刺的坚果,我总是等不到霜降之时就在枯叶萧瑟之声和赤松鼠与鹅鸟的聒噪责怪声中漫游，有时我还偷拿它们已经吃了一部分的坚果，因为它们所选中的有芒刺的果子中间，一定有一些是饱满美味的。偶尔我也会爬上树，使劲摇动栗树，在我屋子之后就长有不少栗树，有一棵大得几乎遮盖了我的房屋。开花之时，它像一个巨大的花束，四周飘逸着它的芬芳，但它的大部分果实却被松鼠和鹅鸟吃掉了。一到清早鹅鸟就成群结队地翩翩而至，在栗子掉落之前先把它从果皮中掏出来。我把这些树让给了它们，独自去往那些全部都是栗树的远处森林。我觉得这种果实可以当面包的替代品，也许我还可以找到许多别的代用品吧。

一天，我正在挖地找鱼饵之时，发现了成串的野豆，那是土著人的土豆，一种很奇怪的食物。我不禁有些迷离恍惚，究竟是不是如他们所说，我在童年时代挖过并且吃过它们，可是为何我又不再梦见它们呢？我常常看到一些皱巴巴、红天鹅绒似的花朵，让别的植物的梗子支撑着，但却不知道那便是它们。耕田耙地差不多让它们灭绝了。它有股甜味，像霜冻后的土豆，我觉得煮熟的味道比烘烤的味道更好。这种块茎似乎是大自然为后代预备的，将来有一天，它就要在这里简单地抚养着自己的孩子，就用这些来喂养它们。可是现在，人们却崇尚膘肥体壮的耕牛和麦浪翻滚的田地，或许在这个时代里，卑微的野豆已被人遗忘了，至多也只有在看到它开花的藤蔓时还记起它来，却都忘却它曾经还是印第安部落的图腾呢。其实，只要让狂野的大自然重新统治这里，那些温柔而娇贵的英国谷物说不定就会在无数作物面前消失殆尽，而且不需要人类插手，乌鸦会把最后一颗玉米种子再送往西南方,到印第安之神的大玉米田野上去,据说,以前它就是从那儿把种子带过来的。到那时,野豆这种几乎灭了种的果实也许会再生,并且四处繁殖蔓延了,不怕那霜雪和蛮荒,证明它自己是这片土地上的原著居民,而且还要重现曾经作为游猎部落主要食品时的那种重要地位和尊严了。我想一定是印第安的谷物女神或智慧女神创造了它,然后赐予人类,当诗歌开始统治这里时,它的叶子和成串的果实将在我们的艺术作品上得到表现。

9月1日,在湖对岸的一个临水的湖角,我看到在三棵枝丫纵横的白杨树之下,三两株小枫树已经微微泛红。啊!它们的颜色,就像在诉说着美丽的故事。随着时间的推移,慢慢地,每一棵树的性格都显露出来,它们临水欣赏着印在湖水里的倒影。每个早晨,这一荒野画廊的经理先生都会取下墙上的旧画,换上一些新的画幅,新画更鲜艳或者色彩更明亮,清新恬静,脱凡超俗,美观而和谐。

在10月中旬,成群结队的黄蜂会飞到我的住所来,好像躲避严冬似的。通常,它们会在我的窗户里边、头顶上方的墙上安家,有时还吓跑我的访客呢。只是每天早晨都有几只被冻僵,我就把它们扫到外边,但我是不愿意赶走它们的。它们肯光临寒舍避冬,我还真的引以为荣呢!虽然它们跟我一起睡,但它们从来不过分地触犯我。逐渐地,它们也不见了踪影,我想它们一定又躲到什么隙缝中间,去躲避寒冬了吧!

到了11月,我也像那些黄蜂一样,在寒冷的冬天来临之前,到瓦尔登的东北岸避冬去了。在那里,太阳从苍松林和石岸上照过来,成了一座冰上火炉。趁你还能做到的时候,晒晒太阳、取取暖，这样比生火取暖更加温暖、愉快，也更加卫生。夏天像猎人一样，已经离去，我就这样在它所留下来的还在发光的余火中取暖。

在我造烟囱的时候，我认真地研习了水泥工的手艺。由于我的砖头都是旧货，必须用瓦刀刮干净，因此，我对砖头和瓦刀的性质有了更深刻的了解。旧砖上的灰浆已有50年历史，传闻它愈经久愈牢固，不管这种话对不对，人们总是反复言说，因而这种话的本身也愈经久愈牢固了，必须用瓦刀一再猛击，才能粉碎它，从而让自鸣得意的智叟无言以对。美索不达米亚的许多村子，都是用从巴比伦废墟里捡来的质地上乘的旧砖头建造的，它们上面的水泥也许更古老，更牢固吧。不过不管如何，那瓦刀真是犀利，用力猛击，钢刃却丝毫无损，真是叫人惊叹。我砌壁炉用的砖，都是一个以前的烟囱里面的，虽然那上面并未刻上尼布甲尼撒的名字，不过我还是尽量有多少就捡多少，以便节省劳力，也避免浪费。我在壁炉周围的砖头之间填塞湖岸上的圆石，并用湖中的白沙来做灰浆。我把它当作房屋最紧要的一部分，为它花费了很多时间。我工作得很细致周详，虽然我一大清早就从地面开始工作，但到晚上却只垒了离地不过数英寸高，若我睡地板，它刚好可以当枕头。不过我并没有因此落枕，倒是以前睡觉曾落过枕。

我记得，大约是在这个时候，一个诗人来访，在我家住了半个月。我的房屋显得更局促了，不过他带来了自己的刀子，而我自己也有两柄，我们常常把刀子插进土里，这样就可以把它们擦得光亮。他常常帮我做饭。看着我的炉灶整整齐齐、结结实实，并越来越高，我深感欣喜。虽说进展缓慢，但这样就可以更加坚固，这不也是一件不错的事吗？从某种程度上来说，烟囱是一个独立体，立于大地之上，穿过屋子，升上天空，就算房子烧毁，它依然矗立着，显而易见，它不仅独立而且重要。当时还是将近夏末，而今却是11月了。

在北风的呼啸声中，湖水微微泛凉。瓦尔登湖水域太深，还要不断地再吹上几个星期水才能结冰。我的烟囱落成的第一个晚上就生了火。当看到烟在烟囱里通行无阻的时候，那种感觉真是异常美妙啊！那时我还没有给板壁涂上灰浆，所以墙壁有很多漏风的缝隙。虽然如此，我在这寒冷通风的房间内却度过了几个愉快的晚上。屋子四周都是些有节疤的棕色木板，而橡木是连着树皮的，高高地悬在头顶之上。后来，我把它们都涂上了灰浆，不能不承认，这样格外舒服。难道每一所房子的屋顶不应该很高，高得有些朦胧之美吗？你想，到了晚上，火光投射的影子就可以在橡木之上跳舞。这种跳跃着的影子，与壁画或价格昂贵的家具相比，更适合于幻觉与想象。说实话，我真是非常喜欢我的房子！现在我可以说，我是第一次住在我自己的房子里，第一次以此遮风避雨，在其中取暖。我还用了两个旧的薪架，来架空木材。每当我看到我亲手建造的烟囱背后积起了烟灰时，我甚感欣慰。我比平常更加兴奋、更加惬意地拨火。虽然我的房子很小，无法回声，但作为一个单独的房间，又远离世人，房屋就显得空旷。我时常为我的房子骄傲，一栋房屋内应有的一切都集中在这一个空间内。它是厨房、卧室、客厅兼储藏室，无论是父母或孩子，主人或仆役，都住在一个房子里，这所有的一切，我都统统享受到了。卡托说，一个家庭的主人（patremfa milias）必须在他自己的乡居别墅中，具有"cellam oleariam, vinariam, dolia multa, uti lubeat caritatem expectare, et rei, et virtuti, et gloriae erit",也就是说,"一个储存油和酒的地窖,存储丰厚,这于他是有利的、有价值的、光荣的"。而在我的地窖中,我有一小桶土豆,大约两夸脱的豌豆以及以它们为食的象鼻虫。在我的架上,还有一点儿米,一缸糖浆,还有各约一配克的黑麦和印第安玉米粉。我想说的是,这些就已经足够了。一个人的生活是不需要那么多身外之物的。

有时我会梦见一座能容纳众人的豪宅,矗立在远古神话中的黄金时代。它的材料持久耐用,屋顶上也没有浮华俗丽的装饰,它只有一个房间,一个宽阔、简朴、实用而具有原始风味的厅堂,没有天花板,没有灰浆,只有光光的橡木和桁条,支撑着头顶上的那片天——这样,就足以抵御雨雪风寒了。在那里,你走进房屋,向一个古代的俯卧的农神致敬之后,就会看到桁架中柱和双柱架也在接受你的敬意。在那一个空旷阴暗的房间里,你必须把火炬装在一根长竿的顶端,才能看到屋顶。你可以住在炉边,可以躺在窗口凹处,可以住在高背长椅上,可以住在大厅的任何一端,只要你愿意,你甚至可以和蜘蛛一起住在橡木上。在这样的屋子里,你一打开门就可以走到屋内,而不必再拘泥形迹,自由自在;在这里,风尘仆仆的旅客可以洗尘、吃喝、谈笑、休憩,无须继续旅行。这感觉正如同在一个暴风雨之夜你走进一间房屋,里面一切应有尽有,又无家务之烦;一切财富尽在你的视线之内,而一切必需品都挂在木钉上。这儿集厨房、餐厅、客厅、卧室、客房和阁楼的功用于一体,你可以看见木桶和梯子之类的有用物品以及碗橱之类的便利设备,可以听到壶水沸腾的声音，可以向煮着饭菜的火焰和烤着面包的炉子致谢。在这里，必需的家具与日用品就是主要的装饰品；衣物不必在外面晾晒，因为炉火不熄；女主人也不会生气；也许有时需要你移动一下，让厨子从地板的某一开口处走下地窖；你不用蹬脚，就可以知道脚下是虚是实。这房子像鸟巢，里面四通八达且一目了然，你可以前门进后门出，这时你就是主人；倘若做客人，你也可以享受房屋中的全部自由，你不受任何约束，也无须把自己困在一个小房间里，完全可以自娱自乐——哎！这实际是让你独自受到禁锢。现在，一般的主人通常都不愿意邀请你到他的火炉旁边去，而会叫来泥水匠，给你在一条长廊上另外造一个火炉，这就是所谓的"招待"。其实，这是疏远你，把你拒之千里的一种艺术。关于做饭，他们自有妙招，好像要毒死你一样的隐秘。我去过许多人的住宅，可是根据法律，他们都会把我轰走。不过，说实在的，我倒从不觉得我去过什么人的家。如果我走到一个像我所描写的广厦里，我倒可以穿着旧衣服，去拜访过着简单生活的国王或王后。可是，如果我碰到一个现代宫殿，我倒希望学会那临阵脱逃的本领，从那里逃走。

现在看来，我们的高雅辞令仿佛已经失去它的全部力量，堕落成无聊的废话。就这样，我们的生命背离了言语的指向，隐喻与借喻都是那么牵强，就像客厅与厨房或工作场所，离得太远，就需要用升降机从下面送上饭菜。甚至于，吃饭也只不过是进食的比喻，仿佛只有野蛮人才更贴近大自然和真理，能够向它们借用譬喻。可是，住在遥远的西北疆土或马恩岛之上的学者，又怎么知道厨房中的议会式的清谈呢？

只有一两个宾客还有勇气跟我一起吃玉米糊，可是，一旦他们看到严冬临近，就立刻躲开了，好像屋子将要坍塌似的。已经煮过那么多次玉米糊，房屋不是还好好地立于大地之上吗？

言归正传，来说说我的房子吧！我是直到天气变得很寒冷的时候才开始砌墙的。也正是因为这个缘故，我驾了一叶扁舟，到湖对岸运来洁白的细沙。其实，若有这样的交通工具，偶尔去更远地方旅行，我也是很高兴的。在这期间，我已经在屋子的，四面都钉满了薄薄的木条。在钉下这些木条的时候，我很高兴，因为我能够一锤就钉好一只钉子，能够一点点地建筑自己的家，真是让人无比欣喜啊。我更加雄心勃勃，准备迅速而潇洒地把灰浆从木板上涂到墙上。顺便说一下，我记起了一个自负的家伙的故事。他穿着华服丽裳，常常在村里走来走去，对劳动的工人指指点点。有一天，他忽然想用亲手实践来代替他的夸夸其谈，他卷起袖子，拿起一块泥水工用的木板，放上灰浆，这还算像模像样，于是他得意扬扬地望了望头顶上的木条，用了一个"英勇"的动作，往上涂抹灰浆，可惜马上就出丑了，因为灰浆全部落在他那傲慢的胸口上。我再次欣赏灰浆，它是这样经济，却能无比便利地击退严寒；它是如此平滑漂亮，我知道了一个泥水匠会碰到怎样的一些事故。更使我惊奇的是，在我抹平墙之前，砖头是那般饥渴地吸入了灰浆中的全部水分。为了垒砌一个新的壁炉，我用了很多桶水。在去年冬天，我就尝试过，用河流中学名为 Unio fluviatilis 的一种贝壳烧制成少量的石灰。所以，我现在已经知道要从什么地方取得材料。倘若我高兴的话，走上一两英里路，我也许就能找到很好的石灰石，然后动手来烧制石灰。

这时候，阳光照射不到的背阴处和浅水湖湾都已经结上了薄冰，它们通常要比整个湖上冻早上几天，比有些地方甚至会早上几星期。第一块冻结的冰特别有趣，特别完美，因为它坚硬、透明又有些发暗，借以观察浅水湖湾，真是一个不错的机会。因为在1英寸厚的冰上，你可以像水上的长足昆虫那样放心地躺下来，然后惬意地研究湖底。那湖底距离你也不过两三英寸，湖水一直是平静的，透过冰层就像隔着玻璃看图片一样。沙上有许多沟槽，很多生物曾经从上面爬过去，又从原路爬回来，湖中还有很多残骸，都是白石英细粒形成的石蚕壳。这些石蚕就在沟槽之中，我想也许就是它们形成沟槽的吧。那些沟槽虽然是它们造成的，可却又显得太宽阔太庞大了。不过，冰本身是很有趣的东西，你得趁早利用机会来研究它。如果你在结冰的第一天早晨就开始仔细观察它，你就会发现，那些仿佛夹在冰层中间的气泡，实际上是附在冰层下面的；你还可以看到，许多气泡正从水底升上来。由于这些冰块还是比较结实、微微发暗的，你可以透过它看到湖水。这些气泡的直径，大约在1英寸的1/80和1/8英寸之间，非常清晰、美丽。若是仔细观看的话，你能看到自己的脸就倒映在冰层下面的气泡上。有时，1平方英寸内就有多达三四十个气泡。当然也有些气泡是在冰层中间的，通常是那些狭小的、椭圆的或垂直的，约为半英寸长。如果是圆锥形气泡的话，它们通常会顶朝上面。如果是刚刚冻结的冰域，常常有一串珠子似的圆形气泡，一个个交叠，形状非常可爱。但在冰层中间的气泡并没有附在冰下的那么多，也没有那么明显。在无聊的时候，我常常会投掷些石子，试试冰层的力量，那些穿冰而过的石子带着空气，就在下面形成了清晰的白色大气泡。有一次，过了 48 小时之后，我重新回到老地方看，却发现那窟窿上尽管已经重新结了 1 英寸厚的冰，但从冰层边缘的裂缝往里看，那些大气泡还是饱满而美好的。由于前两天气候如小阳春般温暖，现在的冰不再是莹澈透亮的。透出山水的暗绿色，可以看得到水底，水底呈现灰白色，冰层也比以前厚了一倍，却不如以前的坚固。热量使气泡增大进而凝聚在一块，形状不再规则，也不再相互交叠，而是像一只袋子里倒出来的银币那样，堆积在一起。有的形状如薄片，仿佛只占用一个细小的裂缝似的。冰的美感已经消失，这时候再来研究水底，已经为时过晚了。不过，我还是很好奇，想知道我用石子制造的那个大气泡在新冰层里占据了什么位置。于是，我掘起一块聚集着中等气泡的冰块，把它翻个底朝天。我看到在气泡之下，它的周围已经结了一层新冰，所以这个气泡是夹在两片冰的中间的；它整个夹在冰层的底部之中，却又贴近上层，扁平的形状有点像扁豆，圆形的边缘，深达 1/4 英寸，直径约 4 英寸。最令我惊奇的是在这气泡的下面，冰层融化得很有规则，就像一只倒置的茶托，在距中央 5/8 英寸的地方，湖水和气泡之间有着一层薄薄的分界线，最薄的地方还不到 1/8 英寸。而在其他地方，这分界层中的小气泡不断地在下方爆裂。据我的观察，在最大直径约为 1 英尺的气泡之下，是完全没有冰的。这时我才恍然大悟，原来第一次看到的那些附在冰下面的小气泡，现在也冻结在冰块之中了。它们中的每一个，都以不同程度对冰块起着凸透镜聚光和热的作用，不断融化着冰块。现在我终于知道，为什么冰融化时会爆裂有声了，原来就是这些小气泡在捣乱啊。

在寒冬翩翩而至之时，我刚好砌完泥墙。狂风在屋子的周围吼叫着，撕扯着，似乎待命已久，直到此时才得以释放。野鹅在黑暗中呼号着，哀鸣着，拍动着翅膀呼啸而来，一直到大地上已经铺了厚厚的白雪。它们有的会停在瓦尔登，有的则低飞着穿过森林去往美港，准备南迁飞至墨西哥。有好几次，大约在 10 点、11 点光景，我从村里往家回的时候，总能听到一群野鹅或野鸭的走动声，那声音就在我屋后。它们从洼地边林中的枯叶穿过，我想，它们是去那里觅食吧。有几次，我还能听到它们的领队低唤着急行而去的口令声。我记录了这几年瓦尔登湖全面冻结的时间：1845 年里，瓦尔登湖全面冻结是在 12 月 22 日的晚上，而早在十多天前，费林特和其他较浅的湖沼地区就已全部结冻了；1846 年里，是 12 月 16 日那一夜上冻；1849 年，大约是 12 月 31 日夜里；1850 年，大约是 12 月 27 日；1852 年，是 1 月 5 日；1853 年，是 12 月 31 日。我们可以看出，它全面结冻的时间基本上是固定的。自 11 月 25 日以来，地面上已经堆起厚厚的冰雪，突然间，冬天的景象就展现在我的眼前了。于是，我更加依恋我的小窝了，总是希望在屋子里点亮火把，温暖我的身体，也温暖我的心。我现在的主要户外工作便是前往森林寻找枯木，我常常是抱着或者扛在肩上，当然，有时还在左右两臂下各自夹着干枯松枝，拖着它们回家。在夏天被用作藩篱的茂郁松树，就得耗费我大量时间和精力。它们已经祭过土地之神，现在我又把它们祭给火神。到森林中去猎取，或者说去偷窃一些燃料，然后煮熟一顿饭菜，这是多么有趣的事啊！这样想来，我的面包和肉食就很美味。在大部分的乡镇，森林里都有足够的柴火和废木料用来生火,可是目前,森林里的废木料却没有为任何人提供温暖,甚至还有人认为,它们阻碍了幼林的发展呢。有时,湖面上漂浮着许多木料。夏天里,我曾经发现一个用苍松做的木筏,应该是爱尔兰人造铁路的时候钉制的,树皮还附在木头上。我把它们中的一部分拖上了湖岸。虽然它们已经在水中浸泡了两年之久,现在又在高地上躺了六个月,并且还饱和着水分没法晒干,不过却还是十足的上等木料。冬季的某一天,为了自娱,我把木头一根根地拖起来,拖有半英里远。这些木头都长达 15 英尺,一头搁在我肩上,一头放在冰上,就像溜冰似的滑了过来。有时,我还把几根木料用赤杨的纤枝捆上,再用一根较长的赤杨或桤木丫枝钩住,然后慢慢地把它们从湖面上拉走。虽说这些木头水分极多,并且重得像铅,但是它们却非常耐烧,而且烧的火也很旺。在我看来,它们浸湿了后似乎还更易燃,就像浸水的松脂在灯里烧起来格外持久。

在英格兰森林中的居民记录里面,吉尔平曾写着:"他们侵占了土地,在森林中筑起篱笆,造了屋子",在"古老的森林法规中,这种行为是违法的,是要以强占土地的罪名重罚的",因为这是残暴凶恶的行为,会使飞禽恐惧,使森林受损。我比猎人或伐木者更懂得关心野兽和保护森林,仿佛我自己便是护林官一样。假若它有一部分被烧毁,即便是我自己不小心烧掉的,我也要悲痛欲绝,比任何一个森林主本人都要哀痛,而且我的悲痛更加长久而且难以平复。我希望我们的农夫在砍伐森林的时候,能够感觉到那种恐惧,就好像古罗马人在砍伐神圣森林里的树木,想使更多阳光照射进来的时候所感觉到的那种恐惧——因为这个森林是属于天神的。罗马人先赎罪，后祈祷。他们常常这样祈祷：无论你是男神还是女神，这森林是受你庇护的，威严而神圣，愿你赐福与我、我的家庭和我的孩子们，等等。

可就是在我们这个时代，这个世界上的森林也还是极有价值的。它们有一种比黄金更永久、更普遍的价值，不得不承认这是令人惊奇的。在这个文明社会，我们已经发明或发现了许多东西，但没有人能看见一堆木料而毫不心动的。于我们而言，它们是非常宝贵的，正如对我们的撒克逊和诺尔曼祖先一样。不过，他们用木料做弓箭，而我们是用它来做枪托罢了。植物学家米萧在三十多年前就已说过："纽约和费城所用燃料的价钱，几乎等于巴黎最好的木料的价钱，有时甚至有过之而无不及，虽然这大城市每年都需要30万考德的燃料，而且周围300英里的土地都已开垦过了。"在本乡镇上，木料的价钱也几乎每日都在上涨，唯一的不同应该是今年比去年涨多少。你可以看到，除了那些为了别的事情而亲自到森林里来的机械师或商人，到森林里来的人一定是为了林木拍卖才来的，甚至还有人愿出很高的价钱，只为在砍伐者走了以后好捡拾木头。世世代代下来，人类总还是到森林去寻找火炉和艺术材料，不管是新英格兰人、新荷兰人、巴黎人、克尔特人，也不管是农夫、罗宾汉、戈底·勃莱克和哈莱·吉尔，世界各地的王子和乡下人、学者和野蛮人，他们都要到森林里去拿一些木头出来，或生火取暖煮饭，或作为其他的用途。就算是我，也是离不开它的。

我相信每一个人在看见了他的柴火堆时，心里都会涌上一股愉悦之情。我喜欢把我的柴火堆放在窗下，那些细木片越多越能够让我想起我那愉快的工作。我有一把破旧的斧头，冬天里，我常常在屋子向阳的一面，砍着那些从豆田中挖出来的树根。这些树根让我感觉到两次温暖，一次是我在劈开它们的时候心里感觉到的温暖，另一次是在燃烧它们的时候身体上的温暖。我不禁要感谢那个在我耕田时租给我马匹的主人了，是他预言这些树根会给我带来温暖的。至于那把斧头，曾有人劝我到村中的铁匠那里打磨一下，不过是我自己淬了它，并给它装上一根山核桃木柄，到现在还可以使用。虽然它还是不够锋利，不过至少是修好了。

　　我们不得不承认，那几片多油多脂的松木真是一大宝藏啊！真不知道现在还有多少这样的燃料蕴藏在大地之中。还记得，在几年前我常常到光秃秃的山顶上探察，因为那个地方曾经有一大片松林。终于，我在那儿找到一些油质多的松根，它们几乎是毁灭不了的。有很多树根至少有三四十年的历史，虽然外表已经腐烂了，树心却还是完好的。那厚厚的树皮，在树心外边四五英寸的地方形成了一个环，与地面相齐。我用斧头和铲子沿着那黄黄的、牛油脂似的储藏，来探索这个矿藏。我像找到了金矿的矿苗似的，一直挖入到地里，把这个宝藏挖掘出来。通常情况下，我都是用森林中的枯叶来引火，而在下雪前，我就在棚子里储藏一些枯叶。樵夫们在森林中生营火时，都是精巧地劈开青苍的山核桃木来引火。每隔一段时间，我也会预备一些这种燃料。正如村中的袅袅炊烟一样，我的烟囱上也常常溢出一道道浓烟，让瓦尔登谷中的众多原始居民知道，我已经苏醒：

羽翅闪亮的轻烟啊，伊卡洛斯之鸟，
向上升腾，翅散翼融，
悄然无声的云雀啊，黎明的信使，
盘旋在村落之上，那就是你的家园；
或许你是了无痕迹的梦境，
精灵般地，飘舞着罗裳；
给星夜披上轻纱，
让晨光柔和淡渺，将白日驱逐；
快去吧，我的薰衣香，
从炉火中腾起，
见到诸神，请他们宽恕这通明的火光与热情。

  我常常只用那些很少但很坚硬的青翠新木，它们比其他燃料更符合我的要求。在冬日的下午，每当我出去散步之时，都会在屋里留下一堆旺旺的火；三四个小时之后，当我归来，它还熊熊地燃烧着。每当这个时候，我的内心都感觉非常快乐。因为在我出去之后，房中似乎并非空无一人，如同我在屋中留下了一个愉快的家庭主妇。平日在我的小屋里住着的，是我和我的火，而在大多数时候，火这位管家真是无比忠实可靠。然而，也有过那么一天，我正在屋外劈着木头之时，突然想起我应该到窗口去看看，看看这座房子是否着火了。结果，我看到一粒火星烧着了我的床铺，我赶紧跑进去，把火扑灭，可它已经烧了像手掌大小的窟窿。由于我的房屋处在一个阳光充足而又避风的位置上，而且它的屋脊很低，所以在冬天的任何一个中午，它都是非常温暖的，可以把火熄灭而不至于太冷。

我的朋友——鼹鼠住在我的地窖里，每次都要消灭我土豆的1/3。它们利用我泥墙以后还剩下的麻绳和几张牛皮纸，做成了自己的小巢。在我看来，就算是野性十足的动物，也像人类一样酷爱享受舒服和温暖。我的这些朋友非常小心，也非常珍惜这个窝，所以它们才能安然度过寒冬。我的几个朋友，常常在言谈之中透露出，我住在森林里，好像为了把自己冷藏起来。其实，动物只要在隐蔽的地方为自己铺上一张床，就可以以自己的体温来取暖；人却因为发现了火，在一个宽大的房间内把空气封闭起来，并把空气弄得很温暖，而不是靠自己的体温来保暖。然后，把这暖室作为卧室，让自己可以少穿些累赘的衣服而能跑来跑去，使屋内在冬天里也保持着夏天的温度，因为开着一扇窗，依然能邀入光明，再用一盏灯火，把白昼拉长。就这样，人超越了他本能一步或两步，节省下来的时间就用来从事其他的事情。确实，每当长久地置身于狂风之中，我的全身就开始麻木，可是等到我回到满室生春的房屋之内，我就立刻恢复了所有的官能，感觉生命也得以延长。在我看来，就是住在最奢华的房间里的人，也没有什么值得夸耀的。当然，我们也不必劳心费神去猜测人类最后将怎么毁灭，因为人在大自然面前是多么的渺小啊，一阵从北方吹来的锐利的风，任何时候都可以轻易结束他们的生命。我们往往用寒冷的星期五和鹅毛大雪这种说法来计算日子，可是一个更寒冷的星期五，或更大的雪，就可以让地球上的人类彻底毁灭，不是吗？

第二年冬天，为了经济起见，我只用了一只小小的炉灶，因为森林并不归我所有。可是,这个小炉灶并不像壁炉那样,能让火焰保持旺盛。在这个时候,煮饭也不再是一个富有诗意的浪漫工作了,仅仅成为一种化学反应的过程。在使用炉灶的日子里,我很快就要忘记在火灰中像个印第安人似的烤土豆的感觉了。另外,炉灶不仅占用空间,还会把房间里熏得有一股烟味,而且我还看不见火。这个冬天,我总觉得仿佛失去了一个伴侣。我们可以想象,劳动者们在晚上凝望着火的时候,常把白天积聚起来的杂乱而粗俗的思想,都放到火里去锤炼、提纯。可是,我再也不能坐着凝望火焰了,这是一件多么悲哀的事啊!有一位诗人的直指人心的诗句让我顿生无限感慨:

> 光亮热情的火焰,请不要拒绝我,
> 哦,你那可爱的生命之影,缱绻柔情,
> 为何我的希望向上升腾得如此灿烂?
> 为何我的命运在黑夜里如此百折千回?
> 你受到众人的欢迎和挚爱,
> 为何却被放逐于我们的炉边和大厅之外?
> 难道是你的存在太富于想象,太过奇妙精美,
> 不能为迟钝的浮生照明、指点迷津?
> 你的神秘的光芒,不能赐予我们?
> 与我们的灵魂情投意合?秘密永不可泄?
> 好了,现在我们安全而强健,
> 因为我们就坐在没有暗影的火炉旁,
> 既无欢乐也无哀愁,

只要有火来温暖我们手足——夫复何求?
有了这简单实用的熊熊火焰,
人们可以在它面前安坐和就寝,
不必再怕黑暗中徘徊的游魂厉鬼,
古树的火光闪烁着,和我们喁喁低语。

往昔居民，冬日访客

在这个冬天，我体验了几场愉悦的风雪，并在火炉边度过了很多愉快的冬夜。当时，风雪在屋外放肆地旋转，那呼啸之声，竟掩盖了猫头鹰的鸣叫。好几个星期以来，我在散步的时候，除了那些偶尔遇见的去往林中用雪车运走木料的伐木工外再也遇不到一个人。不过，我从中受益匪浅，因为这些风雪让我学会从林中积雪深处开辟出一条路径的方法——那是一个偶然的机会，我从雪地上走过，风把橡树叶子吹到我踩过的地方，这些树叶就停留在那里，吸收太阳光，使积雪融化。这样，在回来的时候，不但脚下有了干燥的路可走，而且在夜里，树叶铺就的黑色路线还可以为我引路。一个人的生活固然无尽美妙，然而与人交往，有时也是必要的，因此我情不自禁地回忆起昔日的林中居民来。据许多乡民回忆，我屋子附近那条路上，曾回荡着林中居民的闲谈和笑声，道路两旁的森林里遍布着他们的小花园和房屋，虽然比起现在来，当时的森林要浓密得多。我也还记得的，有些地方，浓密的松树林会同时擦过轻便马车的两侧；那些不得不独自步行去往林肯镇的女人和孩子，在经过这条路的时候，往往恐惧不安，甚至大部分的路程都是狂奔而过的。虽然这只是一条去往邻村的简陋小径，或许只有伐木工才从此处经过，但由于那时它绿树成荫，花明柳暗，一步一景，简直是人间仙境，曾经确确实实诱惑了一些旅行家在那里流连忘返。而今，那个地方成了一大片空旷的原野，从村子一直延伸到森林，当时那里却是一片枫树沼泽地，因为那里有许多木料，那儿的小径也就很宽广，现在这条小径变身成为尘土飞扬的公路。这条公路从现在已变成济贫院的斯特拉登开始，穿过田庄，一直通到勃立斯特山下。

在那条路的东面，也是我的豆田的东面，一个叫卡托·英格拉汉姆的人曾在那儿居住。他是康科德的乡绅邓肯·英格拉汉姆老爷的奴隶。邓肯真是个不错的人，为他的奴隶造了一座房子，并允许他住在瓦尔登山林中。当然这个卡托不是尤蒂卡的那个，而是康科德人，不过也有人说他是几内亚的黑人。也还有少数人记得他在胡桃林中拥有一小块土地，他培育胡桃林据说是作为养老之用的。后来，一个年轻的白人投机商买下了它。现在，这位投机商也住在一所狭长的房子里。虽然卡托的那个坍塌近一半的地窖至今还在，只是四周有一行松树围绕，旅行家无法见到它，所以，那个地窖罕有人知。现在那里长满了平滑的黄栌树和年代久远的黄色紫苑。

一个叫希尔发的女黑人就住在我的豆田转角的地方，那儿离乡镇比较近。她有一幢小房屋，靠给乡民纺织细麻布为生。值得一提的是，她有一副洪亮悦耳的嗓子，整个瓦尔登森林中常常回荡着她高亢的歌声。不幸的是，在1812年的战争中，她出门在外之时，一些假释的英国兵和俘虏把她的住宅给烧掉了,她的猫、狗和老母鸡全都葬身火海。之后,她的生活过得很艰苦,近乎非人。有个常常在森林中走动的老者说,在某一个午间经过她家时,听到她正对着沸腾的壶喃喃自语:"你们全是骨头,骨头啊!"现在,在那里的橡树林之间,我还看见过她家房子的断壁残垣。

顺路而下,在右边的勃立斯特山上,曾经住着勃立斯特·富理曼,据说他是"一个机灵的黑人",曾是肯明斯老爷的奴隶。现在,一棵勃立斯特亲手种植的苹果树仍立长在那里,已经是高大茂盛的大树了,不过那果实到现在吃起来还是野味十足呢。不久前,我还在林肯公墓里看到他的墓碑,躺在一个在康科德撤退中战死的英国掷弹兵旁边。墓碑上,他被称为"斯伊比奥·勃立斯特"——人们曾称他为斯基比奥·阿非利加努斯——"一个有色人种",他是有资格叫这个称呼的,好像他的肤色曾经褪色过一样。墓碑上还强调了他死亡的时间,不能说这种表述一点好处也没有,至少它告诉了我,这人曾经在这个世界上生活过。他的妻子芬达和他同眠于此,据说她会算命,很招人喜欢,她有着圆圆的、壮硕的身体和黝黑的皮肤——比任何黑夜的孩子还要黑,这样的肤色在康科德一带算得上是"前不见古人,后不见来者"的。

沿着勃立斯特山往下走,在左边的林中古道之上,还残留着斯特拉登家的废墟。他们家的果园曾遍布勃立斯特山的斜坡,不过随着时间的推移,这些果树也早早被北美油松所替代,只剩下寥寥树根,到现在,那些老根之上又长出枝繁叶茂的小树。

走到离镇子更近些,在路的另一面,即森林的边上,就是勃里德这一带了。这个地方因传言有妖怪作祟而闻名,当然,这妖怪至今也尚未列入古代神话之中,不过他在新英格兰人的生活中确实扮演着重要的、骇人的角色,像许多神话中的人物那样,有朝一日终会被人写进一部传记之中的。故事的大概是:最初,他会乔装成一个朋友或者一个雇工来到一户人家,然后他趁其不备抢劫这户人家,并杀光他们全家。可是,历史还不能详细地把这里所发生的悲剧都记录下来,只有让时间把事实弄得更糊涂一点,为它们添加一层神秘的色彩。还有一个不甚清晰的说法:这里曾经有一个酒店,人们走累了的时候,会在这儿歇脚休息,相聚一堂,他们互致敬意,互换新闻,然后各奔东西,就像那口井一样,井水给行人以甘甜,使马匹重焕活力。

勃里德的草屋早就没有人住了,我还记得,它的大小跟我的房子差不多。若是没有弄错,在12年前选举大总统的那个晚上,几个顽皮小孩放火把它烧了。那时,我住在村子边上,正出神地读着戴夫南特的《刚蒂倍尔特》。说起来很不好意思,这年冬天我为嗜睡病而烦恼不已——顺便说一下,也许这是家传的老毛病,因为我有一个伯父,刮胡子的时候都会睡着,因此每到星期天他都不得不在地窖里摘去土豆的芽,以此保持清醒,来信守他的安息日。然而,我想也许还有另外一个原因,就是我想一首不漏地读完查尔莫斯编的《英国诗选》,这书是如此艰涩,我读得晕头转向。言归正传,正当我把头低垂在书本之上的时候,火警的钟声响了,救火车急速而至,车的前后簇拥着混乱的大人和小孩,我从溪流上一跃而过,跑在最前列。我们以为火烧的地点远在森林的南边,因为我们以前也曾在那儿救过火,有时是谷仓,有时是店铺,有时是住宅,或者所有这些地方都是一片火海。"是贝克田庄。"有人嚷道。"是考德曼的地方。"另外的人语气肯定地说。我们看到一阵火星腾上森林上空,好像屋脊坍塌了。我们都急切地叫起了:"康科德人来救火呀!"救火车辆如飞矢般狂奔,车上坐满了人,我想其中说不定还有保险公司的代理人呢,因为不管火烧得离他有多远,他都必须到现场。然而救火车的铃声离我们越来越远,速度也像越来越慢了。后来,人们都在私下议论说,跑在最后的就是放了火,又来报火警的人。就这样,在一片嘈杂声中,我们像真正的唯心主义者那样向前行进,全然不顾耳闻目睹的事实。直到在路上的拐角处,我们听到火焰的噼啪爆裂之声,真真切切地感觉到墙那边火焰的热度,终于明白过来,我们到达了火灾现场,然而走到火边,我们的热情也降温了。人有时候真是很奇怪的动物,在路途中总是在憧憬着目的地,可到达目的地后又会觉得不过如此。起先,我们还想把一池塘的水都泼在火上,但后来却决定还是让它烧吧,因为这房子已经烧得差不多了,变得一文不值。最后我们确实无事可做了,就围住救火车,用扬声喇叭发表我们的观点。而有的人就用低低的声音,在交谈那些有史以来世界上曾发生的大火灾,包括巴斯康的店铺的那一次。还有的人在突发奇想:要是凑巧我们身边有个"桶",又有个装满水的池塘的话,或许我们可以把那骇人的一场大火变成一次洪灾。最后我们什么事都没有做,都回去睡觉了,而我则回去继续看我的《刚蒂倍尔特》。说到这本书,序文中有一段话是关于机智是灵魂的火药的话:"可是大部分的人类不懂得机智,正如印第安人不懂得火药",对此,我不敢苟同。

第二天晚上,大约在同一时间,我凑巧又经过那个火灾现场，我听到有人在那里低声叹息。在黑暗中，我摸索着走近，发现是那家唯一的后人，他承继了这一家人的全部特点，包括优点和缺点。也只有他还关心这场火灾，当时他扑倒在地，面朝着地窖的方向，一边看着里面还在冒烟的灰烬，一边在喃喃自语。他整天在远处的河边牧场上干活，他很依恋这个家，一有闲暇时间，就立即来到这儿。是的，他的童年时光就是在这里度过的，又怎么能不依恋呢？他依次从各个方向、各个角落，趴下来注视着地窖，好像他还记得有什么宝藏藏在那些石块中间似的，但除了砖石和灰烬，什么也没有。屋子已被烧毁，但他还是要看看残留下来的东西。我的出现，让他觉得有了同情者，这使他大感宽慰。在黑暗之中，他尽力给我指出那口被掩盖的井，那口永远无法烧毁的井；沿着墙面，他久久地摸索着前进，找到他父亲亲手制造并搭架的吊水架，邀请我摸摸那用于吊起重物的铁钩——而今，这就是他还能够抓到的唯一的东西了。他试图让我相信，这是一个不平凡的架子，我摸了它以示安慰。后来，我每次散步到这里总是要看看它，因为它上面还承载着一个家族的历史。

从路的左边，可以看见井和墙边的丁香花丛的空地，纳丁和勒·格洛斯曾经在这个地方住过。这里的住户就介绍到这儿，现在让我们回到林肯去看看其他的居民吧。

在森林中比上述任何一个地方都要远些，也就是在小路最靠近池塘的地方，陶匠魏曼拥有一块土地。他为镇上的乡亲们制造陶器，当然也留下子孙继承他的事业。在经济方面，他们并不宽裕。魏曼活着的时候，只能勉强坚守那块土地。尽管如此，治安官来征税时，往往只是白跑一趟，因为他实在是身无分文。为了做做形式,他们只能"拖走一些不值钱的东西"。仲夏的一天,我正在锄地之时,一个运着许多陶器前往市场的人勒住了马,在田畔间询问我小魏曼的近况。原来在很久以前,他向小魏曼买下了一个制陶器用的转轮,现在他的生活有了起色,他很感激小魏曼,因此他很想得知小魏曼的近况。以前我只在《圣经》中读到制陶器的陶土和转轮,但却从未想过我们所用的陶器并不是从那时留传至今而且完好无损的古代陶器,或者像葫芦般长在某处的树上。现在我很高兴地听说,就在我们附近,也有人从事着这样一种极具创造力的艺术工作。

在我之前,这片森林里居住的最后一个居民,是一个叫休·夸尔(如果我说他的名字舌头卷得够的话)的爱尔兰人,他曾寄居在魏曼的家里。人们叫他夸尔上校,传说他曾经参加过滑铁卢之战。如果他还活着,我一定会要求他把这场战争从头到尾详细地给我讲一遍。他在这里是以挖沟为生,拿破仑流放到圣赫勒拿岛,而夸尔来到瓦尔登森林。我所知道的一切有关他的事情都是悲凉凄惨的。他这人正像见过世面的人,举止文雅,风度翩翩,谈吐措辞极具修养。因身患震颤性谵妄症,即使在仲夏季节,他也总穿着大衣,脸总是呈胭脂红色。在我到达森林之后不久,他就死在勃立斯特山下的路上,准确地说,他还不算是我的邻居。他的朋友都认为他的房子是"一座凶险的堡垒",因此避而不去。在他的房子被拆之前,我出于好奇进去看了看,在高高架起的木板上,堆着他的破旧衣物,那些旧衣服就像他本人一样皱巴巴地躺在床上。火炉上放着的不是在泉边打破的碗,而是一根破旧烟斗。而那所谓泉水,并不能作为他去世的象征。因为他曾对我坦言，虽然他久闻勃立斯特泉水之盛名，却从没有去看过。另外，地板上还散落着满是污垢的肮脏纸牌，方块、黑桃、红心的老K……他家里还有一只没被行政官员捉去的黑鸡，它的羽毛黑得发亮，如午夜般静谧安宁，连咯咯之声也不发，如今依然栖宿在隔壁房间里，它是在等着寓言里的列那狐的狩猎！屋后隐约可见一个轮廓模糊的花园，花园里曾播种过东西。现在虽是收获的时候了，因为可怕的震颤性谵妄症，花园一次也没有锄过，这儿也是没有什么可以收获的，只有罗马苦艾和叫花草。我在屋后走了一趟，那些叫花草的小小果实全都贴在我的衣服上。我还发现他在最后一次滑铁卢之战的战利品———张绷在房屋背后的小兽皮，可是，他再也不需要什么温暖的帽子或者温暖的手套了。

如今，这里只有一个凹坑可以作为这些住宅存在过的印记。草莓、树莓、糙莓、榛树和黄栌树在向阳的草地上恣意生长，地窖中的石头深埋地下，烟囱存在的那个角落现在也被苍松或多节的橡树占去；原来是门槛的地方，如今却摇曳着一棵茂盛的黑杨树。有时，一口井的井坑足以让人明白时间的无情。曾经泉水涌动，现在却遍布着干枯的野草；也许它被长草遮蔽，直到有朝一日，有人细心地寻找才能发现，也可能是最后一个人离开的时候，用一块石板把井盖住，于是上面杂草丛生，并深埋地下——把井遮盖起来——这是何等悲哀的一件事啊！而那些地窖的凹痕，则像一些被摒弃的狐狸洞，就是这些古老的窟窿，曾经有过喧闹的人类活动，他们当时也会或多或少用不同的形式、不同的方言或方法依次讨论过何谓"命运、自由意志、绝对感知"等话题。不过据我所知，他们所讨论的结果最多也只是"卡托和勃立斯特曾拔过羊毛"之类,这和著名的哲学流派的历史一样极富教益吧。

在门框、门楣和门槛都消失了一代人的时间之后,从前的某个小孩子亲手种在屋前院子里的丁香花,还在生机勃勃地生长着,每年春天都会绽放芳香诱人的花朵,任沉醉其中的旅行者采摘。屋前的院子而今变成了杳无人迹的牧场墙脚,并且逐渐让位于新生的森林,可那些丁香花却一如既往地灿烂地开着,它是这个家庭唯一的幸存者。那个皮肤黝黑的小孩子万万没有想到:他在屋后背阴处插下的只有两个芽眼的细枝,居然会生根发芽抽枝长叶,活得比他们还长久,比为它们遮阴的屋子还要长久,甚至比大人的花园、果园还要长久。在他们长大而又死去的半个世纪之后,这些丁香花却还在默默地,把它们的故事叙述给每一个孤独的旅行者听。我看见的它们依然焕发着柔和、谦逊而愉快的淡紫色光泽,花朵是一如既往的美,香味也是一如既往的清甜,正如在第一个春天里盛开那样。

这一个本可以让更多东西繁衍生存的小村落,为什么消失了,而康科德还在老地方呢?难道没有天然优势?譬如说,水域不好?但不可能是这个原因啊,深邃的瓦尔登湖,清冽的勃立斯特泉水——这儿的水资源是如此丰富,喝了也是有益于健康的啊。可是除了用以冲淡杯中的酒水之外,这些人丝毫没有对此加以利用,他们都是些只为果腹的家伙。仔细想想,为什么编篮子、做马棚扫帚、织席子、晒苞谷、织细麻布、制陶器等营生,在这儿都不能发展壮大,不能使荒原开出像玫瑰花一样的花朵,使子孙后代来继承他们祖先的土地呢?真是可悲可叹!这些人类的居民几乎无法为这里的山水增光添彩,也许大自然又会重新尝试,让我做第一个定居之人，使我在去年春天建成的屋子成为这个村子里最古老的建筑。

当然，在我占用的这片土地上，我不知道以前是否有人建过房屋。千万不要让我住在一个建于古城废墟之上的城市中，古城中的房屋已坍塌于地底变成废墟的一部分，土地也已荒芜。那里的土地是受到诅咒的，是令人惊惶不安的。在这成为事实之前，大地本身恐怕已经毁灭。就这样，怀揣着这样的幻想，我又把自己拉回现实，安静下来，缓缓进入梦乡。

在这种季节里，是难得有客人来访的。当积雪最深的时候，往往一连一个星期，甚至半个月，都没有一个人走进我的屋子。可是，即使这样，我还是觉得在那儿生活得很安适，就像草原上的一只老鼠，或者一头牛，又或者一只鸡一样——传言它们长期埋在积雪里，即使没有食物，也能长久地活下去呢——或者像本州萨顿城中最早的那家移民，在1717年的大雪中，他不在家，一场大雪覆盖了他的草屋，幸亏一个印第安人凭借烟囱冒出的热气在积雪中化出的一个窟窿，发现了那间草屋，救出他的家人。如今，没有友好的印第安人来关心我了，不过他也不需要过来，因为身为房屋主人的我现在窝在家里。一场兆丰年的瑞雪啊！这风雪的声音，听来是多么愉快！农夫们没法赶着马车去往森林或沼泽，不得不把门口那些遮蔽日光的树木砍倒。而当地面结冰冻硬的时候，他们就会到沼泽地砍些树木。要是等到第二年春天再去看看，就会发现，前一年他们是在离地面10英尺高的地方砍下树枝的。

积雪最深的时候，从公路到我家约有半英里长的那条小道，就像一条蜿蜒曲折的虚线，两点之间有一大段空白。在连续一周不变的天气中，来来回回，我总是谨慎地用同样的步伐跨出同样的步数，就像用尺子量过那样准确，每一次我都故意踩在自己深深的足印上，冬天就这样把我们局限在固定的路线上。可是这些足印，往往代表着天气很好。然而，于我而言，不管是什么天气，都无法阻挠我的出行。我也常常在厚厚的积雪中，走上8～10英里，去和每一株山毛榉、每一棵黄杨或每一片松林碰面聊天，因为它们是我的老相识，与我约定了时间。那时，冰雪压得树枝下垂，隆起的树顶变得更尖，把松树子变成铁杉木的样子。我时常跋涉在两英尺厚的积雪中，朝最高的山顶爬去，我每前进一步，都要从头顶上摇落一大团雪花；有时深深地陷在积雪之中，我索性手脚并用，扑在地上爬行，幸好那时候猎户们都躲在家里过冬。一天午后，闲暇之时的我正饶有兴致地观察一只花斑猫头鹰。在青天白日之下，它停坐在一棵白松下很靠近树干的枯枝之上，而我就站在离它不到一杆远的地方。如果我移动脚步，它是可以听到我踏在积雪上的声音的，但它没法看清我。在我发出很大声响之时，它会伸伸脖子，竖起颈上的羽毛，瞪大眼睛，东张西望；可是，马上就又眯上眼睛，开始点头打瞌睡了。就这样，我观察了半小时之久，一动不动的我也渐渐睡意蒙眬。它就这样半闭半睁着双眼睡觉，就像一只猫，真可谓猫的长有翅膀的兄弟。它两眼皮之间只留着一条窄缝，警惕着，与我保持着若即若离的关系。它半闭着眼，似乎在梦乡里极力猜测我是谁，极力想认识我这个朦胧模糊的物体，或是阻碍它视线、扰它清梦的黑斑。最后，可能是声音更大了，或者是靠得更近，它渐渐生出不安，在枯枝上缓缓地转了个身，似乎因扰其清梦而深感不悦。转身后，它即刻展翅飞起，没有丝毫犹豫。当它展翅飞在松林的时候，我才发现它的翅膀竟是如此宽大，给人能扇动海浪的视觉冲击，可我却听不到一丝扑棱的声音。就这样，它悄然飞翔，似乎不是用视觉而是用感觉在飞着，在松枝之间穿梭，仿佛使用灵敏的羽翼在微光中摸索，然后它寻觅到一个新枝，栖息其上，在那儿，它终于可以安心地、平静地等待新一天的到来。

行走在那贯穿草原的长长的铁路堤岸时，一阵阵凛冽的寒风迎面吹来，因为这儿是平地，没有任何遮挡，冷风才能这般肆意横行。当雪粒拍打着我的左颊，尽管我是一个异教徒，我也还是把右颊转过来，任它抽打——因为我喜欢这样和大自然亲近。这条路不好走，从勃立斯特山来的那条马车路也不见得好到哪儿去，而我依然要像一个温顺的印第安人那样前往城里。宽阔的田野上的白雪，被风吹散堆积在道路两侧的墙垣之间。风雪如此之大，不出半小时，刚走过的行人的足迹就被掩埋。在我回来时，又扬起一场新的风雪。风雪过后，我再也看不到野兔的足迹，甚至连田鼠的细小爪印也没有。那忙碌的西北风在路的一个大转弯处堆满银粉似的雪花，我在路上跌跌撞撞地前行。然而，即使在这样的寒冬，我还是能看到温暖、松软的沼泽地带，在那里，青草和臭菘的叶子青色依旧，偶尔也看到几只迎寒而立的小鸟，在等待着春天的归来。

有时，即使有雪，我散步归来的时候还是会发现樵夫们深深的足印，他们都是从我门口经过的。在壁炉上，我还可以看到一堆削尖的木片，甚至还会有幻觉——屋里充满他们的烟斗味。有时在周日的午后，如果我凑巧在家，还会听见一阵窸窸窣窣的踏雪声。原来，这个长脸的农夫老远穿过了森林来和我聊天，他是少数几个"务农为生"的人，他穿着一件工人服而不是教授的长袍。他讥讽教会或政府的那些道貌岸然的政治言论，好比是在拉一车牛棚中的肥料那般轻松自在。我们谈到原始、淳朴的远古时代，那时候在寒冷清新的空气里，人们围坐在一大堆火焰旁，个个头脑清醒。若是没有别的点心可吃，我们就用牙齿去试试那些松鼠早已不吃的坚果，不过那些有着最硬的果壳的坚果往往是空而无果的。

从很远的地方穿过最深的积雪和最狂妄的风暴来到我木屋的，一定是一位诗人。一个农夫、一个猎户、一个士兵、一个记者，甚至一个哲学家都有可能畏惧不前，可诗人不会。什么都不能阻止一个诗人的脚步，因为他是为纯粹的爱所驱使。即便是在医生也坠入梦乡的时候，他响应灵感的呼唤随时都可能出门，谁又能预言他的踪迹呢？我们在这小小的木屋中时而肆意欢笑，时而清醒地喃喃自语，打破瓦尔登山谷长久以来的沉默。相比之下，喧闹的百老汇此刻也都显得寂静荒凉了。可能是为了对刚出口的一句话表示赞赏，也可能是为了对一个正要说的笑话表示肯定，我们的窗口时不时爆发出大笑声。我们一边喝着稀粥，一边创造出许多"新鲜的"人生哲学，宴饮之乐与理性的哲思就这样完美地结合在一起了。

我怎么也忘不了那位最受我欢迎的访客。那是在我住在湖边的最后一个冬天里，他冒着雨雪在黑暗中漫无目的地跋涉，直到透过密林看见我的灯火。我们俩共度了好几个漫长的冬夜。他是康涅狄格州献给世界的，是最后一批哲学家中的一员。起先，他推销的是他所拥有的财产，后来他宣布要推销自己的头脑。就像坚果里面的果肉一样，他的头脑就是他的果实。他推销头脑，赞扬上帝，贬低世人。他的话语和态度，总透露出一切都比人们所了解的更好，随着时代的变迁，他恐怕也是最后一个感到失望的人。我想，他必然是世界上最有信仰的人。目前他并没有计划，现在也不受人注意，可是等到时运来临，他的忙碌的日子就要开始了，大部分人意想不到的法规就要执行，家长和统治者都要向他征求意见了。

不识澄清者是何等盲目，何等的悲哀！

他是人类的真正朋友，也几乎算是人类进步的唯一朋友。他像一个古朴睿智的老人，或者一个神灵，总怀着不倦的耐心和坚定的信念，诚挚地把铭刻在人类心里的形象诠释清楚。在我看来，人类所崇拜的神灵，也不过是外表破旧、摇摇欲坠的纪念碑罢了。然而，他却用慈祥和智慧拥抱孩子、乞丐、疯子和学者等一切人。他包容并接受所有人的思想，同时又把这些思想加以扩大、升华。或许，他应该在世界的康庄大道上开设一个大旅馆，招待全世界的哲学家，而在招牌上应该写着："招待人，不招待人的兽性。欢迎有闲情逸致、心胸宽广、真诚地寻找正道的人。"他应该是头脑清醒、理智的人，算是我所认识的人中间最心无杂念的一个。于他而言，昨天和今天都是一样的，他就是他，从不会改变。往昔，我们一起漫步闲谈，全然把世界抛在脑后，因为他生来自由，身处这世界的任何制度之外。对于一个穿蓝衣服的人而言，最合适的屋顶便是苍穹，星空映照着他的澄清。或许他会永生，因为大自然永远依恋着他。

思想如木质标签一样，干瘪无趣。于是，我们坐下来，一边欣赏着松木那微微泛黄的光亮纹理，一边试着用小刀刮削着标签。我们温和而虔诚地涉水而过，或者平和融洽地携手漫步，因此，思想的鱼儿不会在溪流中惊跑，也不怕岸上的钓鱼人，它们快活地游来游去，恰如西边天空中飘动的白云，那珍珠色的云层，有时聚集成形，有时又消散而去。我们的思想也是时合时分。大地没有给城堡提供有价值的基础，而我们在考究神话、修订寓言、建造空中楼阁。他是个伟大的观察者！伟大的预见者！和他谈天论地，就是新英格兰之夜的极致享受。啊！我们曾这样谈话，隐士、哲学家，还有前面提及的那个老居民——我们三个人谈天论地，让我的小屋热气膨胀。我不知道在小屋的大气压之上，每一英尺的范围要承受多重的压力，以至于小屋裂开了缝，需要无数废话来填塞，以防止泄漏；幸而，一切我已经准备妥当。

还有另外一个人，曾在他村中的家里，我与他共度过"充实的时光"，且久久不能忘怀。他也不时回访，我的社交圈子也就仅限于此了。

正如其他人一样，有时我也会期待着那些永远不会到来的客人。《毗瑟奴浦蓝那》说："于黄昏之中，屋主应徘徊在大门口，大约保持挤完一头奶牛的牛乳那么久，若是愿意，还可待得更久，以待客人的到来。"我常常这样隆重地守候着，所用的时间足够挤完一群奶牛的牛乳，然而却没有看见有人从镇上走来。

冬天的动物

　　冬天的湖水已经在我的等待中结成厚厚的冰，人不仅可以站在冰上看那些熟悉的风景，而且还多了种道路去许多地方，一切都变得那么简单。虽然以前对这里就很熟悉，但当我漫步在积雪包围的费林特湖的时候，视野一瞬间宽阔了许多，而且很奇怪的是，它总使我想起巴芬湾。放眼四周，林肯郡的群山环绕，白雪皑皑，让我对这里感到陌生，仿佛从未来过。渔夫带了他们的狼狗在冰上看不清楚的远处慢慢地移动，有如猎海豹的人或因纽特人那样。在雾比较大的天气里，我模模糊糊地看见一些影子，我不知道那些究竟是巨人还是侏儒。在夜晚，我到林肯郡去听演讲时，我没有走任何一条介乎我的木屋与讲演厅之间的道路，也没经过任何一座屋子，总是走这一条自然之路。途中要经过鹅湖，那里是麝香鼠的聚居地，它们将住宅安在冰上，不过在我经过的时候没有看到过一只麝香鼠在外面活动。瓦尔登湖像其他的湖一样常常是不积雪的，即便有也只是一层薄薄的意犹未尽的雪，一会儿工夫就被风给吹散了。瓦尔登湖是我小木屋的庭院，也是我闲庭信步的场所。然而，其他地方在这时候积雪却有将近两英尺深。此时村中的街道，很难听得到雪车上的铃声了，因为寒冷把村中居民都驱赶到他们的小天地里。我跌跌撞撞地，一走一滑一扭，像在一个踏平了的鹿苑中行走，两边的橡木和庄严的松树，不是被积雪压弯，便是倒挂着许多冰柱。

在冬天无论是白天还是黑夜，我总能听到从很远的地方传来的绝望且旋律优美的猫头鹰的叫声。仿佛是用灵巧的拨子拨动这冰天雪地而发出的声音，这正是瓦尔登森林里特有的土语，我对它的声音很熟悉了，但却从未看见它引吭高歌的样子。冬夜，我推开门，几乎总能听到它"胡——胡——胡雷——胡"的叫声，响亮极了，尤其是前三个音，我总觉得是"你好"的发音，有时它也只简单地"胡——胡"应付着叫几声。初冬的一个夜晚，大约9点钟左右，湖水还没有全冻，一只野鹅的大声鸣叫吓了我一跳，我走到门口，又听到它们扇动翅膀的声音，像林中刮起了风暴。大概是害怕我的灯光，领头的野鹅用规律化的节奏叫个不停。它们低低地飞过我的屋子，经过了湖，飞向美丽的港湾。在那一瞬间，我发现一只猫头鹰，它离我近极了，喉咙发出低沉而颤抖的声音。这是以前在森林中从没有听到的，好像它在诅咒那些来自赫德森湾的闯入者一样，每一间歇它都在回应那野鹅的鸣叫。它发出了音量更大、音域更宽的地方土话般的声音来，"胡胡"地要把它们逐出康科德的领空。这样静谧的只属于我的夜晚，猫头鹰你为什么要如此呢？难道你要惊动整个堡垒吗？你以为在夜里的这个时候，我在睡觉，你以为我没有你那样的肺活量和嗓音吗？你就如此打扰我。"波胡，波胡，波胡！"我从来没有听见过这样叫人毛骨悚然的声音。然而，仔细想想，如果你有一对具有音乐鉴赏能力的耳朵，你又会听出其中一种和谐的韵味来，在这一带原野上可以说从没有看见过，也从没有听到过和它完全相匹配的声音。

有时，我还听到湖上有类似于咳嗽的声音，在康科德这个地方，瓦尔登湖和我同床共寝，有时它像在床上睡得不耐烦，辗转反侧；有时它像肠胃有股闷气，或是做了噩梦，难以入睡；有的时候更为狂烈，我听到犹如有人赶了一队驴马撞门的声音，这是严寒把地面冻裂的声音，往往第二天早晨就会发现一道长 1/4 英里，宽 1/3 英寸的大裂痕。

有时，我听到狐狸爬过积雪，在月夜寻觅鹧鸪或其他飞禽的细微的声音，它像森林中的恶犬一样，恶鬼似的吠叫着，不知道在担心些什么，又好像它要表达一些什么似的。难道它是在挣扎着寻求光明？抑或是它想变成狗，能够随心所欲地在街上奔跑吗？这些我们都无法知道。有时候，狐狸会被我的灯光吸引，走近我的窗子，吠叫似的向我发出一声狐狸的诅咒，然后迅速逃窜。

如果从进化学的角度来看，难道禽兽不是跟人类一样，也存在着一种文明吗？它们像原始的穴居人一样，时时警戒地生活着，等待着它们自己的种族进步吧。

破晓时分，我常常是伴随赤松鼠的叫声而起床，它们在屋脊上奔下蹿，在屋子的四侧攀上爬下，好像它们钻出森林就是为了把我叫醒。在实在没事时，我最感兴趣的事情就是逗弄那些小动物，我抛出大约半蒲式耳的没有熟的玉米穗在门前的积雪之上，然后观察那些嗅着气味而来的各种动物的姿态，这让我兴致勃勃。现在让我们来看看都来了哪些动物吧：兔子常常在黄昏或者夜晚蹦跳而来，大饱口福；赤松鼠会整天在这儿没事地逛来逛去，它们灵活可笑的样子总能逗乐我，以前我可从没有看见过一只松鼠能泰然步行。有一只赤松鼠特别有意思，刚开始时它谨慎地穿过矮橡树丛，像一片被风玩弄的叶子，被风吹了过来又吹了过去，在雪地上来来回回地蹿着，它跑的方向是不确定的，一会儿向这个方向以惊人的速度跑几步，体力当然消耗也很大，它用"冲刺"的姿态急跑，似乎在孤注一掷；一会儿又向那个方向也跑那么几步，但每一次总不超出三步；然后猛然做一个滑稽的表情，停下脚步来，接着无缘无故地翻一个筋斗，仿佛全宇宙的眼睛都在注视它似的。它们磨磨蹭蹭，迂回前进，浪费了不少的时间，如果直线进行，早就到达目的地了。在我看来，一只松鼠的行动，即使在森林最深、最寂寞的地方，也好像翩翩起舞的女子一样，似乎总是有观众在欣赏的。表演并未停止，刹那之间，它已经在一个小苍松的顶上大声地吱呀着，像在责骂一切假想中的观众，又像在独白，也像在向全宇宙说话，说真的我完全不懂它在干什么，我想，它自己也未必知道吧。

最后，它终于到了玉米旁，抓起一个玉米棒，还是用那不规则的路线跳来跳去，最后跳到我窗前堆起的那一堆木料的顶上，面对着我坐在那里。它一坐就是几个小时，时不时地找来新的玉米棒，起先像饿死鬼一样狼吞虎咽，把啃了一半的玉米棒扔掉；后来它变得更加机灵了，玩起玉米棒来，只吃一粒粒的玉米，而当它用一只前爪举起的玉米棒忽然不小心掉到地上的时候，它便做出一副疑惑的滑稽表情，低头看着玉米棒子，好像在怀疑那玉米棒是活的还是死的似的。它一会儿看着玉米棒，一会儿又好像在听风里的声音，下不定决心是要去拾起那个玉米棒，还是该另外去拿一个过来，或者干脆溜掉。就这样，这个唐突的、可爱的生灵一个上午就糟蹋了好些玉米，直到最后，它搬起了最长最大的一个，那个玉米棒比它的身子还大，就像一只老虎背了一头水牛一样把玉米棒背回森林中去了。它仍然是走走停停，迂回着辛辛苦苦地前进，那个玉米棒像太重了，老是掉落。它让玉米棒斜吊着，就这样把玉米棒带到它的窝，而它的窝就在四五十杆之外的一棵松树的顶上。事后我看见，玉米芯在林中被扔得到处都是。哎！它真是一个少见的、轻佻的、三心二意的家伙。

最后赶来的是鹈鸟，那生涩刺耳的声音在它们还在1/8英里以外谨慎地飞近时我就听见了。它们偷偷摸摸地从一棵树飞到另一棵树，沿途捡了些松鼠掉下来的玉米粒。然后，它们在一棵老松树的枝头上休憩，想一口吞下那粒玉米，可是玉米太大了，卡在了喉头，难以呼吸；又费尽力气把它吐了出来，最后用嘴去啄个不休，企图啄破它。这真是一群窃贼模样的家伙，我有点看不上它们。倒是那些松鼠更加实在，开头虽有点羞答答，过后就像拿自己的东西一样大大咧咧地干起来了。

与此同时，还飞来了成群的山雀，它们捡起松鼠掉下来的玉米粒，飞到最近的枝丫上，用爪子按住玉米粒，就像这些是树皮中的一只只小虫子似的用小嘴啄个不停，一直啄到屑粒小得可以让它们的细喉咙咽下去为止。这一群小山雀每天都到我的木料堆中或是门前来大吃一顿，它们发出微弱的咬舌儿似的叫声，就像草丛间冰柱撞击的声音，或者，就"得，得，得"地呼号了。我最喜欢的还是在那温暖得像春天的日子里,它们从林子边发出夏日里常有的"菲——比"的琴弦似的声音。到最后它们跟我混得熟了,有一只山雀甚至飞进屋里的木柴上,无所顾忌地啄着细枝。还有一次,当我在村中园子里锄地时,一只山雀飞来停落在我的肩上,还在那儿待了一会,当时我觉得,任何人佩戴的肩章,都比不上我这一个披挂光荣,后来松鼠也对我视而不见了,偶尔寻捷径从我的脚背上蹿过。

在大地还没有完全被雪花覆盖的时候,或者冬天即将过去,朝南的山坡和我的柴堆上的积雪开始融化的时候,无论早晨或黄昏,鹧鸪都要从林中飞来觅食。无论你走在林中的哪一边,总有鹧鸪急拍翅膀飞去,它们会震落枯叶和树枝上的雪花,在阳光下这些雪花像金光闪闪的灰尘般飘落。后来我才知道,它们原来是一种不惧严寒的、勇敢的鸟,飘落的雪花常常把它们掩埋起来,据说,"有时它们振翅飞入柔软的雪中,能躲藏一两天"。黄昏中,我常常看见它们飞出林子,到野苹果树上去吃刚长出的蓓蕾,这时候行人很容易惊动它们。每到黄昏,它们总是飞到经常停落的树上,而这时狡猾的猎人正在那儿守候它们,那儿也就会有不小的骚动。无论怎样,鹧鸪总能找到食物。它们以蓓蕾和露珠为生,它们是大自然的孩子。

在灰蒙蒙的冬天早晨,或短促的冬日下午,我有时能听到一大群猎狗的吠声,它们抑制不住追猎的本能,整个森林全是它们的叫声,同时我还隐约听到猎人们的号角声,我知道那些猎狗后面还有人。它们的叫声响彻森林,但并没有狐狸奔到湖边开阔的平地上来,当然这群追逐者也就不会到这儿来了。有时在黄昏时分，偶尔能看到猎人拖着装着狐狸的雪橇回来，找旅馆过夜。这些猎人向我传授经验说，如果狐狸躲在冰冻的洞里，它一定可以毫发无损；或者它逃跑时如果走一条直线的话，猎狗怎么也不可能追上它。可是，一旦把追逐者远远抛在后面，它便停下来休息，警觉地倾听着，直到它们又追了上来，而等它再奔跑的时候，它通常是兜一个圈子，再回到原来的老窝，这时猎人却正在那里恭候它们。其实狐狸是非常聪明的动物，也似乎知道水沾染不上它们的臊气。一个猎者曾告诉我，一次他看见一只狐狸被猎狗追赶得逃到了瓦尔登湖上，那时冰上有一层浅水，它跑了一段又回到原来的岸上。不久，猎狗来到这里，它们却嗅不到狐臊味了。有时，一大群猎狗相互追逐，只顾狂叫，好像得了某一种疯狂症，什么也不能制止它们的追逐，它们就这样来到我屋前，冲过门口，绕着屋子兜圈子，一点也不在乎我的存在，直到它们发觉新的狐狸的踪迹。聪明的猎狗总是不顾一切地追逐猎物。有一天，有人从列克星敦来到我的木屋，打听他猎狗的下落，他沿着猎狗的脚印追逐了很长一段路，已经有一个星期了。可是每一次我刚想回答他的问题，他都打断了我的话，另外问我："你在这里干什么呢？"哎！看来他是丢掉了一只狗，却找到了一个人。

有一个老猎户，每年总是在湖水最温暖的时候来瓦尔登湖洗澡，不过他说起话来枯燥无味。他有次来看我，告诉我，在好几年前的某个下午，他带了一支猎枪，穿行在瓦尔登的森林中，就在他走到威兰路的时候，他突然听到一只猎狗追上来的声音，接着，一只狐狸蹿过了墙，跳到了路上，速度简直快如闪电，接着又跳过了另一堵墙，他迅即发射出的子弹却并没有击中目标。不远处，忽然出现了一条带着三只小猎狗的老猎狗，不顾一切地追上去，不久也消失在森林深处了。当天的下午，天已经很晚了，他躺在瓦尔登南面的密林中休息的时候，忽然听到在朝着美港的那个方向，似乎还有猎狗追逐狐狸发出的声音，声音越来越近，它们的吠声使整个森林都在震动，近了，更近了，在威尔草地，现在在贝克田庄。他就这样静静地站着，这"音乐"在猎人的耳朵中是这样的甜蜜。就在那时，狐狸突然现身了，它轻快地穿过了林间的走廊，它的脚步声被飒飒的树叶声掩盖了，它跑起来特别沉稳，又很安详，而且善于利用地势，很容易就把追踪者抛得远远的。于是，它跳上林中的一块岩石，笔直地坐着，侧耳倾听，它的背部正对着猎人。刹那间，恻隐之心油然涌上猎手的心头，不过这只是稍纵即逝的感情。他的火器立即瞄准了，砰的一声，狐狸就从岩石上滚了下来，躺在地上死了。猎人还站在老地方，而那些猎狗还在追赶，现在附近森林中的所有的小径上全部都是它们疯狂的号叫。最后，那老猎狗出现在猎人的视线里，它鼻子嗅着地，着了魔似的大声吠叫着朝岩石奔去。可是，看到那死去的狐狸，它突然像被镇住了似的停止了吠叫，它绕着狐狸静静地走动。而在这时，它的小狗一个又一个地来到了，也像它们的母亲一样，好像清醒了过来，在这神秘的气氛中静静地不作声了。直到猎人走到它们中间，它们才仿佛明白了什么。他剥下了狐狸皮，而猎狗们还是静静地等着，后来，它们跟在狐狸尾巴后面走了一阵，直到最后隐没在林中。当晚，一个魏士登的乡绅找到这个康科德猎人的小屋，打听他的猎狗的下落，原来这些猎狗追寻猎物已经一个星期了，到现在还没有回来。康科德的猎人就把自己知道的详情告诉他,并把狐狸皮送给他,那个绅士婉言谢绝了,然后就又去寻找他的爱犬了。不过这晚上他还是没有找到他的猎狗,等到第二天他才知道,它们过了河,在一个农家过了一夜并饱餐了一顿,一清早就动身回家了。

老猎人还说起一个名叫山姆·纳丁的人,这个人常常在美港的岩石上猎熊,然后把熊皮拿到康科德的村子里换朗姆酒喝。纳丁说他曾经在这儿看见过一只麋鹿,纳丁有一只著名的猎狐犬,名叫布尔戈因,纳丁叫它布经,这个老猎人常常向纳丁借这条猎狗来用。还有一个生意人,他是镇长,又是市镇会计兼民意代表,我在他的"日记账簿"中,看到了这样的记录:"1742年1月18日,'约翰·梅尔文卖出一只灰色的狐狸,0.23美元'",现在这里是肯定没有这种事了。在他的总账中,有"1743年2月7日,赫齐吉阿·斯特拉登贷款半张猫皮,0.145美元"这样的记录。这当然是山猫皮,因为从前法兰西横行欧洲的时候,斯特拉登做过军曹,当然不会拿比山猫皮还不如的东西来抵押贷款的。当时也有以鹿皮来换取贷款的,而且每天都有鹿皮卖出。有一个人还保存着附近这一带最后杀死的一只鹿的鹿角呢,也有人向我炫耀说起他的伯父参加过的一次狩猎的情形。以前,这里的猎户不仅人数很多,而且都生活得很愉快。我还记得有一个长得瘦瘦的相当厉害的猎手,他随手在路边摘到一片叶子,就能在上面吹奏出一个旋律来,而且比任何猎号声都更野性,更具有魅力。

夜晚,皎洁的月光洒满树林,我独自漫步,途中遇到很多猎狗在小道上追逐,一闪而过钻进丛林中。

在我的屋子四周有二三十棵直径在1~4英寸的苍松。松鼠和野鼠会为了争夺我储藏的坚果而大打出手,它们在前一个冬天都给老鼠啃过。冬天,雪长久地积着,积得太深了,真像一个挪威式的冬天,对这些老鼠来说,这是非常难熬的,以至于它们不得不动用松树皮来解决它们的粮食短缺问题。虽然树皮全都被这些贪婪的家伙揭去了,可这些树还是活了下来,在夏天里也很茂盛,并且还有许多树长高了1英尺。可是又过了一个冬天,它们无一例外地全都死去了。难以想象的是,这些小小的老鼠竟然吃下了整株树,它们不是上上下下地吃,而是环绕着它来吃。不过,这森林常常长得太浓密了,要使这森林稀疏起来,这也许还是必要的。

　　野兔子在这儿是随处可见的。整个冬天,它们经常在我的屋子下面活动,我们之间的界限只是中间的一层地板而已。每天早晨,我只要稍稍动弹一下,它们便急促地逃开,在匆忙之中,脑袋撞在了地板上,而这声响也常常惊醒了我。黄昏中,它们常常绕到我的门口来,吃我扔掉的土豆皮。它们的皮毛和土地的颜色非常相似。当它们静着不动的时候,你几乎看不到它们的存在。有时在黄昏中,我一会儿看不见它们,一会儿又看见它们正一动不动地呆坐在我窗下。每当我推开门,它们便吱吱地叫,一跃而去。一天晚上,一只野兔蹲在我的门口,离我只有两步之遥。它刚开始吓得瑟瑟发抖,可还是不肯离去。我看着这个可怜的小东西,它瘦得骨头都突出来了,残破的耳朵、尖尖的鼻子、光秃秃的尾巴、细细的脚爪,可是看起来却是如此的优雅,仿佛大自然已经没有比它更高贵的品种了。它的大眼睛显出青春的光泽,但不漂亮,好像生了水肿一样。我再踏前一步,瞧!它一跃而起,奔进了雪地。优雅地伸直了它的身子和四肢,立刻把森林搬到我和它之间了——这野性不羁的肌肉正体现了大自然的力量和尊贵，可见它的消瘦并不是没有理由的。

  试着想一想要是没有兔子和鹧鸪，田野还成什么田野呢？这些简单的、土生土长的动物，是从古至今都有的啊。这类古老而可敬的小动物与大自然同在，与枝叶、大地同呼吸，彼此息息相关，它们既不是靠翅膀的飞禽，也不是靠脚的走兽。看到兔子和鹧鸪跑掉的时候，你不会觉得它们是禽兽，而是大自然中的一分子，如同流动的河水，或者漂动的枝叶。我想无论世界怎么变化，兔子和鹧鸪像土生土长的人一样是可以永存的。如果森林被砍伐了，灌木枝和嫩叶也还可以藏起它们并养活它们，如果一片田野连一只野兔都无法养活，那这田野是多么的贫瘠。我们的森林很适宜它们的生存，你可以在每一个沼泽的周围看到兔子和鹧鸪的影子，即使牧童们在它们周围设置了细枝的篱笆和马鬃的陷阱。

冬天的湖

从一个安静的冬夜中醒来,印象中我仿佛在接受一些问题的拷问,而在梦中,我曾企图回答,却又无法回答。比如,是什么?情况如何?在何时?在何处?可这是处于黎明中的大自然,一切富有生机的生物都身在其中。它从我的宽大窗户望进来,脸色澄清而满足,它也没有问题要问。我从已有答案的问题中醒来,从大自然和光明中醒来。地上的积雪深深,幼嫩的松树点点,而我的木屋所处的小山坡似乎在说:"开步走!"大自然并不发问,也不作回答,发问的是我们这些人类。它早就有了决断。

"啊,王子,我们用羡慕、尊敬的眼光审视这个世界,宇宙中奇妙而变幻莫测的景象便传到我们的灵魂中。毋庸置疑,黑夜掩盖了一部分这光荣的创造;可是,白昼再把这伟大的作品展示给我们,这伟大的作品从地上伸展,直达太空。"

于是我开始晨作。首先,我拿了一把斧头和一只水桶寻找水源,希望这不是在做梦。过了冰冷的、大雪飞扬的一夜之后,或许拥有一根魔杖才有办法找到水呢。水汪汪的、波光微颤的湖水,对任何呼吸都异常地敏感,它能反映出每一道光和影。可是,一到冬天,就结了一英尺或一英尺半厚的冰,能够承受笨重不堪的牲畜,有时冰上还铺上一英尺深的雪,使你分别不出它是湖还是平地。像周围群山中的土拨鼠一样,小湖合上眼睛,要睡上3个月或更长的时间才会醒来。站在积雪覆盖的平原上,如同身在群山中的牧场之中。我先是拨开一英尺深的雪,又穿透一英尺厚的冰,在脚下凿开一个小洞,然后跪在那里喝水。我的目光深入那鱼儿宁静的客厅,那儿充满了一种柔和的光,仿佛那光是透过一层磨砂玻璃照进去的,那细沙的湖底还跟夏天的时候一样。一个毫无波涛而恒久澄澈的湖底世界,好像琥珀色的黄昏一样,和那里居民的平和气质和谐一致。天空在我的脚下,正如它又在我们的头上。

每天清早,一切事物都被严寒冻得松脆。人们带着钓竿和简单的午餐,穿过雪地来钓鲈鱼和梭鱼。这些原始而野性的人们,并不像城里的居民,他们本能地采用自己独到的生活方式,相信另外的力量。他们这般来来去去,就把许多城市之间的缝隙缝合在一起了,否则的话,城市之间还是各自分裂的。他们穿着厚实的粗呢大衣坐在湖岸边干燥的橡树叶上吃着饭,他们在自然界中经验老到,就如城里人善于虚伪做作。他们从不研究书本,他们所知道的事情和所能表述的话,比他们所做的少得多。据说,还没有人知道他们所做的事。这里有一个人,他用大鲈鱼来钓梭鱼。只要看看他的水桶,就像看到了夏天的湖泊一样,何等惊人啊,这情景好像他把夏天锁在了自己家中,又像他知道夏天躲在哪里。在寒冬,他是如何钓到这么多的鱼的呢?大地结了冰,他从朽木之中找出虫子，所以他能捕到这些鱼。他的生活就是研究大自然，就其深度来说，已超过自然科学家钻研的深度，他自己就成了自然科学家研究的一个专题。科学家轻轻地用刀子挑起苔藓和树皮，来寻找虫子；而他却用斧子劈到树心，苔藓和树皮飞得很远，他是靠剥树皮为生的。这样的人就有了捕鱼的权利，我愿意见到大自然在他身上出现。鲈鱼吞下蚱蜢，梭鱼吃了鲈鱼，而渔夫却吃了梭鱼，生物等级中的所有空隙就是这样填满的。

当我在雾蒙蒙的天气里绕着湖边漫步时，看到一些渔人所采取的原始的生活方式，我兴趣盎然。有时，他在冰层上掘许多与湖岸等距的小窟窿，各自相距四五杆，然后把白杨枝横在上面，用绳子绑住树枝，免得它被拉下水去，再在距冰面一英尺左右的地方，把松松的钓丝挂在白杨枝上，还铺上一片干燥的橡树叶，这样钓丝被拉下去的时候，就表明鱼已上钩了。这些白杨枝在雾中隐隐约约，距离相等。你绕湖边走了一半路程时，便可以看到。

瓦尔登的梭鱼！当我看到它们躺在冰面上，或者是渔人们在冰上挖掘的冰井中时，我常常为它们的稀世之美感到惊异不已，好像它们是神秘罕见的鱼类，在街道上看不到，在森林中见不着，正如在康科德的生活中看不到阿拉伯一样。它们有一种异常夺目、超乎自然的美，这使它们与灰白色的小鳕鱼和黑线鳕相比，简直有天壤之别，然而后者的名气，却家喻户晓。它们并不如松树碧绿，也不似石块灰白，更不是蔚蓝像天空；然而，我觉得它们具有更稀世罕见的色彩，像鲜花，像宝石，像珍珠，是瓦尔登湖水中的动物化了的精灵。毋庸置疑，它们是彻头彻尾的瓦尔登。在动物界之中，它们本身就是一个个小瓦尔登，这许多的瓦尔登啊！令人吃惊的是，它们在这里被捕捉——在这深邃而广阔的水域中，远远避开瓦尔登路上旅行经过的驴马、轻便马车和铃儿叮当的雪橇，这伟大的翠玉色的鱼儿欢快地游着。我从未在市场上见过这种鱼，我想无论在哪里，它必然会成为众目之所瞩。只是随意地几下痉挛性的扭转，它们就抛弃了那水淋淋的鬼影，像一个凡人般英年早逝，升上了天。

因为渴望能重新探知瓦尔登湖的那相传失去已久的湖底，我于1846年初，在融冰之前就使用罗盘、铰链和测水深的铅锤，小心翼翼地勘察湖底。关于这个湖底，或者说，关于这个湖的无底之底，已经有许多种传言，那些离奇的故事自然是毫无根据的。

人们并没有探测湖底，却立刻相信它是无底之湖，这实在令人惊奇。在这附近的一次散步中，我曾探访了两个这样的无底湖。许多人坚信，瓦尔登湖一直通往地球的另一面。有的人久久地平躺在冰面上，通过那虚幻的媒介物而俯视，也许还望得满眼水波。但是，他们怕伤风受凉，所以很迅速地下结论，说他们看到许多巨大的洞穴，如果真有人敢下去填塞干草，"不知道可以塞进多少干草"；那一定是冥河的入口，这些入口可以直通地狱之门。还有些人从村里来，驾了一辆马车，绳子装满了一车，然而没有找到湖底，结果却是徒然。但是，我可以确切地告诉读者，瓦尔登湖有一个湖底，虽然那深度很罕见，但也并非不合常理。我用一根钓鳕鱼的钓丝就轻而易举地测量了它，这是很简单的事情，只需在它的一头系一块重达1.5磅的石头，它就能很准确地告诉我这石头在什么时候离开了湖底，因为在它下面没有湖水的浮力顶托之前，要把石块提起来得费很大力气。我量得最深的地方正是 102 英尺，不妨加入后来上涨的 5 英尺湖水，共计 107 英尺。湖面这般小，却有这样的深度，真是令人惊叹，然而纵使你的想象力再丰富，你也不能把它的深度减少 1 英寸。如果所有的湖都很浅，那又怎样呢？难道它就不会在人类心灵上反映出来吗？我感激的是上苍赐予这一个湖，因为它深邃而纯洁，可以作为一个象征。当人们相信有无限存在的时候，就会认为有无底湖的存在了。

有一个工厂主，听说了我所发现的深度之后，认为那不是真实的，因为根据他对水闸的熟悉情况而言，细沙是无法积淀在这样陡峭的坡度上的。可是，若按照面积的比例来看，最深的湖也就不像多数人想象的那么深了。如果抽干湖水来看一看，或许留下的并不是一个十分深邃的山谷。它们不像山谷之间的杯形，因为就它的面积而言，这一个湖已经深得出奇了。大部分湖泊抽干了水，剩下的只是一片草地，就像我们时常看到的低洼那样。

威廉·吉尔平在描写风景时真是妙笔生花，而且总是很准确，站在苏格兰的费因湖湾的尖端之上，他写道，"这一个咸水湖，六七十英尺深，4 英里宽，约 50 英里长，四面环山"，他还加以评论："若能在洪水泛滥，或者大自然的任何异动造就它的时候，在那水流奔湍入内以前看到它，那定是何等可怕的缺口啊！""高耸的山峰升得这般高，低洼的湖底沉得这般低，湖底阔而广，一片好河床。"

可是，如果我们把费因湖湾的一条最短的直径与瓦尔登湖相比，我们已经知道，后者的纵切面只不过似一只浅盘形，那么，前者的深度只是瓦尔登湖的 1/4。要是费因湖湾的水一股脑儿倾泻而出，那缺口的可怕程度就夸大成这样。毫无疑问，许多玉米田绵延的山谷，都是急流退去后露出的"可怕的缺口"，虽然具有洞察力与远见的地质学家才能使那些始料未及的居民们相信这个事实。处在稍高于地平线的小山中，有鉴识力的眼睛可以看出一个湖泊的原始形状，平原没有必要在以后升高，来掩盖它曾经的历史。但是，像在公路上做过工的人一样，大雨以后，看看泥水潭，我们就能轻而易举地知道哪里是洼地。这意思就是说，要允许想象力稍稍放纵一下，就会比自然界深入得更低，升起得更高。所以，海洋的深度，要是和它的面积一比，也许浅得微不足道。

我已经在冰上测量过湖的深度，现在我可以判定湖底的形态了，这比起测量没有冻冰的港湾，要准确得多。让我吃惊的是我发现它大体上是规则的，在最深的部分，有数英亩的湖底是平坦的，几乎可以和任何在阳光下、风中、耕作之下的田野相媲美。我在某处随意地挑选一条线，测量了30杆，可是深浅的变化不足一英尺，一般说来，在靠近湖心100英尺的范围内，我预先就可以知道其变化，那不过是三四英寸左右的深浅变化。有人说，在这样平静的、沙底的湖中存在深邃而危险的窟窿。可是若有这种情况，湖水早把湖底的不平一律夷为平地了。湖底的规则性、湖岸以及邻近山脉的一致性，都是这般完美。远处的一个湖湾，从湖的对面就可以测量出来。观察一下它的对岸，就可以知道它的方向。瓦尔登湖的岬角不是沙洲和浅滩，山谷下是深水和湖湾。

当我以10杆比1英寸的比例绘出湖的图样，并记下了它们的深度，足有一百多处，我发现了这惊人的一致性。得知那记录着最大深度的地方恰恰在湖心，我用一根直尺在最长的距离上画了一道线，又在最宽阔的地方画了一道线，最深处恰巧在两线的交点。虽然湖底的中心相当平坦，湖的轮廓却很不规则，而长宽的悬殊是从凹形湖湾量出来的，我不禁疑惑，谁知道这是否就暗示海洋最深处的情形和一个湖或是泥水潭的情形一样呢？若把高山与山谷看作是相对的，那这一个规律是否也适用于高山？我们知道，一座山的最狭窄的地方并不一定是它的最高处。在5个凹形湖湾中，我去测量过3个，入口上都有一个沙洲，里面却是深水。可是，那沙洲不仅是为了扩张面积，也为了向深处延伸，形成一个独立的湖泊似的盆地，而两个岬角正表明沙洲所处的方位。无独有偶，海岸上的每一个港湾的入口处都有一个沙洲。正如凹处的口上，宽度大于它的长度，而沙洲上的水，在相同的比例内，比盆地的水更深。所以，若把凹处的长宽数和周围湖岸的情形都告诉你，你就可以利用这些充分的材料，列出凡是这一类情况都用得上的公式。

我用这些方法来测量湖的最深处，观察它的平面轮廓和湖岸的特性。为了检验我测量的准确度如何，我绘出一张白湖的平面图，它的面积在41英亩左右。同这个湖一样，白湖中没有岛，也没有出入口，因为最宽的一道线和最窄的一道线相当接近，而就在那儿，两个隔岸相望的岬角也彼此接近，两个相对的沙洲则相距较远，于是，我就在最窄的线上挑了一个点，却依然与最长的一条线相交，标记那里为最深处。果然，最深处离这一点不到100英尺，在我所确定的那个方向稍偏远的地方，比我预测的仅深1英尺，也就是说，约60英尺深。当然，湖中若是有泉水流入，或者中间有一个岛屿的话，问题就更加复杂了。

如果我们掌握了大自然的一切规律，那么就只需明白一个事实，或者只需明白有关一个现象所做的忠实描写，然后举一反三，得出一切具体的结论。现在我们只知道少数的规律，因此我们得出的往往是谬论，这并不是因为大自然是不规则的或是混乱的，而是因为在计算之中，对于某些基本的原理，我们还是无从知晓。我们所知晓的规则与和谐，常常局限于经我们考察过的一些事物。可是，还有更多的似乎矛盾却又实实在在互相呼应的法则，它们所产生的和谐却异常惊人，只是我们还没有找出来而已。我们得出的具体规律常常源于自己的观点，就像在一个旅行家的眼中，他每跨出一次，山峰的轮廓就要变动一步，虽然它绝对只有一个形状，却有着不计其数的侧面。即使劈开它或是钻穿它，也不能窥其全貌。

湖的情形如此，伦理学又何尝不是如此呢？这就是平均原则。这样用两条直径来测量事物的规律，不但指引我们去观察天体中的太阳系，还指示我们如何观察人心。我们可以就一个人的具体的个人日常行为和生活状态组成的集合体的长度和宽度，画出两条这样的线，通到他的凹处和入口的那两条线的交叉点，便是他性格的最高峰或最深处了。也许只要知道这人的生活走向和他的周遭环境，我们便可以探知他的深度和那隐藏着的内心深处。如果他的周围是群山环绕，湖岸险峻，山峰高低起伏，与胸际相呼应，那他一定是个有着同样深度的人。可若是一个低平的湖岸，就说明这人在别的方面也很肤浅。如果长有一个明显突出的前额，就表示我们思想深邃。在我们的每一个凹处的入口，都有一个沙洲，也就是说，我们都有着特殊的倾向；在一定时期内,每一个凹处,都是我们的港。我们在这里待得特别长久,几乎被永久地束缚在那里。这些倾向并不是古怪可笑的,它们的形式、大小、方向都取决于岸上的岬角,就是古代地势升高的轴线。当这一个沙洲被暴风雨、潮汐或水流逐渐加高,或者水位降落下去,它冒露出水面时,开始仅是湖岸出现的一个倾向,其中暗藏着思想,现在却独立起来,形成一个和大海洋隔离的湖泊了。在思想获得自己的境界之后,也许它会从咸水变成淡水,也许会成为一个淡水海、死海或者沼泽。那么,我们是否可以说,每一个来到尘世的人就是这样的一个沙洲升到了水面之上?我们就是一些可怜的航海家,大体说来,我们的思想都有点虚无缥缈。在一个没有港口的海岸线上,至多只是与富有诗意的小港口有些交叉,然后驶入公共的大港,驶进科学这个枯燥的码头之中。在那里,为了适应世俗,我们的思想得以重新拆卸、组装,并没有一种潮流能让它们同时保持个性和特色。

至于瓦尔登湖水的来源和去向,除了雨雪和蒸发这两种方式之外,我并没有发现别的。用一只温度表和一条绳子,也许就可以找出它的出入口,因为水流入湖的入口地方,可能在夏天最冰冷而在冬天最温暖。有一批掘冰人在1846～1847年来此掘冰。一天,工人把挖好的冰块送上湖岸去,囤冰的商人却拒绝接受,因为这一部分的冰块比其他冰块薄了许多,挖冰的工人这才发现,有一小块地区上的冰比其余的冰层薄了两三英寸。他们认为这地方定有一个入口。他们还指给我看过另外一个地方,那儿被认为是一个"漏洞"。湖水从那里漏出,穿过一座小山,到达邻近的一处草地。他们让我待在一个冰块上,把我推过去看看究竟。这是一个小小的洞穴，处于水底 10 英尺处。可是我敢保证，暂时不用将它填补，除非以后发现更大的漏洞。有人提出，如果确有这样的大"漏洞"，如果它和草地确有联系的话，是有办法证明的。只要从这个漏洞口放进一些有颜色的粉末或木屑，再在草地上的那些泉口处放上一个过滤器，就一定可以找到一些随流水而去的屑粒。

  我在瓦尔登湖观察的时候，厚达 16 英寸的冰层，也像水波一样，在微风之下起伏波动。大家都知道，酒精水准仪是无法在冰上使用的。于是，我在冰上摆一根刻有度数的棒，再把酒精水准仪放在湖岸，对准它来观察，我发现离岸一杆处，冰层的最大波动有 3/4 英寸，尽管冰层似乎跟湖岸是紧密连接着的。在湖心的波动，恐怕会更大。有谁知道呢？如果仪器足够精密的话，我们还可以测出地球表面的波动呢。我的水准仪有三只脚，两只放在岸上，第三只放在冰面上，而在第三只脚上瞄准并观察时，冰上极微小的波动都可以在湖对岸的一棵树上变成数英尺的区别。当我为了测量水深而开始挖洞之时，发现深深的积雪下的冰层上足有三四英寸的水，是积雪使冰面下沉了几英寸，积水立刻从洞口中流下去，形成深深的溪流，而且一连流了两天才流完，小洞四周的冰层都被磨光了，湖面变得很干燥。这虽然不是主要的原因，却也是非常重要的；因为水流下去的时候，水面提高，浮起了冰层。这种情况就像在船底下凿一个洞，让水流出去，当这些洞重新冻结后，又下了雨，最后湖面再次冰冻，全湖都罩上一层新鲜而光滑的冰面，冰的内部就形成美丽的网状结构，很像黑色的蜘蛛网。那些不妨称之为玫瑰花形的冰球，是四周流到中心的水流击破冰层而形成的。当冰上积着浅浅的水潭时，我有时能看到自己的两个影子，相互重叠，一个影子在冰上，一个在树木或山坡在水中的倒影之上。

在寒冷的1月份，冰雪很厚实、很坚固，一些从村里来的精明地主老爷已经来湖中取冰，为炎炎夏日准备冷饮。在冰冷的1月，就想到7月的炎热和干渴了，这样的聪明让人印象深刻，却也使人慨叹其可悲——现在，他还穿着厚大衣，戴着皮手套呢！况且还有那么多的事情，他都没有做。他也许还没有在这个世界上准备什么好东西，以便将来在另一世界上可以作为夏天的冷饮。他砍着、锯着坚硬的冰，拆掉鱼儿们的屋顶，像捆住木材一样捆绑着冰块，用车子载走，经过对他极为有利的寒冷天气，运到冬天的地窖之中。在那里，让它们静待炎夏来临。当它们经过条条街道时，远远地看起来，仿佛是固体化的碧空。这些挖冰人都是快活的，充满了欢笑和力量。每当我来到他们中间，他们就邀我站在下面，和他们一起用大锯锯冰。

在1846~1847年的冬季，一天清晨，来了100多个有北极血统的人，他们拥到这湖滨，带着好几车笨重的农具、犁耙、播种机、铡草机、铲子、锯子和耙子等，每个人都佩带着一柄两股叉。这种两股叉，在《新英格兰农业杂志》和《农事杂志》上也没有描写过。我不知道他们来此是否为了播种冬季黑麦，或是播种新近从冰岛引进的什么新种子。由于没有看到任何肥料，我猜测他们大概和我一样，以为泥土太深，而且闲置太久，暂不预备深耕。他们告诉我，是因为有一位暂没露面的农民绅士，想使自己的钱财加倍。据我所知，他的财富大约已有50万美元；现在为了在每一个美元之上，再摞上一个美元，他剥去了瓦尔登湖唯一的外衣，不，是剥去了它的皮，在这样严寒的隆冬里！

他们很快就开工了，耕着、耙着、滚着、犁着，秩序井然，就好像他们致力于把此处变成一个模范农场。可是，正在我睁大眼睛想看他们要播下什么种子的时候，我旁边的一群人突然开始钩起那处女地来，猛地一扯，就一直钩到沙地上，或者钩到水里，因为这是一片很松软的土地——那儿的所有大地都是这样的——然后立刻用一辆雪橇把它载走。那时候我猜想，他们大概是在泥沼里挖泥炭吧。他们每天这样来来往往，火车发着尖锐的叫声，好像他们来自北极区，又回到了北极区，我觉得这些人就像一群北冰洋中的雪鸟。有时候，瓦尔登湖愤慨地像印第安女子一样复仇了，一个走在队伍后面的雇工，一不留神滑入地上一条通往冥府的裂缝中，于是，刚才还勇猛无比的人就只剩下 1/9 的生命，他的体温几乎全部消失，不过算他走运，能够躲入我的木屋中。温暖使他不能不承认，火炉确有美德。有时候，那冰冻的土地折断犁头的一只钢齿；有时，犁陷入犁沟中，不得不把冰挖破才能取出。

确切地说，这 100 个爱尔兰人，在北方佬监工的带领下，几乎每天都从剑桥来这里挖冰。他们把冰切成方块，那方法是大家都知道且无须描写的。他们把这些冰块放在雪橇上，一等橇到了岸边，就迅速拖到一个平台上，再用马匹拖着的铁手、滑车和索具搬到一个冰台上，就像一桶桶面粉，一块块整齐地排列着，又一排排地摞起来，好像他们要码起一个耸入云霄的方塔基地一样。他们告诉我，卖力地工作一天，可以挖起 1 000 吨冰块，那是每 1 英亩地的出产量。冰上出现了深深的车辙和安放支架的

"摇篮洞"，因为雪橇在上面来回的次数太多了，跟陆地上差不多。而马匹就在挖成桶形的冰块中吃麦子。他们还在露天叠起一堆冰块来，高35英尺，约六七杆见方，还在外层放了干草，以隔离空气。因为风异常猛烈，可以在冰块之间找到通道，裂出大洞，导致这里或那里就没有什么支撑，最终会全部坍塌。

一开始，我觉得这很像一个巨大的蓝色堡垒或是一个伐尔哈拉殿堂。可是他们开始把粗糙的草皮填塞到缝隙中间，于是上面结满了白霜和冰柱，看起来像一个古色古香的、生满苔藓的、灰白色的废墟——全部是用蓝色大理石构成的冬神的宫殿，像我们在历书上看到的画片一样——就像他计划与我们一起度过夏季。据他们统计，这中间25%的冰块不能到达目的地，2%—3%将损耗在车内。然而这一堆冰块中，更大的一部分与预想的还是有着不同的命运。因为这些冰中，有些不能保藏得像想象中的那么好，里面一般包含着更多的空气，有些是由于另外的原因，就一直没能送到市场上。1846~1847年冬天垒起来的这一大堆冰块，据估计共有1万吨重。后来用干草和木板封存起来，于第二年7月开了一次箱，一部分被取走，其余的就暴露在太阳底下。整个夏天和紧接着的整个冬季，那些冰块就立在那里。直到1849年的9月，它还没有完全融化掉。最后，瓦尔登湖把一大部分冰块又重新收入怀中。

像湖水一样，瓦尔登湖的冰，近看是绿色，远远望去，呈现的是美丽的蔚蓝色。这样你就能轻而易举地把它与河上的白冰抑或与1/4英里之外的湖泊上微微泛绿的冰层辨别开来。有时候，一大块冰从挖冰人的雪橇上滑落在村中街道上，在那里躺上一星期,就像一块巨大的翡翠,引起所有过路人的兴趣。我注意到瓦尔登湖有一个特点,即它的水呈绿色,而在冻结之后,从同一位置望去,它却成了蓝色。所以,湖边的许多低洼地,在冬天也许你第一天看到的是一汪绿水,而到了第二天,它们却已冻成蓝色的冰。也许水和冰所呈现的蓝色是由它们里面包含的光和空气造成的,最透明的状态,呈现出最蓝的色彩。有关冰的话题是我冥想的一个最有趣的题目。他们还告诉我,他们曾有一些冰,放在富莱喜湖的冰屋中足有5年,仍然品质优良。为什么一桶水放久了会腐臭,而在冻成冰之后,却永远甘美呢?普遍认为,二者之间的不同与情感和理智之间的不同,同出一辙。

一连16天,从我的窗口望去,100多个人像农夫一样辛勤地工作,忙忙碌碌,成群结队,带着牲口和一应俱全的农具,这样的画面,和我们常常在历书的首页上看到的一样。每次从窗口望去,我总会想到云雀和收割者的寓言,或是播种者的譬喻,等等;而今,他们都已离去,又过了约30天后,我又从这同一窗口,眺望那纯粹的碧绿色的瓦尔登湖水,它倒映着白云和树木,悄无声息地把蒸发的水汽送上天空,没有一点儿曾有人立于其上的迹象。也许,我又可以听到孤独的潜水鸟钻入水底、整理羽毛、放声大笑,或许我也可以看到一个孤独的渔夫坐在船头,而他的姿态倒映在这面水波之上。可是就在这里,不久以前还有100多个人安全地站着工作呢。

接下来,似乎将有查尔斯顿和新奥尔良、马德拉斯、孟买以及加尔各答挥汗如雨的居民至此,在我的井中饮水。黎明中,我的智力在《对话录》的宏伟宇宙的哲学中接受洗礼,自从这部史诗完成之后，诸神的岁月也就一去不复返，而和它一比较，我们的现代世界以及它的文学则显得多么微不足道啊！我还怀疑，这一种哲学是否源于从前的生存状态，其崇高性距离我们的观点是这般遥不可及啊！我放下书本，跑到井边去喝水。在那里，我遇到了婆罗门教的仆人，梵天和毗瑟奴以及因陀罗的僧人——他还是坐在恒河之上，在他的神庙之中，读着他们的吠陀经典；或住在树根之上，身边只有一些面包屑和一个水钵。我遇到他的仆人来给他的主人汲水，我们的水桶好像在同一口井内碰撞。瓦尔登湖纯粹的水已经与恒河的圣水混为一体了。伴着柔和宜人的风，这水波流过了亚特兰蒂斯和海斯贝里底斯这些传说中的岛屿，穿过汉诺，跃过特尔纳特、蒂达尔和波斯湾的入口，在印度洋的热带风中汇聚，最终抵达一些只有亚历山大人才听过名字的港湾。

春　天

　　掘冰人的大面积挖掘，通常使得湖泊的冰解冻得更早一些。因为即使是在寒冷的气候中，经风吹动的湖水也能够消融它周围的冰块。可是有一年，瓦尔登湖却没有受到此种影响，因为它立刻结上一层厚厚的新冰层，替代原来的那一层。这个湖没有邻近那些湖泊的冰融化得那么早，因为它的水域很深，而且底下没有水流经过，所以它上面的冰没有那么容易被融化或消损。我从没有见它在冬天里裂开过，除了1852年底至1853年初的冬季，因为那个冬季给许多湖泊都带来非常严峻的考验。

　　通常情况下，它在4月1日解冻，比费林特湖或美港晚一星期到十天。从北岸和一些水浅的地方开始，也正是在那里，湖水先行冻结起来。它比附近其他水域更切合时令，绝对遵循季节的进度，<u>丝毫不受变幻莫测的温度的影响</u>。3月里，极寒的天气持续几天，便能延迟其他湖泊的开冻日，但瓦尔登湖温度的上升趋势却几乎没有中断过。1847年3月6日，将一只温度表插入瓦尔登湖心，显示温度为32华氏度，湖岸附近，显示温度为33华氏度；同日，在费林特湖心，温度为32华氏度，在离岸12杆的浅水处，1英尺厚的冰层下面，温度为36华氏度。后者湖中，浅水深水的温度相差4度，而事实上这一个湖中大部分都是浅水，这就可以说明为什么它的开冻日要比瓦尔登湖早得多了。

那时，与湖心的冰层相比，最浅水域的冰层要薄好几英寸。隆冬季节，湖心反而最为温暖，那儿的冰也是最薄的。同样，夏季在湖岸附近涉水而过的人都知道，靠近湖岸的水温度要高一些，尤其是深度为三四英寸的地方的水。离湖岸更远一些的地方，深水的水面要比湖底的水温暖得多。而在春天，阳光不仅在温度逐渐升高的天空与大地上发挥它的力量，它的热量还可以穿透一英尺或更厚的冰层，从浅水处的水底反射到上面，温暖了湖水，并且解冻湖底冰层。而在同时，阳光从上面更直接地融化了冰，由于重量的不均匀，凸起了许多气泡，升上又降下，直到后来全部成了蜂窝状，到最后，一阵春雨降下，它们就全部消融了。冰与树木一样，也有纹理，当一块冰块开始融化，或蜂窝化了，不论它在什么位置，气泡和水面总是成直角相连的。如果水面下有一块突出的岩石或木料，上面的冰总是薄得多，往往会被反射的热量消融。我听说剑桥曾做过这样一个试验：在一个装满水的浅木槽中让水结冻，冷空气从下面流过，使得上下都可以产生影响，结果从水底反射上来的太阳热量仍然可以胜过这种影响。隆冬时节的一阵温暖的雨，消融了瓦尔登湖上带雪的冰，只在湖心留下一块坚硬而透明的黑色冰，这就形成了一种腐化的但更厚的白冰，宽度约为一杆，沿湖岸都是，这正是反射的热量所造成的。还有，我已经说过，冰层中间的气泡像凸透镜一样，从下层解冻冰块。

这一年四季变换的现象,每天都在瓦尔登湖上演着,但规模很小。一般说来,每天早晨,浅水区域比深水区域温暖得更快,虽然它的温度也不会上升得太高。而每天黄昏,它却也冷得更快,直到第二天早晨。这一天也正是一年四季的缩影。夜晚是冬季,早晨和傍晚是春秋,中午是夏季。冰的爆裂声和隆隆声就表示温度的变化。

1850年2月24日这天,一个寒冷的夜晚已过去,在令人愉快的黎明中,我跑到费林特湖消磨这一天,我惊异地发现,只用斧头敲打一下冰层,声音便像敲了锣一样,延伸到好几杆远,就好像我打响了一只绷得紧紧的鼓。太阳升起后约一小时,湖开始感受到从山上斜射下来的阳光的热力了,发出隆隆的声响。它伸着懒腰,打着呵欠,像一个刚刚苏醒过来的人,喧闹声越来越响,持续了三四个小时。在正午,它打了个小盹儿,可是快到傍晚的时候,太阳收回它的威力,隆隆声重新响了起来。在正常的天气里,湖泊每天都会发射它的黄昏礼炮,很有规律。只是在正午,裂痕已经太多,空气的弹性不足,所以它完全引不起共鸣,鱼和麝香鼠大约也不会听到令其震动得呆住的响声。渔夫们说,"湖的雷鸣"吓得鱼都不敢咬钩了。湖泊并不是每晚都会雷鸣的,我也不知道该在何时期待它的雷鸣。可是有时,虽然我从气候中没有觉察到异样,可还是响起了雷鸣。谁能想得到,这样庞大、这样冰冷、这样厚实的东西,竟然这般敏感?然而,它也有它的规律,发出雷声是要求大家都服从它,就像花蕾应该在春天萌芽一样,春回大地,万物生机蓬勃。对于大气的变化,最庞大的湖也敏感得如同管柱中的水银。

吸引我到森林中来居住的原因是，我要生活得闲适，并有机会目睹春天的来临。最终，湖中的冰层开始变得如蜂房一般了，一走上去，我的双脚就都陷入其中。层层雾气，阵阵暖雨，还有温暖的太阳，把雪慢慢地融化。你能感觉到，白昼已慢慢延长，我的燃料已不必再增添，现在也已经根本无须生火了。我静静地等待着，等待春天的第一个信号，倾听一些归来鸟雀的啁啾或满身条纹的松鼠的叽叽声，因为它的储藏大约也告罄了吧，我也想看看土拨鼠如何从它们冬眠的地方出现。3月13日，我已经听到青鸟、篱雀和红翼鸫的鸣叫声，而湖水中的冰却还有一英尺厚。天气渐渐温暖了，水流不再冲击冰层，也不像河里的冰那样断裂并浮动。虽然沿岸半杆宽的冰层都已融化，可湖心的冰层依然像蜂房一样，里面装满了水。6英寸厚的时候，还可以从上面走过去，可是第二天晚上，也许在一阵温暖的雨和紧跟而来的大雾之后，它就会随着雾气一起，迅速而神秘地消失。有一年，在湖心散步之后的第五天，它就全部消融了。1845年，瓦尔登湖在4月1日全部开冻；1846年，是3月25日；1847年，是4月8日；1851年，是3月28日；1852年，是4月18日；1853年，是3月23日；1854年，大约在4月7日。

对于我们生活在这样极端气候中的人来说，凡是有关于河和湖的开冻及春光来临的一切琐事，都是特别有趣的。当温暖的日子到来的时候，住在河流附近的人，晚间能听到冰层裂开的声响，那惊人的吼声就像一声声大炮，好像冰的锁链就此全部断裂，几天之内，就能目睹它迅速地消融。正像鳄鱼从泥土中钻了出来，大地都为之震动。有这样一位老人，他是大自然周密的观察家。关于大自然的一切变幻，似乎他都有充分的智慧知晓，好像他还只是一个孩子的时候，大自然被置于造船台上，而他也帮忙安置它的龙骨似的——现在他已近末年，即使再活下去，活到玛土撒拉那样的年纪，也不会再知道更多大自然的知识了。他告诉我，在某个春日里，他持枪坐上了船，想跟那些野鸭竞技——听到他居然也对大自然的变幻莫测表示惊奇，我感到诧异，因为我以为他跟大自然之间一定不会有任何秘密了——那时草原上还有冰，而河里的则早已完全融化，他从居住的萨德伯里出发，毫无阻碍地顺流而下，来到美港湖。在那里，他突然发现大部分的水域还结着坚实的冰。在这样一个温暖的日子里，还残留着如此大面积的冰，使他十分惊异。因为看不到野鸭，他把船藏在北岸湖中一个小岛的背后，而他自己则躲在南岸的灌木丛中，静候着它们。离岸三四杆的地方，冰已经都融化了，那儿有着平滑而温暖的水面，水底却泥泞不堪，这正是鸭子喜爱的地方。所以他想，不久一定会有野鸭飞来。他一动不动地待在那里，大约过了一个小时，他听到了一种很低沉又似乎很遥远的声音，且洪亮而令人印象深刻，那是从来没有听到过的。声音慢慢地上扬，逐渐加强，仿佛会有一个全宇宙最令人难忘的音乐尾声一样，那是一种沉重的激撞声和吼声。在他听来，仿佛大群的飞禽一下子就要降落到这里，于是他急忙抓住枪，跳了起来，很是兴奋。可是他却惊奇地发现，整整一大块冰，就在他等待着的时候行动起来了，向岸边流动，而他所听到的正是它的边缘摩擦湖岸的粗粝之声——开始还比较温和，一点一点地啃噬着，碎落着，可到后来却沸腾了，往湖岸上撞去，冰花飞溅，达到一定的高度，才又落下，复归于平静。

　　终于，太阳直射地面，温暖的风驱散了雾和雨，更融化了湖岸上的积雪。雾气消散后，太阳向着褐色土地和袅袅炊烟形成的格子形风景微笑，而熏香似的薄雾还在缭绕呢。游人从一个小岛穿越到另一个小岛，被无数淙淙流动的溪涧奏起的音乐迷住了。在这些渠道中，春日的血液畅流，而冬日早已消逝。

　　观察解冻的泥沙从铁道的深沟陡坡中倾泻而下的景象，最令我悦然不已。我到村中总要经过那里，如此大规模的景象，不是常常能够看到的。虽说自从铁路到处兴建以来，许多暴露在外的新建的铁路路基都提供了这种合适的材料。这些材料便是各种粗细不匀的沙粒，它们颜色也各不相同，里面还混着一些泥土。当春天来临，冰霜开始解冻的时候，或者在冬天的冰雪还未融将融的时候，沙子就开始顺陡坡而下了，就像火山的熔岩。有时，沙子还穿透积雪倾泻而下，流到以前没有沙子的地方。无数这样的小溪流，相互重叠、交叉，变成了一种混合物，一半具有流水的特点，一半又遵从植物的规律。因为它顺流而下的时候，那状态颇像植物在萌芽发叶，或藤蔓在蔓延生长，形成许多软浆向外喷射似的，有时深达一英尺或更深。俯视的时候，你会发现它们的形态像一些有裂片的、相互叠盖的苔藓的叶状体。也许你还会联想到珊瑚、豹掌，或鸟爪，或人脑，或脏腑，或任何事物的分泌物。这真是一种奇异怪诞的植物，它们的形态和颜色却又像我们所见的青铜器。这种枝叶繁茂、花团锦簇的建筑学式的装饰，比古代的莨苕叶、菊苣、常春藤或其他植物叶更古老、更典型，也许在某种情形之下，这将使将来的地质学家百思不得其解。整条深沟令我印象深刻，像一个钟乳石都暴露在阳光之下的山洞。

颜色各异的沙子，简直是种类丰富，形态悦目，包含了铁的各种不同的颜色：棕褐色、灰白色、淡黄色、浅红色。当那流沙到达路基下的排水沟里，就平铺开来，形成浅滩。各自分开的溪流已失去了原来的半圆柱形，变得越来越平坦，越来越广阔了。如果能再湿润一点，它们就混合在一起，直到形成一个几乎完全平坦的沙地，不过它们依旧有着千变万化的美丽色调，你甚至还能看出原来的植物形态，直到最后，像在一些河口上所见的那样，汇入水里，变成沙岸。此时，它才失去植物的形态，变成沟底的粼粼波纹。

整个铁路路基高约 20～40 英尺，有时会被这种枝叶花簇的装饰或者说是细沙的裂痕所覆盖。在其一面或两面，都有这种现象，长达 1/4 英里，这便是春日的杰作。这些泥枝沙叶的惊人之处，就在于它是在瞬间形成的。当我在路基内层的一面——因为太阳是先照射这一面的——看到一个毫无生气的斜面，而在另一面却看到了如此华丽的枝叶——它是大自然在 1 小时内创造的杰作——我深深地感动了，仿佛在一种特别的意义上来说，我正站在一个大艺术家的画室——一个创造了世界和自己的大艺术家的画室——来到他正在工作的地方，欣赏他在这路基上嬉戏，精力十足地到处留下新颖的图案。我觉得自己仿佛和这地球的内脏更加接近了，因为流沙呈叶形体，正如动物的内脏一样。

在这块沙地上，你会看到叶子雏形的出现。难怪大地以叶形对外表露出来，那是因为在它内部，它就是在这个意念之下劳作着。原子已经掌握了此规则，然后遵循规则，孕育新生。高挂在枝头的叶子，在这里看到它的原型。无论是大地还是动物，身体的内部都有润湿的、厚实的叶——这一个字特别适用于肝、肺和脂肪叶——它的字源 labor、lapsus，是漂流、向下流或逝去的意思；globus 是 lobe（叶）和 globe（地球）的意思，更可以衍生出 lap（叠盖）、flap（扁宽之悬垂物）和许多别的词，而就外表而言，一张干燥的薄薄的 leaf（叶子），无论是 f 音还是 v 音，都是一个压缩过的干燥的 b 音。叶片 lobe 这个字的辅音是 l 和 b，柔和的 b 音有流音 l 陪衬着，推动着。在地球 globe 一词的 g、l 和 b 中，g 这个喉音用喉部的容量增加了词的分量。

鸟雀的羽毛也是叶形的，只是更干燥，更单薄。因此，你才可以从栖于土地之中的粗笨的蚱蟓，进而看到活泼的、翩跹而起的蝴蝶。我们这个地球总是不断地变换，不断地自我超越，然后在它的轨道上展开翅膀。甚至，冰在开始的时候也是以精致的晶体叶子形状存在的，像根据模型翻印出来的，而那模型便是印在如镜的湖面上的水草的叶子。其实，一棵树，也不过是片叶子，而河流则是更大的叶子，河流中间的大地是它的叶肉，乡镇和城市是它叶脉上的虫卵。

当太阳西沉之时，沙子停止了流动，而一到早晨，这条沙溪又重新流动，形成一道道分支，造就亿万道川流。也许从这里，你可以知道血管是如何形成的。若是仔细观察，你会发现，起初融化的沙土中，有一道软化的沙流，它的前面有一个水滴似的顶端，像指尖一样，缓慢而盲目地寻找出路。直到后来，因为太阳升得更高了，它积聚了更多的热量和水分，与呆滞、无法流动的那部分一样，流动性较大的部分也是服从自然界的规律的，于是和后者分离，脱颖而出，独自形成一道弯弯曲曲的渠道或血管。那时，你可以看到一道银川，如闪电般耀眼，从一段泥沙形成的枝叶上，跃到另一段，而又总是时不时地吞没细沙。神奇的是，那些细沙不仅流得迅速，而且把自己编织得极为完美，利用最好的材料来组成渠道的两边。这些就是河流的源头。大约它的骨骼就是由水分和硅所形成的，而更加精细的泥土和有机化合物则形成了肌肉纤维或纤维细胞。人是什么？不就是一团融化的泥土？人的手指、脚趾的顶点就是泥土的凝结点。手指和脚趾，从身体的内部流出，流到它们的极限。在一个更富生机的理想环境之中，谁能知道人的身体会扩张、延伸到何种程度？人的手掌，可不就像一片展开的有叶片和叶脉的棕榈叶吗？而人的耳朵，不妨想象为一种苔藓，学名 *Umbilicaria*，挂在头的两侧，也有叶片似的耳垂或者滴状物。嘴唇——字源 labium，大约是从 labor（劳动）演化出来的——便是在口腔的上下两边叠着或悬垂着的。很明显，鼻子是一个凝聚的水滴，或钟乳石。下巴是一个更大的滴状物，整个面孔的水滴都汇合于此。面颊是一个斜坡，起于眉毛，向山谷状的脸面降下，分布在颧骨上。每一片蔬菜的叶片也都是一滴厚重且缓缓流动着的水滴，或大或小；叶片是叶的手指，有多少叶片，便说明它有多少个去向。若是有更多的热量或其他有利的影响，它就会流得更长更远了。

如此看来，这一个小斜坡发生的故事已图解了大自然一切活动的准则。地球的创造者原来只专注于一个叶子的形式。哪一个香波利益（解读埃及象形文字的考古学家）能够为我们破解这象形文字的意义,让我们终于能翻开历史的新一页呢?这个现象给我的欣喜远甚于一个丰饶多产的葡萄园。确实,从本质上讲,这是排泄,而肝啊、肺啊、肠啊,就像大地的里面被翻了过来,我们根本无从得知它们的尽头。可是,这至少说明了大自然是有内脏的,确实是人类的母亲。霜总是先从冰冻中释放出来,预示着春天即将到来,正如神话先于正式的诗歌,它也是先于绿草如茵、百花怒放的春天。我确信,再也没有一种事物更能荡涤冬天的雾霭和沉淀物了。它使我相信,大地还在襁褓之中,伸出它稚嫩的双手,向四周摇动。那光秃秃的额头上,冒出了新的卷发。世间万物呈现出一片生机。路基上的叶形图案,像锅炉中的熔渣,正说明大自然的内部"烧得火旺"。大地闭幕式不是一个已死的历史片段,地层相互交叠,像书中层层叠叠的书页,等待地质学家和考古学家们去研究;大地又像一株树的树叶般生动的诗歌,它早于花朵,早于果实;它不是一块化石,而是生机勃勃的事物;与它相比,一切动植物的生命,都不过是寄生在这个伟大的核心生命体上。它的剧烈震动,可以把我们的骸骨从坟墓中抛出来。你可以将金属熔化,把它们铸成你所能铸成的最美丽的形态;可是即使这样,也不能像这大地的熔岩所形成的图案这般令我兴奋。不仅是它,任何一种制度,都像一块放在陶器工人手上的黏土,也是可塑的。

  没过多久,不仅这些湖岸上,连每一座小山、平原和每一个洞窟中,都打起了白霜。那霜就像从冬眠中醒过来的动物一样,在音乐声中寻找着海洋,或者要迁移到云层之中。这种柔和的融雪方式,比之用锤子的雷神,力量要大得多。前者是使物体慢慢消融，而后者是把事物击成碎片。

有一部分土地上已无积雪，一连几个温暖的日子把它的表面晒得相当干燥了。这时最令人赏心悦目的就是，用这新生之年襁褓之中的各种柔和的初生之物，与那些熬过冬天的苍老植物之高尚的美相比——长生草、黄色紫菀、松针草和其他高雅的野草，在这时，往往比在夏季更加鲜明、更加悦人，就好像非得熬过冬天，它们的美才能成熟展现似的；甚至棉花草、猫尾草、毛蕊花、狗尾草、绣线草、草原细草，以及其他有强壮草茎的植物——都是早春的飞鸟的大粮仓，至少这些像模像样的杂草，都是大自然过冬的象征。羊毛草弧形的禾束似的顶部，特别吸引人，它把夏天带到我们的冬日记忆中，那种形态，也是艺术家最喜欢描绘的。在植物王国中，它的形式和它在人们心目中的形象之间的关系，正和星象学与人的心智之间的关系一样。它是一种比希腊语或埃及语更古老的古典风格。许多在冬天出现的现象，偏偏暗示了无法形容的柔和和纤细的精致。我们常听人把冬天描写成一个粗鲁狂妄的暴君，其实，它正用情人似的温柔轻巧的双手，为夏天装饰着美丽的长发呢。

随着春天的临近，赤松鼠成双成对地来到我的屋前。当我静坐阅读或写作的时候，它们就依偎在我脚下，不断地发出奇怪的叽叽咕咕声，如果我跺上几脚，它们的叫声反而会更高，好像它们疯狂的恶作剧已经超越畏惧和尊重的境界，无视人类的禁令了。别再唧唧咕咕地叫了，可是对于我的训斥，它们一点儿也不听。不仅我无法压制它们的气势，它们反而破口大骂，弄得我毫无办法。

春天的第一只麻雀！在这无限新鲜、无尽希望之中，新的一年开始了！听到来自蓝鸟、麻雀和红翼鸫的啁啾之声，那声音如银铃般稚嫩，它们飞过还部分光秃、湿润的田野，仿佛冬天的末雪在叮当飘落！在这样的一个季节里，历史、编年志、传说以及一切启示录的文字，又算得了什么？小溪为春天唱起赞美诗和四部曲；沼泽上的苍鹰，低低地在草地上盘旋，它已经在寻觅那刚刚苏醒的脆弱生命了。所有的山谷中，都可以听到冰雪融化的滴答之声，而那湖上的冰也在迅速融化。小草像春火一样，在山坡上燃烧起来，"春雨带来一片新绿"，好像大地释放出内在的热力，以迎接太阳的归来；而那火焰的颜色，不是火红的而是绿的——永恒青春的象征；小草的叶子像一根长长的绿色绸带，从草地上飘过，飘向夏季。它曾被霜雪阻拦过，可是，不久之后，它又在向前推进，举起上年的枯草的长茎，让新的生命从下面升起。它像潺潺溪流一样，从地下淙淙地冒出来。它与小溪几乎生死相息，因为在6月那些万物生长的日子中，小溪已经干涸，这些草叶成了它的渠道。年复一年，牛羊在这永恒的青色溪流中饮水，直到刈草的人们把它们割去，以供冬日之所需。即使人类的生命绝灭，也绝对灭不了此处的根源。那根上，仍能萌生绿色的草叶，直至永恒。

瓦尔登湖的冰雪迅速地融化了。湖的西北边，有一道两杆宽的水渠，越往东流越宽阔。一大部分的冰，已从它的主体上崩裂。我听到一只麻雀在岸上的灌木林中歌唱——欧利，欧利，欧利——吉泼，吉泼，吉泼，喳——喳，维斯，维斯，维斯。它似乎也在帮忙破冰呢！那冰块边沿的巨形曲线是何等优美啊，与湖岸多少有些呼应，然而却更加有规则！那儿的冰层出奇的坚硬，因为最近曾有一段短暂的严寒期，冰上遍布波纹，如同宫殿中的地板。暖风徒然地向东拂过它那密不透光的表层，直到吹皱远处那活动的水波。这缎带似的水波，在阳光底下闪耀，真是无比光辉灿烂。湖的俏颜上充满了愉悦和活力，似乎在述说着游鱼之乐，以及湖岸上细沙的欢愉。平镜似的湖面上，波光粼粼，整个湖仿若一条欢跃的游鱼。冬天和春天就是这样不同。瓦尔登湖死而复生了。可是正如我所说的，这一个春天，瓦尔登湖开冻得更加从容不迫。

从暴风雪和冷冽寒冬转换到天气晴朗而温度适宜的春天，从黑暗而呆板的日子转换到光亮且充满生机的时刻，这是一切事物都在宣告着的重大转变，很值得纪念。它似乎是突然而至的。大量涌现的光明突然充满我的屋子，虽然那时已将近黄昏，且冬天的云层还遍布空中，雨雪之后的水珠还在从檐上落下。我从窗口望出，昨天还是冰冷的、灰白色的大地，横列着透明晶莹的湖泊，已经如夏日傍晚似的平静而充满希望，在它的胸怀中呈现了一个夏日的夕阳天。虽然天空中还看不到这样的云彩，但它仿佛已经和某个远远的天空心心相依了。一只知更鸟在远处鸣叫，我感觉已经有几千年没有听到它的叫声了。虽然就是再过几千年，我也绝不会忘记它的乐声，它的歌声，与过去一样，还是那样甜蜜而高亢。啊，黄昏的知更鸟，在新英格兰的夏日天空下，但愿我能找到它栖息的枝头！我指的是那栖身树枝的知更鸟，而不是别的候鸟。

环绕我屋子的苍松和矮橡树，垂头丧气已久，突然重新恢复它们的神态，看上去更鲜亮、更苍翠、更挺拔，也更生气蓬勃了，好像被雨水仔细清洗过，复苏了一样。我知道，再也不会下雪了。看看森林中那些枝丫，或者看看那一堆燃料，你就可以知道冬天过去了没有。天色渐沉，我被大雁的鸣叫惊起，它们低低地穿过森林，像从南方的湖上走来的疲倦游人，姗姗来迟还大诉其苦，并互相安慰着。站在门口，我就能听到它们拍打翅膀的声音；当它们向我屋子的方向靠近时，突然发现了我的灯火，喧闹的声浪忽然静下来，然后盘旋而去，停在湖边栖息。于是，我回到屋子，关上门，在森林中度过我的第一个春宵。

清晨，我凝望着雾中的大雁，它们在 50 杆以外的湖心游泳。数量众多，毫无秩序，瓦尔登湖仿佛成了一个供它们嬉戏的人造游泳池。可是，看到我站到湖岸上，它们的首领发出一个信号，全体立即扇动翅膀，飞了起来。它们一共 29 只，排成一列，就在我头顶上方盘旋一圈，向加拿大方向径直飞去。每隔一定的间歇，它们的领袖便会发出一声鸣叫，好像在通知它们，到一些比较混浊的湖中用餐。与此同时，一大堆野鸭也飞了起来，随着喧闹的大雁向北飞去。

偶尔，我听到失群的孤雁在雾蒙蒙的黎明中盘旋、摸索、哀鸣，寻找它的同伴，那声音让森林都不堪重负。4 月，我看到鸽子了，一小队一小队地迅速飞过；某个时候，岩燕也在我的林中空地上，吱呀呀地叫，虽然我知道飞燕在乡镇并不是多得让我这里也可以分得一两只。我想，这种飞燕也许是古鸟的后代，在白人到来之前，它们就在树洞中居住了。几乎在任一地区，乌龟和青蛙都是这一季节的先驱和信使；鸟雀边唱边飞，它们的羽毛闪烁着光彩；植物生枝展叶，花朵怒放，和风吹拂，它们似乎都在调正两极的振摆，保持大自然的平衡。

在我看来，每一个季节相互转换，都各有其风韵；因此，春天的来临，恰似混沌初开，宇宙初创，黄金时代的再现。

> 东风退到奥罗拉和拿巴沙王国，
> 波斯和处于黎明光芒下的山冈。
> 人类诞生了，究竟是万物的创造主，
> 为创造更好的世界，以神的种子创造人；
> 还是为了大地，新近才从高高的太空坠落，
> 保持了某些天上的同类种族。

一场柔雨降落，青草更加青翠。我们的展望也是如此，当更好的思想注入其中，它就变得光明。我们这般幸运，若我们常常生活在"现在"，对发生的任何事情都能善于利用，就像青草感激每一滴露水对它的影响一样，别让我们惋惜错失的机会，把时间耗费在抱怨之中，而认为那是在尽我们的责任。春天已经来到了，而我们还停留在冬天里。在一个愉快的春日清晨，人类的一切罪恶都得以宽恕。这样的一个日子，是罪恶消融的日子。阳光如此温暖，坏人也会忏悔回头。若是自己恢复了善良之心，我们也会发现邻人的纯洁与善良。也许，就在昨天，你还把某个邻居看作盗贼、醉鬼或好色之徒，可怜他、轻视他，对世界悲观不已，可是这个春日的早晨，阳光灿烂、温暖，它重新创造了世界，它正在清理这个世界。你能看到它衰颓而放纵的血管中，凝

滞的欢乐涨溢了。它在祝福这一个新日子，像婴儿一样单纯地感受春天的影响，而你一下子就忘记了它的一切过错。它周身不仅充满善意，甚至还有一种圣洁的气息缭绕着，也许有些盲目地寻求着表现，可毕竟是具备了一种新的本能。顷刻之间，向阳的南坡上便没有任何庸俗的笑声回荡。在那扭曲的树皮上，一些纯洁的芽枝正等着萌发，要尝试这一年的新生活，柔和而新鲜得犹如一株幼苗。它也许已进入上帝的喜悦之中。为什么狱吏不把牢狱的门打开？为什么审判官不把手上的案件撤销？为什么布道的人不叫会众离开？因为这些人都不服从上帝给他们的暗示，也因为他们不愿接受上帝自由地赐给人类的宽恕。

"牛山之木尝美矣，以其郊于大国也。斧斤伐之，可以为美乎？是其日夜之所息，雨露之所润，非无萌蘖之生焉。牛羊之从而牧之，是以若彼之濯濯也。人见其濯濯也，以为未尝有材焉，此岂山之性也哉。

"虽存乎人者，岂无仁义之心哉。其所以放其良心者，亦犹斧斤之于木也。旦旦而伐之，可以为美乎？其日夜之所息，平旦之气，其好恶与人相近也者几希，则其旦昼之所为，有梏亡之矣。梏之反复，则其夜气不足以存；夜气不足以存，则其违禽兽不远矣。人见其禽兽也，而以为未尝有才焉者，是岂人之情也哉。"

> 黄金时代初创时，人间没有怨恨，
> 没有法律而自动信守忠诚与正直，
> 没有刑罚，没有恐惧，从来也没有，
> 铸在黄铜上高高挂起的恐吓文字，

乞怜者不畏惧审判者口中的话，
一切皆安，世无复仇者。
高山上还没有松树被砍伐下来，
水波可以流向其他国家，
人类除了自己的海岸不知有其他。
春光永不消逝，徐风温馨吹拂，
抚育那无须播种自然生长的花朵。

  4月29日这天，我在九亩角桥附近的河岸上钓鱼，站在飘摇的绿草和杨柳树根之上，那里藏匿着一些麝香鼠。我听到一种异常奇特的响声，有一点像小孩子用手指把玩木棒所发出的声音。我抬头一看，看到一只十分纤瘦而漂亮的鹰，有点儿像夜鹰，它忽而像水花似的飞旋而过，忽而翻跟斗似的落下，反反复复，展示出它翅膀的内部，在日光下闪耀如一条绸带，又似贝壳内层闪烁的珠光。这番景象使我想起放鹰捕禽的技术，此项运动曾经引发我何等崇高的意兴，并为此抒写过多少诗歌啊。它好像可以被称为灰背隼，而我倒不在意它的名字。这是我所见过的最灵活飘逸的一次飞翔。它并不像蝴蝶那样翩跹而起，也不像体形较大的鸢鹰扶摇而上，它在天空中骄傲而自信地嬉戏，发出强劲有力的咯咯之声，越飞越高，而后再肆意而优美地下降，如鸢鸟般连连翻转，然后又从高处的翻腾之中恢复过来，好似它从不愿意降落于大地之上，而只愿独立于苍穹之中——它独自在那里嬉戏，除了空气和黎明，它似乎并不需要任何陪伴。可它并不是孤寂的，相比之下，天空下的大地却显得异常孤寂。孵育它的母亲在哪里呢？它的同类呢，它那遨游于天空中的父亲呢？它是浩渺苍穹之中的动物，似乎它和大地只有一个关系，那就是当它还是一个蛋时，恰在某个时候某块岩石的裂隙中被孵化。难道它的故巢在那云端之上，是以彩虹作边，以夕阳的天空编织而成，并用地面上浮起的一阵仲夏的薄雾围绕的吗？它的巢穴筑在悬岩似的云之巅。

除此之外，我居然捕到了一些罕见的金色、银色的闪闪发光的杯形鱼，它们看起来很像一串宝石。啊！许多早春的黎明，我曾深入走过这些草地，从一个小丘跃到另一个小丘，踏过一枝柳根到达另一枝柳根。那时，野性的河谷和森林都沐浴在这样纯净、璀璨的晨光之中。如果死去的人真如人家设想过的那样，不过是在坟墓中睡着了觉，那么在此美景之中，他们都会被唤醒的。似乎不需要更有力的证据来证明不朽了！世间万物都必须生活在这样的一道光芒之下。啊，到那时，死亡的针芒将藏在何处？啊，坟墓，你的胜利又在何处呢？

如果没有这些未曾涉足的原始森林和草原环绕着村庄，我们的乡村生活将是何等凝滞呆板啊！我们需要旷野来滋补心灵——有时跋涉于潜伏着山鸡和鹭鸶的沼泽地区，倾听射鹬的叫声；有时嗅嗅薰衣草的气息，在那里，只有一些更野性更孤独的鸟在上面筑巢；而貂鼠悄悄地爬来了，它的肚皮贴着地，匍匐而行。在我们热衷于发现和学习一切事物之时，我们要求万物是神秘的，并且是无从探究的，希望大陆和海洋永远狂野，未经涉足也无人测探，因为它们是无法测探的。我们永远不会对大自然感到厌倦。我们必须摄取无穷的精力，从广大的巨神似的形象中得以启发，必须从海岸和岸边的破舟碎片，从苍茫旷野和它的生机勃勃的原林以及残枝朽木，从雷云，从连续三周而致成水灾的暴雨，从这一切之中得以苏醒和焕发生机。我们需要看到自我突破的限度，需要在我们从未涉足的牧场上自由地生活。当我们看到令人作呕和沮丧的腐尸被鸷鹰吃掉的时候，我们高兴起来了，因为它们能从这里面得到健康和精力。在我回木屋的途中，路边的一个洞穴里面有一匹死马，那气味往往逼得我绕道而行，特别是晚上空气很闷的时候。但是它却使我感觉到大自然的强壮胃口与不可侵犯的健康，这让我心里得到很好的补偿。大自然中充满了生命，能承受得住无数生灵相互残杀带来的牺牲与苦痛。弱者的生命就如软浆一样被榨干；苍鹭一口就能吞下蝌蚪；乌龟和蛤蟆在路上被车轮碾死，有时候，血肉会如雨点般洒落！虽然生命这样容易遭遇不测，而我们却必须明白，不要过于在意。在一个智者的思想之中，宇宙万物是普遍无知的。毒药不一定是有毒的，伤口不一定就是致命的。怀有恻隐之心不一定永远可靠，它是稍纵即逝的，它的诉诸同情的方式也不会一成不变。

　　5月初，橡树、山核桃树、枫树和其他种类的树在沿湖的松林中长出枝叶，给风景带来阳光似的光辉。特别是在多云的日子里，那景象像太阳透过云雾而微弱地照耀小山的所有地方。忘了是5月3日还是4日，我在湖中看到一只潜水鸟。在这个月的第一个星期里，我听到了夜鹰、棕色的鸫鸟、画眉、美洲小鹊和其他飞禽的声音。林中画眉的声音，我是早已听到的。鹟鸟又到我的门窗上来张望，要看看我这一座木屋能不能够做它的巢。它的翅膀急促地拍动着，停在半空中，爪子紧紧地蜷着，好像能抓住空气似的，同时它仔仔细细地观察了我的屋子。硫黄色的苍松花粉不久就铺满了湖面和圆石，以及沿湖的那些残枝朽木，因此你可以满满地装上一桶，这便是我们曾经听到过的所谓的"硫黄雨"。甚至在迦梨陀娑的剧本《沙恭达罗》中，我们就读到"莲花的金粉把小河染黄了"。就这样，季节轮回，到了夏天，又可以漫步在越长越高的茵茵绿草之中了。

我的第一年林中生活便这样结束了，第二年与之类似。最终，我于1847年9月6日，离开了瓦尔登湖。

尾　声

对于病人来说，医生常明智地劝告其换个环境，换换空气。谢天谢地，美好的世界并不仅限于此。七叶树不在新英格兰生长，这里也难得听到嘲鸫鸟的声音。与我们相比，大雁更加国际化，它们在加拿大用早饭，在俄亥俄州吃中饭，夜间又飞到南方的河湾上清理自己的羽毛。甚至野牛也紧随时令节气，它在科罗拉多牧场吃草，一直吃到黄石公园又有更绿更甜的草等待它的时候。然而我们却认为，如果拆掉栏杆或篱笆，在田园周围砌上石墙的话，我们的生活便有了屏障，我们的命运方能安定。如果你被选为市镇的公务员，那今夏你就不能到火地岛去旅行，却很可能达到地狱的烈火之中。宇宙比我们眼睛所看到的大得多。

我们应该像好奇的旅行家那样，经常地站在船尾眺望周遭的风景，不要一面旅行，一面却像愚蠢的水手，只顾低头撕扯麻絮。其实，地球的另一面也不过是和我们相同的人家。我们的旅行，只不过是兜了一个大圈子，正如医生开的药方，也只能医治你的皮肤病。有人赶到南非去追逐长颈鹿，他实在不应该醉心于此类运动。你说，人的一生又有多久的时间在追逐长颈鹿呢？猎鹧鸟、捕捉土拨鼠也是罕有的游戏了，我认为在内心猎杀自己会是一项更加高尚的运动。

> 把你的视线转向内心，
> 你将发现你心中有上千处地方未曾涉足。
> 那么去旅行吧，
> 成为以宇宙为家的地理专家。

非洲是何意思？西方又代表什么呢？在我们内心的地图上，不也是一片空白吗？一旦被发现，它还不是如海岸般一片漆黑吗？是否这就是我们要探究的尼罗河之源，或尼日尔河或密西西比河的源头，或我们这片大陆上的西北走廊呢？难道这些就是跟人类最有关联的问题吗？是否富兰克林爵士是这世上唯一失踪的北极探险家，因此他的太太必须这般焦急地找寻他呢？而格林奈尔先生是否知道自己身在何处呢？让你自己加入门戈·派克、刘易斯、克拉克和弗罗比秀的队伍，去考察自己内心的江河海洋吧，去勘探你内心的更深处吧——必要的话，往船上装足罐头，以维持自己的生命；你还可以把空罐头堆得跟天空一样高，以作标志之用。发明罐头难道仅仅是为了保藏肉类吗？不，你得做一个哥伦布，寻找你内心的新大陆和新世界，开辟新海峡，这并不是为了做生意，而是为了思想的流通和交流。每个人都是自己领域中的主人，沙皇帝国和这个领域相比，也不过是一个卑微小国，一个冰天雪地中的小疙瘩而已。然而，有些人就是不知道尊重自己，却奢谈爱国，结果为了少数人的利益，要大多数人当作牺牲品。他们爱上自己将来要葬身的土地，却不理睬让他们的躯体充满活力的精神。这样的爱国只是他们的空想。南海探险队用意何在？那样的排场、那样的耗资，说得直白些，那只是承认了这样一个事实：在精神生活的世界中，虽然有无数的海洋和大陆，其中每一个人都只不过是一个小岛，然而他却不肯在其中探险；他坐在政府拨给他的大船之中，航行驶过千里的寒冷、风暴和食人的生番之地，带着500名水手和仆人来协助和服侍他。与在内心的汪洋上探险相比，他觉得在独自一人的大西洋和太平洋上探险倒是容易得多。

> 任他们去漂泊吧，
> 去考察异域的澳大利亚人，
> 我从上帝的恩赐中收获甚多，
> 而他们获得更多脚下的路。

周游世界各地，只为数清桑给巴尔有多少只猫，这是不值得的。如果一直坚持这份工作，你会做得更好，也许你还能找到"薛美斯的洞"，由此你最后可以到达你内心的深处。英国、法国、西班牙、葡萄牙、黄金海岸和奴隶海岸，这些都面对着内心的海洋。从那里出发，都可以直达印度，但却没有哪一条船敢驶出港湾，远航到茫茫无际的内心海洋。即使你学会了一切方言，熟知了一切风俗；即使你比所有的旅行家都走得更远，即使你已适应了一切气候和水土，连那斯芬克斯都被你气死，撞碎在岩石之上了，但你还是要听从古代哲学家的一句话，"到你内心深处去探险"。你的眼睛和头脑这才派上用场。只有败将和逃兵才肯走上这个战场，只有懦夫和逃亡者才能在这里入伍。现在就开始探险吧，踏上那最遥远的西方之路，这样的探险之路并不止于密西西比河或太平洋，也不只是到达古老的中国或日本，这条探险之路一望无际，像大地的一条切线，无论冬夏昼夜，无论日出日落，都无止无息地探寻灵魂，一直到达地球消失之处。

据说，法国政治家米拉波到大路上试验了一次抢劫行为，"用以检测一下，正式地公开违抗社会最神圣的法律到底需要多大的决心"。他后来宣称，"战场上的士兵所需要的勇气只有强盗的一半"，还说，"荣誉和宗教不能阻挡一颗审慎而坚定的心"。在这个世界上，米拉波算是个勇敢的人；可是这很无聊，即使他并不令人失望。一个较为清醒的人将发现自己"正式违抗"所谓的"社会最神圣的法律"的次数实在是太多了，因为他得遵守一些更加神圣的法律。他并不是有意为之，但也已经测验了他自己的决心。其实，他不必对社会采取这样的态度，只要保持原来的态度，服从他自己的法则就行了。如果他能碰到一个公正的政府，他这样做是不会与它相悖的。

我离开森林，就跟我进入森林一般，有着同样充分的理由。我觉得也许还有好几种生活可过，我不必把太多时间用在这种生活上。令人吃惊的是，我们很容易就糊里糊涂地习惯于一种生活，走出一条自我界定的轨迹。在那儿住了不到一星期，我的脚就踩出一条小径，从门口直达湖滨；距今不觉已有五六年了，这条小径却踪迹依旧。我想别人也在走这条小径，所以直到现在它还在通行。土地的表面是柔软的，人踩过就留下了踪迹；同样，心灵的行程也会留下印记。想想看世间的公路是何等的尘埃蔽天，传统和习俗形成了何等深刻的车辙！我不愿坐在船舱里，宁愿站在世界的桅杆前，立于甲板之上，因为从那里我能更清楚地看见群峰之间的皓月。我再也不愿下到舱底去了。

至少，我是从实验中了解了这个道理：一个人若能自信地向他梦想的方向前进，努力经营他所向往的生活，他是可以获得意想不到的成功的。他将会跨越一条看不见的界线，把一些事物都抛在后面；全新的、更广阔的、更自由的法规将伴随着他，并在他的内心深处建立起来；或者旧有的法规得以扩展，并在更自由的层面得到有利于他的新解释。他将拿到许可证，生活在世界的更高级的秩序之中。他自己的生活越简单，宇宙的规律也就显得越发简单，寂寞将不为之寂寞，贫困将不为之贫困，软弱也将不成其为软弱。如果你建造了空中楼阁，你的劳苦并不是白费的，因为楼阁就应该造在空中。现如今，就在它们的下面奠定好基础吧。

英国和美国提出了一个荒唐可笑的要求，即要求你说话必须能让他们理解。人类和毒菌的生长都不是如此听命的。他们还认为这很重要，好似没有他们的理解，便没有人来理解你。就好像大自然只赞成这样一种理解方式，它养得活四足动物而养不活鸟雀，养活了走兽却养不活飞禽。"轻声""别说话"和"站住"的吆喝，似乎成了最好的英文，连勃莱特也能懂得。仿佛只有愚蠢才能永保安全！我最担心的是我表达得还不够夸张呢，还不能超过我的日常经验的狭窄界限，用以适应我所肯定的真理！过分吗？！这要看你处在何等境地。游荡的水牛跑到另一个纬度寻找新的牧场,并不比奶牛在喂奶时踢翻了铅桶,跳过牛栏奔到小牛身边去,来得更加过分。我希望在一些自由的地方随心所欲地说话,像一个清醒的人跟另一些清醒的人那样地说话;我认为,要给真正的表达奠立一个基础的话,我还远远不够呢。谁会因为听到过一段音乐,就害怕自己会永远说话说得过分呢?为了未来或可能发生的事,我们应该生活得轻松闲适,活得含蓄一些,对外不妨暧昧、朦胧些,正如我们的影子,对着太阳也会不知不觉地汗流浃背的。我们真实的语言常常易于改变,使残余下来的话语变得不大适用。它们的含义是时刻改变的,只有文字的形式还保留着。表达我们的信念和虔诚的文字是不确定的,然而,它们气味芬芳,作用甚大,使人甘之如饴。

为什么我们时常自我贬低智力,甚至降到了愚笨的程度,而又把这种行为美其名曰常识?最平常的常识是睡着的人存在的意识,是从他们的鼾声中表达出来的。有时,我们把极少聪明的人和愚笨的人归为一类,因为我们只能欣赏到他们聪明的1/3。有人偶然起了一次早,就对黎明中的红霞吹毛求疵起来。我还听说过,"他们认为卡比尔的诗有四种不同的意义:幻觉、精神、智力和吠陀经典的通俗教义"。可是,在这个世界上,要是有人给一个作品作出一种以上的解释,大家就要纷纷指责了。英国致力于防治土豆腐烂,他们难道就不能努力医治脑子腐烂吗?而且后者实在是更加普遍、更加危险呢。

我并不是说我的思想已经变得更为深奥了。可是,从我这本书上找出的致命缺点,如果不比从这瓦尔登湖的冰上找出的更多的话,我就感觉到很骄傲了。南方的冰商指责它的蓝色,仿佛那沾染上了泥浆，而事实上这是纯洁的证明。相反，他们看中了剑桥之水，因为那是白色的，可是那水却有一股草腥气。原来人类所爱好的纯洁是包裹着大地的雾，而不是上面那蓝色的天空。

有人窃议我们美国人以及近代人，和古人比较起来，甚至和伊丽莎白时代的人比较起来，都不过是智力上的矮子。这话是什么意思呢？一只活着的狗总比一头死去的狮子好些。难道一个人属于矮子一类就该去上吊吗？为什么他不能做矮子中最高的那一人呢？人人都应该管好自己的事情，致力于自己的职责。

为什么我们这样急功近利，从事这样荒唐的事业？如果一个人跟不上他的同伴，那也许是因为他听到的是另一种鼓声。应该让他踏着他所听到的音乐节拍行走，不管那拍子如何，或者在多远的地方。他是否能像一株苹果树或橡树那样迅速地成熟，并不是最重要的。他该不该把他的春天变作夏天？如果我们所要求的情况还不够理想，那我们用以代替的任何现实又算得了什么呢？我们千万不要在一个虚无的现实上撞船。我们是否要努力在头顶上建造一片蓝色玻璃的天空呢，尽管完成后我们还是要凝望那更加遥远的真实天空，而把前者视作并未建立过的一样。

在柯洛城中，有一个艺术家，他执着地追求完美。有一天他想做一根手杖。他觉得有时间因素限制就不能成为完美的艺术作品，因为凡是完美作品，时间肯定是不受约束的。因此他自言自语："哪怕我此生不再做任何其他的事情，也要把它做得十全十美。"他立刻到森林中去找木材，他决定不用那些不合格的材料。就在他寻找着，一根又一根地挑选着，不中意而抛掉的期间，他的朋友们逐渐离开了他，因为他们都在工作中变老死掉了，而他却一点儿也没老。他一心一意，坚定而又虔诚，这一切使他在不知不觉中得到了永恒的青春。因为他不向时间妥协，时间就只能站在一旁叹气，对他毫无办法。他还没有找到一种完全适用的材料，可是柯洛城已是一片废墟，后来他就坐在废墟之中，剥着树皮。坎达哈朝代已经结束了，他却还没有造出一个形状来。他用手杖的尖，在沙土上写下那个民族最后一人的名字，然后又继续工作。当他磨光了手杖，卡尔伯已经不是北极星了；他还没有给手杖装上金箍和饰有宝石的杖头，梵天都已经睡醒过好几次了。

我为什么要说这些话呢？最后完成的时候，它顿时光耀无比，成了梵天所创造的世界中最美丽的一件作品。他在创造手杖的过程中创造了一种新制度，创造了一个美妙而比例适度的新世界。其间，古代和古城虽都逝去，新的更加光辉的时代和城市却已代之而兴起。如今刨花还依然新鲜地堆在他的脚下，对于他和他的工作而言，时间的流逝只是过眼云烟，时间一点也没真正逝去，就像梵天脑中闪过的思想立刻就点燃了几个人脑中的火线一样。材料纯粹，他的艺术精练，结果怎能不堪称神奇和完美呢？

我们能制造事物的表象，但最后没有一个能像真理这样完美地让我们受益。只有真理，永不破败。我们并不存在于此时此地，而是在一个虚设的位置上。只因我们天性脆弱，才假定了一类情况，并把自己放置其中，这就同时有了两种情形，我们若要从中脱身，就难上加难了。清醒的时候，我们只在意事实，只注意实际情况。你要说出你想说的话，而不是说些你该说却不想说的话。任何真理都比谬论好。当补锅匠汤姆·海德站在断头台上，有人问他有什么话要说。"告诉那些裁缝，"他说，"在缝第一针之前，不要忘记在他们的线尾打一个结。"而他同伴们的祈祷已被遗忘。

不论你的生命如何卑微,你都要勇敢面对它,继续生活下去;不要逃避,更不用恶言恶语咒骂它。它并不像你自己那样坏。当你最富的时候,却是你最穷之时。爱挑刺找碴儿的人,就是到天堂里也找得到缺点。尽管贫困,你也要爱你的生活;即使在一个济贫院里,你也还有愉快、光荣的时光。夕阳照射在济贫院的窗上,就像照射在富人家的窗上一样光亮,在他们的门前,积雪也一样在早春里融化。我看到,一个安心的人无论在哪里都像在皇宫中一样,生活得心满意足而思想愉快。在我看来,城镇中的穷人,倒是过着最独立不羁的生活。也许因为他们很了不起,所以受之无愧。大多数人以为他们是超然的,不需政府来支援他们;可事实上,他们往往不择手段地来应对生活,他们绝不是超脱的,甚至是不体面的。视贫穷如园中的花草,像圣人一样地辛勤培育它吧!不要寻找新花样,不管是新朋友还是新衣服,来给自己找麻烦。去找曾经的吧,回到原来的地方去。万物不变,是我们在变。你可以卖掉衣服,但要保留你的思想。上帝将向你保证,你不需要社会。如果我像只蜘蛛一样整天躲在阁楼的一角,只要我还保有我的思想,世界对于我来说也还是一样的宽广辽阔。

有位圣人说过:"三军可夺帅也,匹夫不可夺志也。"不要焦虑地寻求发展,不要屈服于玩弄你的外界的影响,这些全是过眼云烟。卑微如黑暗一般,闪耀着美妙的光。贫穷与卑贱的阴影围绕着我们,"可是看啊!我们的眼界变得更加宽大!"我们常常被提醒,即使赐予我们克洛索斯的巨大财富,我们的目的一定还只是如此,我们的方法仍将依旧。另外,如果你受尽贫穷的限制，例如连书报都买不起了，那时你也不过是被困于最有意义、最为重要的经历之内了；你必须跟那些可以产生最多的糖分和最多淀粉的物质打交道。最接近骨头的生命才越甜蜜，你不会再碌碌无为了。身份高贵的人宽宏大度，不会使卑微的人有任何损失。多余的财富只能购买多余的商品，而人的灵魂必需的那些东西，是不需要花钱购买的。

我住在铅墙的角落中，那里已注入一点儿制钟的铜合金。常常在我正午休息的时候，一种混乱的叮叮之声从外面传入耳中。这是我同时代人的声音。我的邻居告诉我他们同那些著名的绅士、淑女之间的奇遇，以及在夜宴桌上他们遇见的那些贵族，对这些事情，正如对《每日时报》的内容一样，我丝毫不感兴趣。他们的趣味和谈资总是关于服装和礼仪，可是呆鹅总归是呆鹅，随你怎么打扮它，都无法改变。他们告诉我加利福尼亚和德克萨斯，英国和印度，佐治亚州或马萨诸塞州的某某大人，这一切全是短暂的、瞬息即逝的现象，我几乎要像马穆鲁克的省长那样从他们的庭院中逃走。我愿我行我素，而不是涂脂抹粉、招摇过市、引人注目，即使我可以跟这个宇宙的建筑大师携手同行，我也不愿掩饰自我——我不愿生活在这个焦虑不安、神经紧张、忙乱繁杂、琐细无聊的19世纪的生活中，我宁可或站着或坐着去沉思，任时间流逝。人们在庆祝些什么呢？原来，他们都加入了某项事业的筹备委员会，随时准备恭听他人演说。

上帝便是今天的主席，韦伯斯特是他的演说家。对于那些强烈、合理地吸引着我的事物，我喜欢去衡量、处理它们，向它们靠拢——决不拉住磅秤的横杆，以减少重量——不去假定一个情况，而是按照这个情况的本质来行事。我行走在我能够旅行的唯一的路上，在那里，任何力量都无法阻止我。在奠定坚实的基础之前，我不会自造拱门而自满自足。没有必要玩什么冒险的把戏。任何事物都得有个坚实的基础。有这么个故事，一个旅行家问一个孩子，他面前的这个沼泽有没有一个坚固的底。孩子说有的。可是，旅行家的马立刻就陷了下去，他对孩子说："我听你说，这个沼泽有一个坚固的底。""是有啊，"后者回答，"可是你还没有到达它的一半深呢。"社会的淤泥和流沙不也是如此吗？只有经历丰富的孩子才能了解这一点。也只有在很难得的某个情况下，你所想的、所说的那一些事才是好的。我不愿做一个傻到只在板条和灰浆的墙中钉入一只钉子的人，要是我做了那样的事，到半夜里我还会无法入眠的。给我一把锤子，让我自己来摸一摸钉板。不要依赖表面上涂着的灰浆，锤入一只钉子，让它真实地钉紧，那我半夜醒来，想想都会很满意呢——这样的工作，便是你惊动了女神缪斯，也会毫无愧色的。这样做上帝才会帮你的忙，也只有这样做他才会帮忙。你要继续这一个工作，让每一个锤入的钉子都成为宇宙大机器中的一部分。

不必给我爱，不用给我钱，也不必给我名誉，赐予我真理吧。我坐在一张堆满山珍海味的餐桌前，受到热情的招待，可是那里却没有真理而且缺乏诚意。宴罢之后，从这冷淡的餐桌归来，我饥饿难当。这种招待凄冷如冰。我想，不必再用冰块为它们保鲜了。他们向我介绍美酒的年代和美名，可是我却想到了一种更古老，却更新鲜、更纯粹、更光荣的饮料，这是他们没有而且要买也买不到得一种饮料。风格、建筑、庄园和"娱乐"，在我眼中全是虚无。我去拜访一位国王,他像一个好客之人般盼咐我在客厅里等他。而我邻居中有一个人,他虽住在树洞里,行为却有王者之风。我要是去访问他,结果一定会好得多。

我们还要在走廊里坐多久,施行这些无趣的陈规陋习,弄得任何工作都荒唐不堪呢?这种情况就像一个人,每天清晨就要苦修,还雇了一个人来给他种土豆;到了下午,他抱着预先设计好的善心出去践行基督教徒的温柔与爱心!请想想中国的骄矜和人类的凝滞自满吧。这一代人庆幸自己是一个光荣传统的最后一代,而在波士顿、伦敦、巴黎、罗马,历史是多么悠久,还在夸耀自己的文学、艺术和科学多么进步而沾沾自喜。哲学学会的记录数目众多,对于伟人公开的赞美文章也不在少数!正是亚当,在夸耀他自己的美德。"是的,我们做出惊人的壮举了,唱出神圣的歌了,它们是永恒不朽的。"也就是说,在我们能记得它们的时候,它们自然是不朽的。可是古代亚述的博学多闻的团体和伟人,请问他们现在何处呢?我们是多么年轻的哲学家和实验家啊!我的读者之中,还没有一个人已经体验过整个人生。这些岁月,也许只是人类的春天的那几个月。即便我们患了7年才能治好的疥疮,我们也并没有看见康科德经受过的17年的蝗灾,我们只熟悉我们所生活的那一小块地方。大多数人没有深入过水下6英尺,也没有跳高到6英尺以上,我们其实并不知自己在哪里。另外,差不多一半的时间,我们都是沉睡的。可我们却自作聪明,自以为在地球上建立了秩序。我们是深刻的思想家,也是有志气的人!我伫立在林中,观察这森林地上的松针之中,蠕蠕爬行着的一只昆虫,我看到它企图避开我的视线,躲藏起来。我便自问，为什么它有这样谦逊的思想，要藏起头来避开我呢？而我，也许可以帮助它，可以给它的族类带来更多可喜的消息。这时，我禁不住想起我们更伟大的施恩者、大智者，或许他也在俯视着我们这些宛如蠕虫的人呢。

新奇的事物正源源不断地注入这个世界，而我们却在忍受着不可思议的愚蠢。我只要说明，在这最文明的国土上，我们还在听着怎样的说教就足够心烦意乱了。现在还有这种字眼，如快乐啊，悲哀啊，但这些都只是用鼻音唱出的赞美诗中的复句，实际上我们所信仰的依然是平庸和卑微。可我们却以为只要换换衣服就行了。据说，大英帝国很强大、很可敬，而美利坚合众国则是一等强国。可我们却不知道每一个人背后都有潮起潮落，这浪潮可以把大英帝国像小木片一样浮起来，如果它真心敬畏的话。谁知道下一次还会发生什么样的17年蝗灾？我所生活的那个世界的政府，也并不像英国政府那样，并不是在夜宴之后，喝喝美酒并谈谈说说就能建立起来的。

我们体内的生命如同滚滚东逝之水。它可以在今年涨得老高，高得空前，形成洪水淹没干涸的高地；甚至这样的一年也可能是多灾之年，把所有的麝香鼠都淹死。我们生活的地方不一定总是干涸的土地。我眺望遥远的内陆上的那些河岸，远在科学记录它们的泛滥之前，就曾受过江河的冲洗。我想大家都听过新英格兰传说的这个故事吧：有一只强壮而美丽的爬虫，从一只古老的苹果木桌的干燥的活动桌板中爬了出来，那桌子放在一个农夫的厨房中已经60年了。它先是在康涅狄格州，后来搬到了马萨诸塞州来，那卵在比60年前甚至更早的时候，当苹果树还活着的时候，就在里面了，这是可以根据它外面的年轮判断的；好几个星期以来，都可以听到它在里面撕咬，它大概是受到钵头的热气才孵化出来的。听了这样的故事之后，有谁会感觉不到复活与不朽的信心是多么强大的呢？这卵已几世几代地埋在层层围住的木头中间，置于枯燥的社会生活之中。起先它是在青青的有生命的白木质之间，后来这东西渐渐成了一个风干的绝佳的坟墓——也许它已经咬了几年之久，那声音使那坐在这欢宴的餐桌前的一家子惊惶失措——谁知道这般美丽的、有翅膀的生命突然从社会中最不值钱的、他人赠送的家具中，倏然跳了出来，终于开始享受到它完美生命的夏天！

我并不是说，约翰或者乔纳森这些普通人可以理解这所有的一切；所谓明天，就是那尽管时间流逝，而黎明始终不来。使我们失去视觉的那种光明，对于我们来说，就是黑暗。只有我们睁开眼睛醒过来的那一天，黎明才能降临。来日方长，太阳只不过是朦胧天际的一颗启明星。

出品人：许　永
出版统筹：林园林
责任编辑：许宗华
特邀编辑：陈璐璟
封面设计：墨　非
印制总监：蒋　波
发行总监：田峰峥

发　　行：北京创美汇品图书有限公司
发行热线：010-59799930
投稿信箱：cmsdbj@163.com

官方微博

微信公众号